Manual básico de lenguaje y narrativa audiovisual

Papeles de Comunicación

Últimos títulos publicados:

Federico Fernández Díez
José Martínez Abadía

Manual básico de lenguaje
y narrativa audiovisual

PAIDÓS
Barcelona • Buenos Aires • México

Ilustraciones de Oriol de la Torre Rovira, Raúl Morales Vericat y Daniel Seguí Florit

Cubierta de Mario Eskenazi

Esta obra ha sido publicada con la ayuda de la Dirección General
del Libro, Archivos y Bibliotecas del Ministerio de Educación y Cultura

1ª edición, 1999
14ª impresión, marzo 2016

© 1999 Federico Fernández Díez y José Martínez Abadía
© 1999 de todas las ediciones en castellano
    Espasa Libros, S. L. U.,
    Avda. Diagonal, 662-664. 08034 Barcelona, España
    Paidós es un sello editorial de Espasa Libros, S. L. U.
    www.paidos.com
    www.planetadelibros.com

ISBN: 978-84-493-0604-4
Depósito legal: B. 9.407-2011

Impreso en Book Print

El papel utilizado para la impresión de este libro es cien por cien libre de cloro
y está calificado como papel ecológico

Impreso en España – *Printed in Spain*

SUMARIO

PRESENTACIÓN

Redactar un prólogo de un libro con cuyos autores se mantienen vínculos académicos y de amistad personal exige siempre un esfuerzo suplementario para juzgar, de manera objetiva, su contenido. Así he procurado hacerlo y creo haber conseguido el distanciamiento suficiente para enjuiciar sin apasionamiento su último trabajo recogido en estas páginas.

Quisiera comenzar remarcando al lector, en primer lugar, que este libro forma parte de una más amplia obra realizada por los autores individualmente y en equipo. Las distintas publicaciones de los profesores Federico Fernández Díez y José Martínez Abadía constituyen, sin ninguna duda, una significativa base referencial para la docencia y para la consulta de los profesionales del sector en muy distintos ámbitos de la industria audiovisual: tecnológico, de producción y de realización. Con esta obra sobre el lenguaje y la narrativa audiovisual cierran un extenso círculo temático que abarca la práctica totalidad de las facetas de la producción.

Este *Manual básico de lenguaje y narrativa audiovisual* ocupa un vacío bibliográfico existente en este momento para que los futuros profesionales que acceden por primera vez al conocimiento de las formas expresivas propias del audiovisual se adentren, de forma rigurosa, metódica y ordenada en el conocimiento de esas técnicas comunicativas. También va a ser útil a muchos profesionales del sector porque con su lectura van a «refrescar» y reflexionar sobre algunas de las técnicas que emplean cotidianamente y que, con el uso sistemático, pueden volverse mecánicas y repetitivas.

En este volumen, los autores exponen de manera práctica y didáctica, los distintos conceptos y las bases que conforman la narrativa y el conocimiento de los códigos expresivos propios del audiovisual. Efectúan una exposición amplia y bien estructurada. Su ordenamiento asegura una progresividad eficaz para el aprendizaje tanto si se sigue el libro de forma lineal, de primera a última página, como si se lee saltando directamente a los capítulos de mayor interés para el lector. Partiendo de conceptos básicos ligados al ojo y la cámara, describen las bases del lenguaje y de la narrativa paso a paso, analizando aspectos cruciales como la composición, la continuidad, la elipsis y el movimiento para culminar en el estudio de la banda sonora y el montaje que nos encamina al momento cumbre de la realización: el guión en todas sus variantes y evoluciones.

Quienes tenemos la responsabilidad de contribuir a la realización de programas audiovisuales y de asegurar el «sustento» preciso para la supervivencia de estas máquinas esencialmente optimizadas para fagocitar filmes y programas que son las televisiones, experimentamos una sensación optimista cada vez que aparece algún elemento que, desde cualquier punto de vista (tecnológico, expresivo, comunicativo, etc.) contribuye a renovar y dar nuevos aires al estatus establecido. En este sentido, la propuesta de estos autores, ayuda a la revitalización del medio.

El equilibrio existente entre el conjunto de las técnicas expresivas tratadas y los grados de profundidad con que se exponen garantiza una lectura fácil, completa, interesante y, especialmente, eficaz para conseguir que tanto el estudiante como el estudioso y el profesional del sector puedan aprovecharse de la potencialidad que para el aprendizaje y la renovación de las formas comunicativas audiovisuales recogen estas páginas.

PERE VILA I FUMÀS,
Director técnico de Televisió de Catalunya

AL LECTOR

Esta publicación es el resultado de una reflexión nacida años atrás cuando los autores, como profesionales de la enseñanza de medios audiovisuales, comentábamos la escasa bibliografía existente para introducir a los estudiantes de cine, vídeo y televisión, de forma simple, escalonada y rigurosa en el conocimiento de los códigos y de la narrativa empleados en la construcción de filmes y programas.

Nos encontrábamos con referencias bibliográficas de una excesiva simpleza expositiva, adecuadas sólo para conocer el vocabulario mínimo de uso audiovisual o, en el otro extremo, con enfoques muy complejos que requerían contar, por parte del lector, con unos conocimientos previos de importante calado. Entre estos dos extremos nació la idea de preparar un texto, un *Manual básico de lenguaje y narrativa audiovisual* que contribuyera a rellenar ese hueco detectado. Nos pusimos manos a la obra y aquí presentamos el resultado que confiamos cumpla el doble objetivo para el que ha sido creado: permitir una alfabetización en medios audiovisuales para crear filmes y programas y también para facilitar el análisis crítico de productos audiovisuales.

En su redacción ha planeado continuamente la idea de construir un manual útil, basado en ejemplos de aplicación práctica y en referencias reconocidas y reconocibles por los lectores. A nuestro favor ha jugado la pasión que mantenemos con respecto al audiovisual, que nos ha permitido llegar a acuerdos con facilidad y, sobre todo, el mantenimiento de una idea motriz presente en toda la extensión de este libro, la consideración principal del audiovisual como un vehículo privilegiado para la comunicación. En cualquiera de sus variantes: dramáticos en cine, vídeo o televisión, documentales, informativos, concursos, retransmisiones deportivas o de cualquier otro tipo, etc., lo fundamental es el cumplimiento de los objetivos comunicativos establecidos en el diseño del programa. Para comunicar con eficacia es preciso conocer la utilización de los códigos expresivos propios del medio, las convenciones narrativas y de lenguaje que se aplican en la realización de todos los programas.

Hemos tenido en cuenta, también, las diferencias expresivas existentes en los diferentes medios: cine, vídeo y televisión. No obstante, hemos preferido no separarlos ni afrontar individualmente la realización en cada uno de ellos. Los hemos tratado conjuntamente indicando, cuando lo hemos considerado preciso, las diferencias existentes entre uno y otro.

Este manual está dirigido a todos aquellos que quieren conocer mejor las claves de realización de filmes y programas. Vivimos inmersos y afectados en nuestra vida cotidiana por multitud de mensajes audiovisuales lo que, por sí mismo, ya justifica el interés por conocer con más profundidad la lógica interna de realización de tantos programas que pretenden seducirnos.

Si con nuestra modesta aportación contribuimos a conocer mejor el funcionamiento narrativo, expresivo y comunicativo de todo este maremágnum audiovisual, nos daremos por satisfechos.

FEDERICO FERNÁNDEZ DÍEZ
JOSÉ MARTÍNEZ ABADÍA

Sant Cugat del Vallès
(Barcelona)

INTRODUCCIÓN

Mientras se proclama que vivimos en una sociedad de la información donde jamás las personas han tenido acceso con tanta facilidad a cantidades ingentes de conocimientos y saberes, se da paradójicamente el caso de que los individuos no poseen las claves, los instrumentos para participar de forma activa en los procesos de comunicación. Al mismo tiempo se dan condiciones objetivas para conseguir aquel deseo de Enzensberger que tanto caló en muchos estudiantes de la década de los setenta referido a la posibilidad de que cada receptor pudiera convertirse en un emisor en potencia.

Si ese deseo llevaba implícito una referencia a la radio como medio de comunicación asequible para su logro, hoy, la referencia es, sin duda, el mundo audiovisual, el vídeo, la televisión, el multimedia y la globalización de las comunicaciones mediante las posibilidades comunicativas de la red de redes, de Internet.

Participar activamente en el proceso de comunicación conlleva la necesidad de desarrollar un verdadero proceso de alfabetización en el lenguaje audiovisual. Sólo así puede conseguirse ese proceso liberador que posibilite un papel más activo de las personas en la oposición a la introducción de modelos estandarizados, unidireccionales y castradores de la idiosincrasia de los individuos y de las diferencias culturales existentes.

Esta publicación nace con un espíritu de alfabetización entendiendo como tal que todos los miembros de un grupo compartan el mismo significado asignado a un cuerpo común. Desde el punto de vista del lenguaje y la narrativa audiovisual alfabetizarse quiere decir aprender las reglas, como mínimo las básicas. La finalidad es la de construir un sistema que facilite el aprendizaje para identificar, comprender y crear mensajes audiovisuales.

Esta obra se inscribe en una historia personal y profesional de sus autores ligada a la comunicación audiovisual y a su transmisión en centros de enseñanza especializados. Nuestra experiencia en campos tan diversos como la formación profesional de técnicos audiovisuales, la universidad, el reciclaje de profesionales en activo y la producción y realización de programas nos hace dirigirnos con un especial propósito a aquellas personas que se acercan al mundo audiovisual con la idea de profesionalizarse, de formar parte de la gran legión de comunicadores que pueden aportar su propia visión en formato vídeo, televisión, cine o informático.

La esencia del audiovisual es, por encima de todo, la comunicación, desde cualquiera de las aportaciones que requiere la construcción del producto o programa. El principal objetivo de cualquier proyecto audiovisual es conseguir los efectos comunicativos que dan origen a su puesta en marcha efectiva. Para conseguirlos, todos los profesionales que intervienen en su realización tienen que dominar y aplicar los códigos, las reglas y el alfabeto idóneo. No caben distinciones entre unos y otros tipos de técnicos. Para conseguir la máxima eficacia comunicativa todos, desde los encargados de producción a los cámaras, pasando por los técnicos de sonido y por los de posproducción, directores de arte, fotógrafos, iluminadores, equipo de realización, etc., todos, en suma, conseguirán una mejora del producto final que guardará una relación de proporcionalidad con el mayor o menor conocimiento de las técnicas comunicativas aplicadas a cada uno de sus campos concretos de operación. Su profesionalidad se medirá también por su dominio de las reglas expresivas.

La finalidad de este libro es, por encima de todo, práctica, y pretende servir a quienes se adentran en el mundo audiovisual, en el conocimiento más concreto de la realización práctica de programas audiovisuales, y también a aquellos que desean especializarse en el análisis de mensajes y programas.

La narrativa audiovisual y el lenguaje se nutren de reglas y códigos comunes que han ido estableciéndose a lo largo de más de un siglo de existencia del cine. Más de cien años de esfuerzos en pro de comunicar todo tipo de mensajes destinados a la comprensión de los receptores han configurado una gramática mundialmente aceptada, una suerte de lenguaje universal que entienden los espectadores de manera natural y que los creadores han de dominar para conseguir eficacia comunicativa.

Los sucesivos cambios y evoluciones que el cine ha experimentado, la incorporación del sonido, el color, los formatos panorámicos, el sonido espectacular, así como la invención de la televisión y sus correspondientes avances, el color, el vídeo, los cambios en su relación de aspecto, la alta definición, los formatos de programa, la comunicación multimedia, etc., han constituido aportes continuos e introducido profundas transformaciones en las formas expresivas y adaptaciones en las que se han probado nuevas formas de realización muchas de las cuales han pasado al olvido, desechadas seguramente por no cumplir claramente sus funciones expresivas. Otras, por el contrario, han mostrado su eficacia pasando a engrosar el catálogo de recursos comunicativos puesto a disposición de los directores y realizadores.

La narrativa, y especialmente los aspectos formales del lenguaje audiovisual (objetivo casi exclusivo de este manual) son, como cualquier otra técnica comunicativa, susceptibles de aprendizaje. Así se desprende de las múltiples publicaciones existentes que tratan con mayor o menor profundidad estos temas. No obstante, lo que a nuestro juicio distingue esta obra es la sistematicidad en la exposición de los contenidos que permite su lectura en varias direcciones. Puede leerse linealmente, de principio a fin, sistema que aconsejamos a quienes quieran efectuar el proceso más completo de alfabetización, a los estudiantes de las familias profesionales de Comunicación, Imagen y Sonido, a los estudiantes de las facultades de Ciencias de la Comunicación en todas sus diversas especialidades, a los estudiantes de las facultades de Bellas Artes, etc. También puede leerse por capítulos, saltando directamente a aquellos que puedan interesar específicamente a profesionales en activo o estudiantes que deseen profundizar en aspectos concretos del lenguaje y de la narrativa audiovisual. Por último, el índice analítico que hemos incorporado permite un acceso directo a términos concretos que pueden cumplir (aun sin que ésa sea específicamente la pretensión de sus autores) una función de diccionario.

La naturaleza normativa y la asignación de significados comunes que han permitido la existencia de un lenguaje codificado y comprensible han sido tratadas en «Naturalidad y convención».

En «Plano, toma, escena y secuencia» se profundiza en las unidades básicas de la narrativa que permiten la construcción de significados comprensibles.

La capacidad mágica de los medios audiovisuales para crear geografías sugeridas mediante la presentación de elementos en el interior del encuadre se analiza en «Campo y fuera de campo».

En «Fragmentación del espacio escénico» se abordan las opciones de que dispone el realizador para presentar mediante la planificación una realidad existente o sugerida.

«El movimiento» analiza las posibilidades expresivas y las funciones que el movimiento o el estatismo de la cámara y/o el referente introducen en la construcción de la obra videográfica y cinematográfica.

La disposición de los elementos en el interior del encuadre y las relaciones de dichos elementos entre sí y respecto al espectador se tratan en «La composición».

La característica sugerente y no secuencial de los medios audiovisuales, el escamoteo del tiempo o su recreación se abordan en el capítulo referente a «Elipsis y transiciones»

En «La continuidad» se profundiza en los aspectos relativos al mantenimiento en el espectador de una sensación de fluidez sin sobresaltos en la contemplación de los relatos según la lógica secuencial de los acontecimientos representados.

Algunas de las principales normas de aplicación en la construcción de programas se recogen en los tres capítulos de «Realización práctica», a modo de compendio de actuación útil tanto para realizadores de cine o vídeo como de multicámara.

En «La puesta en escena» se analizan aquellos aspectos claves en la creación de ambientes creíbles como la escenografía, la luz, el color, la iluminación, el vestuario, el maquillaje, la caracterización y la interpretación.

En «Montaje y edición» se recogen algunas de las principales teorías existentes y se aporta una clasificación propia que pretende sintetizar categorías.

La aportación auditiva de los medios audiovisuales es analizada en «La banda sonora» donde se estudian minuciosamente sus componentes principales así como las características de su relación con la imagen.

La principal herramienta de construcción de obras audiovisuales, «El guión», se aborda en este capítulo, desde la idea inicial hasta su concreción más definitiva y avanzada en guión técnico o *story board*.

Introducimos también una «Bibliografía» básica de utilidad para aquellas personas que deseen formarse una cultura audiovisual más sólida en aspectos relacionados con la narrativa y el lenguaje así como un «Índice analítico» que facilite la identificación y el acceso rápido a los conceptos asociados a los ítems o palabras clave relacionados.

Los contenidos expuestos en este manual han sido experimentados y puestos a punto por los autores en diferentes cursos de muy distintos niveles educativos: ciclos formativos de grado medio y superior en la rama de Comunicación, Imagen y Sonido, cursos universitarios y postuniversitarios, así como en diversos cursos de reciclaje para profesores y profesionales de la industria audiovisual. En todos ellos se han ido perfilando los contenidos permitiéndonos efectuar retoques, extensiones y atajos que han contribuido a una mayor claridad expositiva y eficacia para su comprensión.

Confiamos haber conseguido en estas páginas nuestra pretensión inicial, un compendio, un manual que permita una introducción sistemática y rigurosa a quienes se sumergen en el conocimiento de los medios audiovisuales. Esperamos haber configurado un cuerpo común e imprescindible de recursos utilizables por todos aquellos que pretenden formar parte de los alfabetizados audiovisualmente, bien para formar parte del apasionante mundo de los dedicados a la realización de cine, vídeo y televisión o, simplemente, para analizar críticamente la avalancha de mensajes audiovisuales que caracterizan a nuestro mundo actual y a nuestra forma de vida.

Capítulo 1

NATURALIDAD Y CONVENCIÓN

La convención, la asignación de unos significados normalizados y aceptados de forma consciente o inconsciente por los espectadores, hace posible la universalidad del lenguaje audiovisual. Las posibilidades perceptivas de los sentidos humanos y las limitaciones de la cámara han alcanzado un grado de complementariedad y desarrollo en la evolución del lenguaje audiovisual que hoy nos permite expresar cualquier acción o cualquier sentimiento con la seguridad de que, si hemos utilizado los códigos adecuados, será perfectamente comprendido por el espectador.

El lenguaje visual con imágenes móviles se ha ido configurando en la práctica cinematográfica, y se ha perfeccionado especialmente en la creación de relatos de ficción.

Si bien la televisión y el cine han abordado otros géneros que requieren una aplicación diferente del lenguaje es, sin duda, en la ficción dramática donde el lenguaje ha desarrollado la enorme potencialidad narrativa y expresiva que posee en la actualidad.

El lenguaje cinematográfico y videográfico surge del esfuerzo por elaborar mensajes audiovisuales valiéndose de los medios técnicos de captación y reproducción existentes.

En los principios de la cinematografía se consideraba a los medios técnicos como unos instrumentos perfectos de captación objetiva de la realidad, capaces de «enlatar la vida». Sin embargo, los creadores pronto se dieron cuenta de que no era así. La vida no era en blanco y negro, ni muda, ni estaba enmarcada, ni tenía sólo dos dimensiones.

La llegada del cine sonoro, la aparición del color, el acercamiento de la cámara a los personajes, el uso creciente de los movimientos de la cámara, el empleo de la profundidad de campo y la introducción de avances técnicos y recursos expresivos, parecían acercar cada vez más el cine a la realidad, pero los creadores eran conscientes de que el espacio continuaba enmarcado, la profundidad de campo no era infinita, los planos cercanos agrandaban al sujeto en la pantalla cambiando aparatosamente su escala respecto a los planos más lejanos y, en definitiva, la cámara seguía fracasando en la misión de sustituir al ojo.

Finalmente, los creadores tomaron conciencia de que la cámara no actuaba como el ojo humano, y por tanto no podía reproducir de la misma forma la vida, ni siquiera en su apariencia visual. A partir de esta constatación comenzaron a intentar representar la realidad y la vida, empezaron a relatarla y para ello fueron creando y construyendo el lenguaje cinematográfico, las formas de representación que han convertido al cine en el arte narrativo más popular de nuestro tiempo.

La técnica, al fracasar en la intención de presentar la realidad, obligó al uso de la convención para poder representarla mediante su recreación.

De esta manera, un primer plano que amplía enormemente un rostro no se interpreta como una cabeza gigante, sino como el punto de vista de un observador privilegiado e invisible que se coloca a escasa distancia del sujeto para observar su expresión. Inconscientemente, el espectador acepta que la cámara es él mismo convertido en observador mágico que se coloca en cada momento en el punto de vista más interesante, con total impunidad, puesto que el personaje sigue actuando sin ninguna muestra de percibir la intromisión.

Si el primer plano es una transgresión flagrante de las condiciones de la visión real y requiere una convención (que se le asigne un significado común), qué decir del oscurecimiento de la pantalla para representar el paso del tiempo, o de la posibilidad de ver lo que sucede en un lugar e inmediatamente ver lo que sucede en otro muy alejado, u observar a un individuo que toma un avión para verle descender al instante del mismo en un supuesto lugar situado a centenares de kilómetros.

Todos estos recursos admitidos y fácilmente interpretados por el público no son naturales, como tampoco lo es la música que permanentemente se escucha de fondo estén los personajes en una sala de fiestas, en su casa, o en el más solitario de los desiertos y, por supuesto, sin que el personaje lleve consigo un receptor de radio o cualquier otro aparato capaz de producirla.

Admitimos la música como un elemento expresivo más que nos ayuda a entrar en el clima de la escena, que refuerza su carga emocional sin que seamos conscientes del artificio mientras vivimos el relato.

No obstante, la aparente semejanza de la imagen cinematográfica con la realidad, su carácter material que implica la existencia del referente, transmite una fuerte sensación de naturalidad que llega a hacer olvidar al espectador que el cine y los medios audiovisuales son únicamente una articulación artificiosa de imágenes basada en la convención y, por tanto, en la existencia de un lenguaje audiovisual. No ocurre exactamente lo mismo en la narrativa visual con imágenes formales, que evidencian el filtro de la interpretación humana. De este modo, nadie dará excesiva credibilidad como documento a un dibujo, mientras que sí concederá crédito documental a la fotografía, al cine o a la televisión.

Es tan fuerte el poder de sugestión de la imagen material, especialmente cuando parece cobrar vida con el movimiento, que el espectador cree ver, con mucha frecuencia, en los mensajes con ella construidos, una copia objetiva de la realidad, realidad aparentemente no manipulada en el caso del reportaje, u ordenada a tal fin como en el caso del trabajo con actores.

Esta realidad es, sin duda, la principal materia prima en la construcción de mensajes cinematográficos y videográficos, pero es una realidad filtrada también por el «ojo» de la cámara.

El hombre aplica el lenguaje para construir mensajes a partir de las imágenes que obtiene por procedimientos técnicos, y el propio medio técnico impone la creación de un lenguaje que supera sus propias limitaciones en la captación de la realidad.

Pero, además, aprovecha las diferencias con la visión humana para la creación artística y la ficción, prescindiendo o renunciando, a veces, a reflejar objetivamente la realidad.

Si la visión cinematográfica fuese una mera copia de la visión real, tal vez se hubiera contentado con reproducirla, sin pensar en adentrarse en los terrenos de la narrativa. En ese caso, el lenguaje cinematográfico no se habría hecho necesario, y en consecuencia no habría nacido el arte de masas de mayor trascendencia en nuestra época.

El resultado obtenido por las cámaras no es en absoluto una copia de la visión real y se requiere la interpretación de sus convenciones, de forma consciente o inconsciente, para descodificar el mensaje.

La conciencia de la convención impide la plena vivencia del relato, delata el artificio, y dificulta la puesta en marcha de los mecanismos de identificación y proyección del espectador, mediante los cuales entra dentro de la historia, participando en lo que sucede a escala emocional, percibiendo sensación y expresión sin pensar en la estructura formal que las provoca.

Las convenciones del relato visual se basan en la analogía, la homología y la connaturalidad. Son estas características las que nos hacen vivir el relato como si formásemos parte del mismo.

La connaturalidad, que facilita la interpretación inmediata sin convención explícita, se apoya en la utilización de recursos que el público conoce en otros contextos. Así, en el caso del cine se apoya en los recursos propios de la fotografía, el teatro, incluso en el cómic. Si el recurso empleado es al mismo tiempo analógico (se parece formalmente a su referente real) la aceptación natural está asegurada. De este modo, el espectador integra inmediatamente estos elementos del lenguaje que interpreta de forma automática y que experimenta como naturales.

Esta sensación de naturalidad no se limita a los recursos del lenguaje, sino que se mantiene también en el caso de imágenes técnicas cuyo carácter antinatural debería ser obvio para todos los espectadores. Piénsese, por ejemplo, en un primer plano tomado con teleobjetivo, en el que el fondo está totalmente desenfocado y pegado al sujeto: se trata de una imagen que el ojo humano no puede obtener por si sólo y que, sin embargo, se acepta no como una forma de ver propia del medio técnico, sino como una imagen absolutamente natural.

Pero no todas las imágenes técnicas tienen la virtud que hemos expuesto como ejemplo. Un desenfoque provocado en un acercamiento de la cámara al primer plano de un rostro, y la consecuente corrección de foco para mejorar la nitidez de la toma, se considera como un fallo que no pasa desapercibido al espectador.

El espectador se apercibe entonces de que allí había un operador de cámara. De repente, es consciente de la mediación técnica y humana, y deja de vivir el relato con continuidad. Se ha roto la magia, porque ese desenfoque no tiene un significado, no sigue las reglas existentes del lenguaje, ni es tampoco una nueva aportación al lenguaje porque no tiene ningún sentido.

El lenguaje visual es un lenguaje vivo que se amplía y enriquece día a día con nuevas aportaciones. La única condición es la adecuación al significado informativo y expresivo de la situación representada. Significado que naturalmente ha de ser descodificado automáticamente, sensorialmente, por el espectador.

La técnica, por tanto, precisa del lenguaje para aparecer como natural, y el lenguaje se pone al servicio de la técnica, ocultando sus limitaciones y aprovechándolas para producir efectos que el ojo no puede lograr. El lenguaje mantiene milagrosamente la conciencia de naturalidad en el espectador, sin la cual tal vez no sería posible provocar la intensidad de la vivencia que todo el mundo sabe que provoca el relato cinematográfico.

1.1. El ojo y la cámara

La cámara capta las imágenes por procedimientos tecnológicos similares a los mecanismos fisiológicos del ojo humano.

A pesar de sus semejanzas con la visión directa, la captación de imágenes con la cámara es mucho menos perfecta. También existen diferencias en la interpretación de las imágenes según provengan de la visión directa o de la cámara.

Respecto a la captación:

— La cámara no responde con la rapidez y eficacia del ojo ante cambios o situaciones críticas de iluminación.
— La cámara tiene limitaciones para mantener enfocados simultáneamente objetos distantes, mientras que el ojo pasa de uno a otro sin problemas.
— La cámara encuadra un espacio muy limitado, mientras que el ojo no está limitado por el encuadre y tiene un ángulo de visión muy superior.
— El ojo explora la imagen y procesa la información instantáneamente seleccionando en cada instante el punto de atención, mientras que la cámara presenta en el encuadre una imagen global sin distinguir entre señal y ruido, es decir, entre lo que es significativo y lo que no.
— Cuando la cámara busca una imagen, la exploración se hace evidente. En cambio, cuando el ojo explora la realidad, el cerebro sólo hace conscientes los puntos de interés de la escena observada.
— En la visión directa el punto de atención varía continuamente, mientras que la imagen obtenida por la cámara obliga a centrar la atención exclusivamente en ella tal como es presentada. Por ello, cuando se representan acciones en tiempo real, en muchas ocasiones el espectador puede tener la sensación de que duran más de la cuenta.

En cuanto a la interpretación:

— En las imágenes captadas por el ojo humano, provenientes de la realidad, el cerebro las recibe directamente y las procesa eficaz e instantáneamente para extraer su significado. Las imágenes procedentes de la cámara, en cambio, son previamente seleccionadas y combinadas, la exploración ya ha sido hecha; así que cuando las vemos en la pantalla, el cerebro las interpreta tal y como le son presentadas.
— La cámara no presenta la realidad, sino una visión de la realidad. No presenta las imágenes para que el ojo explore y seleccione lo significativo. Todo lo que presenta está ya seleccionado y se convierte en significativo.
— La cámara ha visto por nosotros y ve de forma diferente. Por ello, la obtención de sus imágenes y su presentación ha de realizarse utilizando un lenguaje, que aporta el conocimiento para dirigir la visión de la cámara excluyendo aquello que no sirve al significado previsto, haciendo posible que los espectadores entiendan los mensajes visuales y les den un significado común.

— El lenguaje interviene en la selección y combinación de las imágenes organizadas en forma de mensaje, permite al emisor elaborar conscientemente mensajes con significados informativos y expresivos comprensibles para los receptores.

— Si bien el espectador no suele ser consciente del lenguaje, aunque sea capaz de descodificar el mensaje, este mensaje no habría podido elaborarse sin la aplicación del lenguaje.

CUADRO 1. *La cámara y el ojo.*

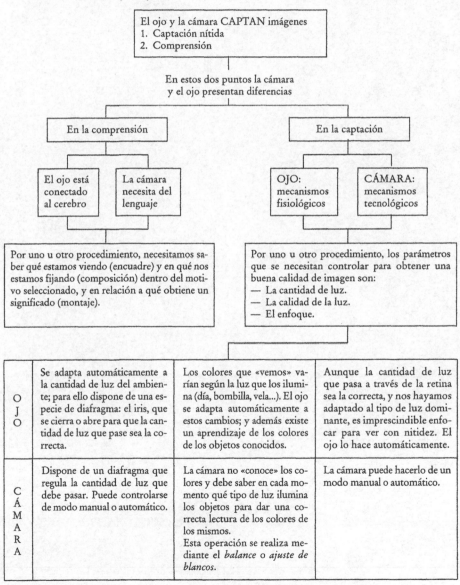

Capítulo 2

PLANO, TOMA, ESCENA Y SECUENCIA

El proceso constructivo del filme o programa audiovisual se asemeja a otras construcciones en las que la suma de las partes va, progresivamente, constituyendo el todo. El plano, unidad básica de la narrativa, constituye, por agrupación, escenas y éstas, a su vez, secuencias que, convenientemente entramadas dan lugar al producto final.

Las representaciones teatrales tradicionales solían dividirse en tres actos, desarrollados cada uno con un fondo que podía cambiarse para representar espacios diferentes. La libertad del cine y de la televisión para yuxtaponer de forma secuencial diferentes espacios, combinándolos a placer sin tener que someterse a las limitaciones del proscenio teatral, ha provocado la aparición de nuevas divisiones del discurso visual.

Todos los medios de expresión visual tienen en común la existencia del encuadre. Aunque en la visión real no existen demarcaciones, en la representación bidimensional se precisan límites. La limitación que la pintura, el cómic, la fotografía y los medios audiovisuales tienen en cuanto a la necesidad de seleccionar el espacio real se convierte, al mismo tiempo, en una poderosa herramienta creativa.

2.1. Secuencia

La secuencia es una unidad de división del relato visual en la que se plantea, desarrolla y concluye una situación dramática. No es preciso que esta estructura sea explícita, pero debe existir de forma implícita para el espectador.

La secuencia puede desarrollarse en un único escenario e incluir una o más escenas, o en diversos escenarios. También puede desarrollarse de forma ininterrumpida de principio a fin, o bien fragmentarse en partes mezclándose con otras escenas o secuencias intercaladas.

En la práctica televisiva el término secuencia se aplica muchas veces como sinónimo de escena, e incluso se emplea para denominar cualquier parte de la acción que haya de ser representada y registrada en un espacio específico.

2.2. Escena

La escena es una parte del discurso visual que se desarrolla en un solo escenario y que por sí misma no tiene un sentido dramático completo.

una parte de la secuencia

2.3. Toma

La *toma*, también llamada *plano de registro*, es un término que se aplica para designar la captación de imágenes por un medio técnico.

En el cine y en el vídeo, la captación es necesariamente diacrónica y se define la toma como todo lo captado por la cámara desde que se pone en función de registro de imagen hasta que deja de hacerlo.

El tipo de toma depende del encuadre inicial, de los movimientos de cámara y personajes y del encuadre final.

La captación de imagen no implica necesariamente su grabación. Pueden hacerse tomas de prueba en vídeo o cine sin registrarlas (tomas mecánicas) o transmitir imágenes sin haberlas grabado previamente (vídeo en circuito cerrado o televisión en directo). En otros casos, la finalidad de la toma es ser registrada sobre un soporte, película cinematográfica o cinta de vídeo.

Las tomas registradas o partes de ellas pueden ser montadas, es decir, seleccionadas y combinadas mediante la compaginación (cine) o la edición (vídeo). A la parte de toma que se utiliza en montaje se le llama *plano de edición*, y es lo que los cineastas han definido siempre como *plano*, término que ha servido también para designar la parte del sujeto recogida en el encuadre.

2.4. Plano de encuadre

El tamaño y el formato son factores en principio externos al encuadre y con frecuencia no se les da la importancia que merecen. Estos elementos poseen un extremo valor mediatizador pues afectan extraordinariamente a la percepción de lo que la imagen contiene. Al contemplar una imagen es importante su tamaño. Si los espectadores de la *Llegada de un tren* (Arrivé d'un train, 1895) de los hermanos Lumière, experimentaron un sentimiento de pánico ante la enorme proporción de la sala cinematográfica donde se proyectaban estas imágenes podríamos afirmar que difícilmente ese pavor se habría provocado observando esa misma imagen en la reducida pantalla de un televisor actual. En este caso, la ilusión de realismo se habría aminorado.

Las imágenes se elaboran específicamente para cada medio. Aunque con frecuencia se dan alteraciones de importantes consecuencias perceptivas. En la realización cinematográfica las imágenes son concebidas y creadas para su fruición en una sala de proyección convencional en pantalla de gran tamaño. La fuerza de un plano general en una proyección en sala cinematográfica puede perderse absolutamente si lo contemplamos en la pantalla de una televisión. Se altera así no sólo la fuerza del plano sino también los detalles de la imagen que han sido equilibrados y construidos con ánimos expresivos y descriptivos por el director, perdiendo, en la proyección televisiva, valor descriptivo y no sólo emotivo.

La puesta en escena de un gran número de filmes sufre fuertes convulsiones al pasarla por la televisión pues desaparecen los detalles y las diferencias entre los primeros planos y el fondo.

La pequeña pantalla televisiva acepta puestas en escenas planas, sin apenas relieve, poniendo el énfasis en la presentación de primeros planos de los sujetos u objetos presentados. El realizador de vídeo o televisión ha de ser consciente de esta limitación expresiva y construir imágenes adecuadas a las posibilidades reales del medio de trabajo.

El encuadre está también íntimamente ligado al formato de trabajo o relación existente entre su altura y anchura, y no tiene nada que ver con el tamaño de la imagen proyectada. El formato se establece por la proporción entre los lados de la imagen. La *relación de aspecto* clásica de la televisión es de 4:3, o sea, 1:1,33, que es la misma que poseen las películas antiguas. Por el contrario, las películas panorámicas se extienden al 1:1,66 y los formatos *Scope* llegan al 1:2,55. La televisión de alta definición y nuevas modalidades intermedias de televisión como el sistema Pal Plus mantienen una relación de aspecto de 16:9, o sea, 1:1,77.

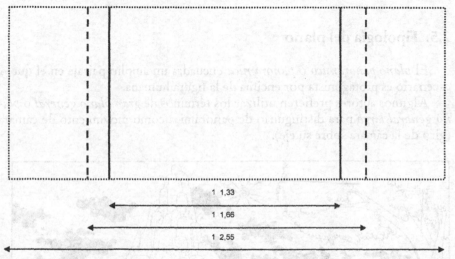

FIGURA 1. *Distintos formatos.*

En la elección de uno u otro formato se producen importantes variaciones estéticas, especialmente en aquellos medios como el cine en que se puede, con mayor facilidad, optar por uno u otro formato. El equilibrio composicional de la imagen puede verse sustancialmente alterado en esta elección. Además de requerir una adaptación estética distinta para cada uno, un formato más panorámico tiene consecuencias directas sobre el presupuesto de producción: es más caro, por la necesidad de llenar de contenido un área mayor de fotograma. Los gastos en decoración y escenografía aumentan. La mayor parte de los filmes actuales se ruedan en formatos panorámicos y en cinemascope, especialmente en las producciones de alto presupuesto.

Al producirse trasvases entre uno y otro medio (cine y televisión) aparecen problemas para hacer compatibles las habituales diferencias de formato de trabajo. Los filmes que exceden la relación de aspecto convencional de televisión (1:1,33) suelen salir malparados en su pase por televisión. Para conservar su integridad no queda más remedio que la aparición de dos franjas negras por encima y por debajo de la imagen que reducen aún más el tamaño de la imagen cinematográfica presentada, dificultando su lectura y su espectacularidad. La solución de llenar completamente la pantalla del televisor se efectúa a costa de recortar la imagen original cinematográfica, lo que puede considerarse como una manipulación respecto a la composición original del filme.

La toma comienza con un determinado encuadre, enmarca aquello que va captando, dejando fuera lo demás. Para describir el encuadre que realiza la cámara se hace referencia al punto de vista que ésta adopta y al «plano» que recoge.

Normalmente, el plano de encuadre se clasifica tomando como referencia la figura humana. Así, los planos más usuales toman el nombre de la parte del sujeto que encuadran.

2.5. Tipología del plano

El *plano panorámico* o *panorámica* encuadra un amplio paisaje en el que el escenario es protagonista por encima de la figura humana.

Algunos autores prefieren utilizar los términos de *gran plano general* o *plano general largo* para distinguirlo de panorámica como movimiento de cámara (giro de la cámara sobre su eje).

Figura 2. *Plano panorámico.*

El *plano general* presenta al sujeto de cuerpo entero en el escenario en que se desarrolla la acción.

Según la parte de escenario encuadrada será un plano general *largo*, plano general o plano general *corto*. Cuando el plano general corto encuadra a un solo individuo se denomina *plano entero,* y cuando encuadra a más de una persona *plano de conjunto.*

El plano general largo da predominio al escenario sobre el sujeto y enfatiza el movimiento corporal del sujeto en relación con el ambiente. El plano general corto muestra el escenario donde se realiza la acción, pero centra la atención en el sujeto permitiendo una descripción corporal y recogiendo su expresión global.

Figura 3. *Plano general.*

Se denomina *plano americano* al encuadre que corta al sujeto por la rodilla o por debajo de ella. Este plano delimita la frontera entre los planos descriptivos y los planos expresivos. Sirve para mostrar acciones físicas de los personajes pero es lo suficientemente próximo como para observar los rasgos del rostro. A partir de este encuadre, los planos más próximos centran la atención preferentemente en mostrar la expresión del sujeto y sus reacciones, en detrimento del escenario de la acción.

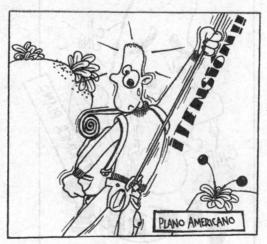

Figura 4. *Plano americano.*

Los *planos medios* que cortan al sujeto por encima de la rodilla, las caderas o el pecho, se llaman *largos* cuanto más se acercan a la rodilla y *cortos* cuanto más se acercan al pecho. Estos planos permiten apreciar con mayor claridad la expresión del personaje aunque conservando una distancia respetuosa. El plano medio largo permite observar la actuación de brazos y manos, mientras que el plano medio corto nos adentra en la expresión facial del personaje.

FIGURA 5. *Plano medio.*

El *primer plano* corta por los hombros y nos sitúa a una distancia de intimidad con el personaje, le vemos solamente el rostro. Es el plano expresivo por excelencia y nos permite acceder con gran eficacia al estado emotivo del personaje.

FIGURA 6. *Primer plano.*

El *gran primer plano* encuadra una parte del rostro que recoge la expresión de ojos y boca. La expresión de un rostro viene dada por la boca y la mirada. Éste es el plano más concreto en el que se contiene la expresión.

Figura 7. *Gran primer plano.*

El *primerísimo primer plano* encuadra tan sólo un detalle del rostro: los ojos, los labios, etc.

Figura 8. *Primerísimo primer plano.*

El *plano detalle* es un primer plano de una parte del sujeto diferente al rostro. La mano con un cigarro, la corbata, un anillo, etc.

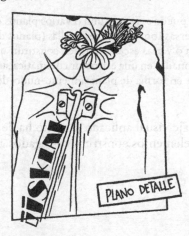

Figura 9. *Plano detalle.*

Aunque la tipología expuesta es una de las más aceptadas no es la única y existen denominaciones diferentes y matices entre profesionales. Lo importante y recomendable es que los equipos de trabajo que vayan a colaborar por primera vez se pongan de acuerdo sobre la terminología a utilizar.

2.6. Del plano a la secuencia

En el proceso de grabación de imagen en cine o vídeo se comienza necesariamente por un encuadre que enmarca al sujeto o motivo en un plano determinado.

En los principios del cine el punto de vista permanecía fijo y representaba una escena como en el teatro, en plano general. Sin embargo, aunque la cámara permanezca fija, sin modificar el encuadre inicial, la relación de éste con los sujetos o motivos enmarcados puede ser modificada por su desplazamiento. Recordemos la *Llegada de un tren* de los Lumière: el tren pasa de verse en plano general a un plano cercano, con lo que la toma recoge toda la gama de planos de encuadre del motivo. Esta toma, específicamente cinematográfica, recoge una escena que podría ser parte de una secuencia en un relato completo.

En la primera película argumental, *El regador regado* (L'arrosseur arrossé, 1895), toda la acción transcurre en plano general y sin movimiento de cámara. El encuadre inicial y las relaciones de tamaño de los personajes respecto al encuadre (plano de encuadre) se mantienen. La historieta es narrada sin alterar el plano, con un planteamiento, desarrollo y desenlace, es decir, se trata de una acción con estructura dramática completa, una posible secuencia para un relato más largo.

Las primeras películas se resolvían en una sola toma, normalmente de un solo plano de encuadre (como en *El regador regado*), conteniendo a veces una simple escena o una acción con estructura dramática (una secuencia). De aquí deriva el término *plano secuencia*, que hoy se aplica a una toma que puede moverse y variar su encuadre registrando una o varias acciones en continuidad, aunque lo registrado no sea propiamente una secuencia.

Como vemos, la toma puede contener uno o varios planos de encuadre. Una toma, o la combinación de diversas tomas o partes de ellas (planos de edición), pueden representar una escena. Una o varias escenas pueden constituir una secuencia. Un conjunto de secuencias relacionadas en una estructura dramática superior que, por otro lado, se organiza igualmente en forma de planteamiento-nudo-desenlace, pueden configurar el relato completo.

El estudio del lenguaje visual aplicado al relato ha de iniciarse por el análisis de sus unidades, de sus elementos constructivos ligados a su finalidad.

Capítulo 3

CAMPO Y FUERA DE CAMPO

El audiovisual posee el poder mágico de crear nuevas realidades, de sugerir nuevas geografías, de hacernos vivir situaciones que no nos son presentadas directamente. Para ello emplea el extremo poder de la sugerencia. Lo que nos muestra en campo, lo que vemos y/u oímos en el encuadre es tan importante, a veces, como lo que imaginamos que está ahí, rodeando al encuadre y sin embargo... ¿Existe en la realidad?

Como ya hemos avanzado, la visión directa humana no enmarca los objetos y explora todo el entorno hasta percibir lo que se desea o los puntos de interés de la realidad. Sin embargo, la cámara limita el espacio con el encuadre. Según la lente utilizada la visión puede ser amplia (gran angular) o limitada (teleobjetivo).

La utilización de la cámara implica una selección del espacio encuadrado y supone dejar parte de la realidad fuera del encuadre.

Lo que se ve en el espacio encuadrado se dice que está en *campo*, porque queda dentro del campo de visión de la cámara, mientras que a lo que queda fuera se le ha llamado genéricamente *fuera de campo o espacio off*.

En sentido estricto, el fuera de campo es aquello que el espectador cree que hay fuera del encuadre basándose en la información de lo que ve dentro del cuadro. Es el espacio *off*, espacio invisible que rodea a lo visible y en el que continúa la vida de los personajes no presentes en el cuadro. Este espacio, aunque invisible, no es neutro y sin significado puesto que el espacio *off* puede ser silenciado a conciencia (por censura), o puede ser precisamente puesto de relieve por omisión. La presencia del fuera de campo es detectada con frecuencia por el espectador mediante la recurrencia, por ejemplo, a las miradas de los personajes presentes en cuadro. En todos los filmes de ficción narrativa prosigue la vida de los personajes en ese espacio *off* aun no siendo vista ni representada. Noël Burch dedica alguno de los más significativos pasajes de su libro *Praxis del cine* al estudio de la naturaleza del fuera de campo que clasifica en los apartados siguientes:

1. Los cuatro segmentos espaciales delimitados por los bordes del encuadre.
2. El espacio situado detrás de la cámara.
3. El espacio situado detrás del decorado.

Los desplazamientos de los personajes, y especialmente las salidas de cuadro, constituyen espacios potenciales que, hayan sido vistos en pantalla o no, permiten su integración en la topografía de la narración. Este espacio no visto por el espectador permite a los directores emplear un potencial narrativo de extraordinario valor al poder proyectar fantasías sugeridas cuando, por ejemplo en las películas de terror, apreciamos cómo el asesino que no vemos, se acerca a la víctima situada en campo. El fuera de campo o espacio *off* pone así de relieve su enorme poder sugestivo permitiendo complementar sensaciones sin necesidad de hacer evidentes las imágenes.

Conviene sin embargo distinguir entre el *fuera de campo* y el *fuera de cuadro* o *fuera de encuadre*.

Gracias al poder sugerente del espacio *off*, los espectadores que ven a Chaplin en plano medio vestido con frac ante el espejo, imaginan un fuera de campo en el que Chaplin lleva puesto el traje completo y se sorprenden cuando se abre el campo y se descubre al actor sin pantalones.

En este ejemplo, el fuera de cuadro, la realidad que queda fuera del encuadre (Chaplin en calzoncillos), no coincide con el fuera de campo lógicamente previsto por el espectador (Chaplin elegantemente vestido), a partir de los indicios de lo que se le presentó en campo.

> La posibilidad de sugerir el fuera de campo deseado mediante la acertada selección de lo que se muestra en el encuadre convierte a la cámara en un instrumento manipulador y creativo de gran fuerza.

Manipulador, porque puede presentar en imagen indicios de una realidad inexistente según la intención del emisor, que pueden ser tomados como prueba de la existencia de una realidad sugerida.

Creativo, porque en la aplicación del lenguaje visual, se pueden crear situaciones en la mente del espectador, mediante la selección y combinación de parcelas encuadradas de realidad.

La posibilidad de sugerir un espacio fuera de campo permite jugar con la *sinécdoque*, al presentar una parte por el todo, como ocurre en los personajes encuadrados en planos medios o cercanos, y la *metonimia*, al presentar un motivo que lleva asociado otro por contigüidad.

El fuera de campo como espacio o acción sugeridos, facilita la producción de mensajes audiovisuales.

Por otro lado, como en la referencia anterior respecto a los filmes de terror, el fuera de campo sugerido en la mente del espectador permite hacerle vivir situaciones que realmente no le han presentado. Basta, por ejemplo, ver una mano con un puñal que entra y sale de cuadro seguido de una vista de un individuo ensangrentado para que el espectador haga la reconstrucción mental del apuñalamiento.

En lo que afecta a la producción y realización física de las tomas, poder sugerir el fuera de campo mediante un encuadre parcial, posibilita que todo el decorado, escenografía, ambientación, atrezzo y actuación se concentren exclusivamente en el espacio que va a quedar en campo. De este modo, basta construir un decorado de una parte de la entrada de un castillo, para que el espectador se imagine que los personajes entran realmente en un castillo.

3.1. Profundidad de campo

El espacio encuadrado, aunque en dos dimensiones, sugiere la profundidad porque aparecen sujetos y objetos con diferente grado de aproximación y lejanía.

Los sujetos o motivos presentados pueden verse con mayor o menor nitidez según estén más o menos cercanos a la cámara. Ello es debido a la *profundidad de campo* propia del objetivo de la cámara (visión nítida en profundidad).

Para un encuadre determinado, la profundidad de campo es el espacio comprendido entre el objeto más próximo al objetivo y el objeto más alejado, entre los que la imagen se aprecia con nitidez.

La profundidad de campo depende del ángulo de captación del objetivo utilizado, del formato de película empleado, de la distancia al tema enfocado y del grado de apertura del diafragma.

Los objetivos angulares proporcionan mucha más profundidad de campo que los teleobjetivos.

Cuanto mayor es el formato de película empleado menor será la profundidad de campo.

A distancias más cortas de enfoque respecto a la situación de la cámara dispondremos de menor profundidad de campo que si enfocamos planos más alejados de la cámara.

También los diafragmas más cerrados dan más profundidad de campo que los más abiertos.

En el uso expresivo de la profundidad de campo se busca, en ocasiones, la existencia de una mínima profundidad, es decir, de una zona restringida de espacio nítido para aislar un término, objeto o detalle y diferenciarlo del resto de la escena. Existen ocasiones en que interesa que se encuentre a foco una zona restringida de la imagen.

Pero es muy frecuente la búsqueda de lo contrario: la máxima profundidad de campo. En estos casos, conviene utilizar un objetivo de ángulo amplio y disponer de un suficiente nivel de iluminación.

Todavía puede incrementarse más la profundidad de campo haciendo uso de la *distancia hiperfocal*, concepto técnico que tiene en cuenta que manteniendo el objetivo enfocado al infinito, para cualquier objetivo y cualquier diafragma, existe un punto a partir del cual la profundidad de campo es ilimitada. Este punto, variable, es la distancia hiperfocal.

Para conocer cuál es esta distancia, se enfoca al infinito y se busca visualmente en el anillo del objetivo la distancia más próxima en la que se aprecian con nitidez los objetos, es decir, el límite más cercano de la profundidad de campo para el tema considerado.

La distancia existente de la cámara a ese lugar en que el tema comienza a hacerse nítido, manteniendo enfocado el objetivo al infinito, se llama, como hemos dicho, distancia hiperfocal y si en vez de enfocar al infinito, desplazamos la helicoidal de enfoque del objetivo y enfocamos a la distancia hiperfocal, la profundidad de campo aumentará y se extenderá desde la mitad de la distancia hiperfocal hasta el infinito.

El valor expresivo de la profundidad de campo está absolutamente reconocido. Normalmente se prefieren primeros planos de poca profundidad para centrar la atención en el rostro desenfocando, para ello, el fondo. En muchos otros casos interesa precisamente lo contrario: disponer de una gran profundidad de campo para facilitar la relación de elementos situados en diferentes términos de la imagen.

Por motivos muy diferentes, directores y realizadores conceden una extrema significación al uso de la profundidad de campo. Algunos directores elogian su realismo, dado que la percepción visual humana goza de una enorme profundidad de campo. Otros, la consideran como un elemento narrativo que favorece el ordenamiento de la puesta en escena en función de la profundidad. Para ello, colocan los personajes y motivos a diferentes distancias de la cámara para aprovechar una extrema profundidad de campo que favorece la consecución de composiciones de gran dinamismo.

3.2. Los límites del campo

A los efectos de creación del mensaje no es tan importante la definición estricta del concepto de campo como establecer qué se entiende por estar en campo o estar fuera de campo.

Un objeto o motivo está en campo cuando el espectador puede percibir su presencia, y está fuera de campo cuando sin ser percibido en campo, el espectador se lo imagina formando parte del contexto de la escena.

En ocasiones, el campo puede ocultar el fuera de campo. Hay ejemplos de aplicación de este recurso como en el filme *La soga* (The Rope, 1949) de Hitchcock donde, durante todo el transcurso de la trama, se hace omnipresente en campo el baúl donde está escondida la víctima asesinada. Así, la víctima participa constantemente en el relato desde fuera del campo oculto en campo. Es decir, dentro de los límites del encuadre pero escondido a los ojos del espectador que, paradójicamente, conoce su presencia.

También existe un fuera de campo en profundidad relacionado con la profundidad de campo de la escena. Habrá un fuera de campo a partir de un punto en que la falta de foco impide reconocer los objetos. Por detrás de la cámara existe, igualmente, un fuera de campo que se hace patente para el espectador en las tomas subjetivas, cuando la cámara adopta el punto de vista de un personaje.

3.3. Manifestación del fuera de campo

Si bien el fuera de campo está siempre presente como aquello que completa necesariamente lo presentado en el encuadre, en ocasiones no sólo se sugiere explícitamente su presencia, como en el caso de alguien que habla hacia fuera de campo con otra persona, sino que de algún modo su presencia se hace perceptible en campo.

Sirva como ejemplo la siguiente secuencia de imágenes:

1. En campo se ve un espejo que refleja la imagen de lo que hay fuera de campo.

2. Entra en campo la sombra del personaje.
3. Se escucha la voz del personaje que habla desde fuera de campo (voz en *off*)
Etc.

3.4. Potencialidad del fuera de campo

En los principios del cine el fuera de campo permitió ampliar los límites del espacio escénico aun permaneciendo éste fijo, en un plano general.

Los personajes abandonaban el escenario y volvían a entrar en él. Mediante entradas y salidas de campo se organizaban largas persecuciones. También los personajes hablaban con alguien que se suponía estaba fuera del espacio encuadrado...

Pero el fuera de campo adquiere su auténtica dimensión en el momento en que la cámara se liberó del espacio fijo propio de los primeros tiempos del cine y pasó libremente de un escenario a otro, y especialmente cuando comenzó a explorar el espacio escénico variando los encuadres y puntos de vista en una misma escena.

El fuera de campo conforma una geografía sugerida y condiciona la composición de las tomas y su combinatoria.

El concepto de fuera de campo está en la base del desarrollo de la técnica del montaje, aspecto que será analizado más adelante.

Capítulo 4
FRAGMENTACIÓN DEL ESPACIO ESCÉNICO

Hoy día, todos admitimos como natural el recorte del cuerpo humano en la pantalla y sabemos que obedece a unas necesidades expresivas. Sin embargo, la aceptación de este recorte fue un largo proceso en el que, progresivamente, el lenguaje cinematográfico alcanzó su pleno desarrollo. El realizador es consciente del tiempo que deben permanecer en pantalla los planos según sus valores informativos y dramáticos. La fragmentación del espacio en que se desarrolla la acción, su presentación al espectador ha de ser objeto de una cuidadosa planificación.

En los comienzos del cine el punto de vista de la cámara abarcaba un campo único, encuadrado en plano general y las escenas se desarrollaban íntegramente en aquel espacio invariable, de forma similar a como ocurría en el teatro.

Sin embargo, en el teatro, el espectador concentra su atención en aquella parte de la escena sobre la que gravita la carga dramática de la acción, explorando el escenario constantemente en busca de nuevos centros de interés. El uso de prismáticos en el teatro es un antecedente del primer plano cinematográfico.

El plano general cinematográfico no es un espacio a explorar como la realidad, sino que obliga a efectuar una mirada centrada únicamente en la acción de los personajes. No se pueden apreciar los detalles ni la expresión de los rostros de los personajes.

Si en los comienzos de la fotografía y el cine sólo se tomaban imágenes que abarcasen toda la acción no era debido únicamente a limitaciones técnicas, sino a que consideraban que los márgenes de la pantalla no debían cercenar parte alguna de los sujetos u objetos.

La fragmentación de los sujetos mediante el acercamiento de la cámara o del *zoom* implica, además, el aumento de tamaño de la imagen seleccionada y su aislamiento respecto a los demás elementos de la escena.

Los espectadores actuales (que han nacido ya con el lenguaje visual evolucionado y lo han hecho connatural con la frecuentación cinematográfica y la diaria contemplación de la televisión) no son conscientes del extremo carácter artificial de los primeros planos. En los inicios del cine no se podía entender el corte de la figura ni su magnificación.

La *Llegada de un tren* de los Lumière, que provocó la desbandada del público asistente a la proyección; el disparo hacia el público en plano medio con que comenzaba el *Asalto y robo de un tren* (Great Train Robbery, 1903) de Porter, que tuvo que ser montado al final del filme para que los espectadores no saliesen huyendo antes de verlo, son casos reales que han quedado en la historia como prueba evidente de la artificialidad del lenguaje cinematográfico.

Artificialidad que resume de forma ejemplar el primer plano, cuya integración ha sido tan perfecta que los espectadores actuales lo percibimos con total naturalidad.

4.1. El revolucionario primer plano

En los primeros años del cine, en Inglaterra surgieron una serie de cineastas conocidos como la *Escuela de Brighton*, que se adelantaron a sus contemporáneos en la aplicación de recursos de lenguaje propiamente cinematográficos, como es el caso de la utilización de primeros planos.

George Albert Smith recurrió al intercalado de primeros planos en medio de la escena para ampliar detalles que escapan al ojo del espectador.

Smith fue consciente de la posible pérdida de naturalidad que supondría presentar a los personajes cortados por el encuadre y ampliados enormemente de tamaño. Por ello comenzó utilizando recursos o trucos que lo justificasen.

Así, el plano detalle de *El pícaro dependiente* (As Seen Through a Telescope, 1901) —en el que se observa cómo el dependiente de una zapatería, al colocar un zapato en el pie de una señorita, aprovecha para acariciarle el tobillo—, está presentado desde el punto de vista de otro personaje que observa la acción con un telescopio.

En otras escenas se utilizaba el artilugio de ver con una lupa, mirar a través de una cerradura, o de unos prismáticos...

Aunque en contadas ocasiones, el propio Smith incluyó también planos de detalle de forma directa en medio de la acción. En *El pequeño doctor* (The Little Doctor, 1901) intercala un plano de detalle en que un niño, jugando a doctor, da una cucharadita de jarabe a un gatito, en este caso sin recurrir a artificios para justificar un plano de estas características.

Pero fue el estadounidense Edwin S. Porter quien, copiando las imágenes de Smith, utilizó el primer plano puro, sin artilugios tales como telescopios o lupas que utilizaban los creadores de la Escuela de Brighton.

Tanto Smith como Porter utilizaban el plano de detalle como respuesta a una exigencia funcional de aumento de tamaño para hacer visible un detalle del plano general. Aunque este hecho por si sólo suponía una revolución en el lenguaje cinematográfico aún no se había cargado al primer plano de expresividad dramática.

Fue Griffith quien primero se preocupó de resaltar la expresión de los personajes en sucesivos acercamientos a la cámara. Su primera utilización fue en 1908 en *For love of Gold* donde la cámara pasaba de un plano general a otro más cercano. Más tarde en *Balket at the altar* (1908) mostrará como plano final un plano medio de la protagonista leyendo un libro y, posteriormente, en *After many years* (1908) recurre a hacer aparecer a la protagonista detrás de la maleza de modo que sólo se le vea de hombros para arriba consiguiendo, así, centrar la atención del espectador en el rostro de la protagonista sin tener que recurrir al cambio de escala óptica que provoca el primer plano.

El desconcierto que provocaba el primer plano hizo que Griffith intentase otras soluciones alternativas. Los responsables de los estudios cinematográficos le decían que parecía que los personajes nadasen o flotasen sin piernas. Por eso, utilizó recursos como el enmascaramiento de parte de la pantalla, oscureciendo parte de la superficie del fotograma, hasta que en 1914 se decidió a usar el primer plano de forma directa, al servicio de la expresividad dramática de la escena. Una buena muestra son filmes como *El nacimiento de una nación* (The Birth of a Nation, 1915) o *Intolerancia* (Intolerance, 1916).

4.2. La escena planificada

Si contemplamos en nuestro televisor una obra de teatro retransmitida en directo podemos observar que, a diferencia del teatro, donde puede apreciarse en todo momento el conjunto del escenario, vemos en cada momento la parcela enmarcada que ha decidido el realizador. Es él quien ve la obra por nosotros y decide la fijación de la atención y lo que conviene resaltar.

Una misma obra realizada por personas diferentes tendrá resultados diversos en pantalla, y en todos los casos, el espectador de televisión asistirá no a la obra sino a la visión que de la obra presenta el realizador.

La realización en directo suele ser multicámara, es decir, utilizando varias cámaras a la vez, y seleccionando lo que se ha de emitir desde una mesa de mezclas donde el realizador decide la imagen que verá el espectador.

Se realiza, de este modo, un montaje en directo que permite combinar diferentes vistas del suceso captado en tiempo real.

Los diferentes puntos de vista de cada cámara suponen también diferentes encuadres y distintos campos de imagen.

La selección del campo implica la decisión del lugar de emplazamiento de la cámara, el ángulo de toma (picado, normal o contrapicado), y el plano que enmarca.

La previsión de los planos que se emitirán es la *planificación* y suele ser realizada a partir del guión técnico donde el realizador anota el plano de encuadre que desea para cada escena o fragmento.

Esta selección es necesaria tanto si las tomas han de ser grabadas para su ulterior montaje como si ha de efectuarse una retransmisión en directo.

La selección del plano de encuadre responde a necesidades informativas y expresivas.

La información condiciona el tamaño del plano y su duración.

Un plano debe permanecer en pantalla el tiempo necesario y suficiente para que el espectador pueda relacionar sus elementos significativos. Así, un plano general de una acción ha de durar más en pantalla que un plano de detalle de la misma acción, puesto que el plano general contiene más elementos de información y requiere más tiempo para apreciarlos.

Pero la duración del plano viene condicionada también por otros factores. Además del tamaño de la imagen hay que considerar la complejidad de la imagen encuadrada, su movimiento o acción, el diálogo, el movimiento de la cámara o del *zoom*, y la relación del plano con los que le anteceden o le siguen en el montaje.

Una imagen simple puede mantenerse en pantalla menos tiempo que una imagen compleja en la que es preciso dar tiempo al espectador para que realice recorridos perceptivos que le permitan extraer toda la información que contiene.

La acción, los movimientos del referente, obligan a mantener el plano durante el tiempo generalmente coincidente de la ejecución de la acción y, también, del desarrollo de los diálogos.

Los movimientos de la cámara e incluso el *zoom* hacen que el plano deba mantenerse durante todo el tiempo que precisa su realización, viéndose afectado el movimiento y el propio mantenimiento en pantalla del plano por la necesidad de permitir que el espectador capte todos los detalles que contiene la transición de un primer plano a plano general o viceversa.

Por otro lado, la duración de un plano se establece, asimismo, con el desarrollo dramático que han presentado los planos anteriores o por la relación de causa efecto que la comprensión de los planos anteriores provoca en la comprensión de los posteriores.

En cuanto al valor expresivo del plano, los planos generales describen el ambiente e informan de la situación de los personajes y de sus desplazamientos, los planos medios centran la atención sobre la acción, y los primeros planos exploran la expresión del personaje, nos introducen en sus sensaciones.

Para observar a una persona que habla a otra desde un lugar elevado se suele utilizar un ángulo *contrapicado* (de abajo arriba), y para adoptar su punto de vista al observar a otro personaje, se utiliza el ángulo *picado* (de arriba abajo). Así se informa sobre la situación en el espacio físico de cada personaje.

El ángulo es también portador de significados expresivos. El ángulo contrapicado magnifica al sujeto y el ángulo picado lo reduce.

FIGURA 10. *Angulación: contrapicado, normal y picado.*

La planificación debe ser decidida por el realizador que considerará la información y la expresión de cada plano y del conjunto.

El paso de la visión en plano general a la fragmentación del espacio en diferentes planos de encuadre fue el paso decisivo en la construcción del actual lenguaje del cine, los cómics y la televisión.

CAPÍTULO 5

EL MOVIMIENTO

En los comienzos de la cinematografía la cámara estaba inmóvil y se limitaba únicamente a captar los acontecimientos que ante ella desfilaban. La creación de un lenguaje cinematográfico rico desde el punto de vista expresivo fue paralela al movimiento de la cámara. La historia del lenguaje está íntimamente ligada a la liberación de la cámara por el movimiento. La cámara puede convertirse en un ojo privilegiado que se confunde con el espectador que, en cada momento, puede ver la acción desde el punto de vista más indicado.

La impresión de realidad que los medios audiovisuales producen en las personas se apoya, entre otros factores decisivos, en el movimiento. El cine fue una consecuencia lógica del deseo de proporcionar movimiento a las imágenes fijas de la fotografía. Es precisamente esta cualidad la esencia específica del lenguaje audiovisual en su vertiente cinematográfica y televisiva.

Es compartida la afirmación de que la historia de la técnica cinematográfica, y por extensión, de toda la técnica audiovisual puede asimilarse a la historia de la liberación de la cámara. No puede hablarse de una madurez del cine hasta que los cineastas se liberaron de la inmovilidad del plano general a la manera teatral y experimentaron en la búsqueda de un lenguaje propio basado en la planificación y en los movimientos de la cámara.

Estos movimientos surgieron de una forma espontánea paralelamente al desarrollo del cine. Se considera a A. Promio, un operador de los hermanos Lumière, el inventor del *travelling* por haber filmado el carnaval de Venecia de 1896 desde una góndola que se desplazaba por uno de sus canales. También se atribuye la primera *panorámica* al inglés W. K. Laurie Dickson, operador de Thomas Alva Edison. Estas técnicas evolucionaron y se convirtieron en uno de los recursos dramáticos más empleados.

Sin ánimos exclusivistas y considerando la inexistencia de límites en la aplicación de los códigos en la creación audiovisual, exponemos el punto de vista de Marcel Martin, que sistematizó esquemáticamente los movimientos de cámara según sus funciones de la siguiente forma:

a) *Descriptivos:*
   1. Acompañamiento de un personaje u objeto en movimiento.
   2. Creación de un movimiento ilusorio en un objeto estático.
   3. Descripción de un espacio o una acción con sentido dramático unívoco.

b) *Dramáticos:*
   1. Definición de las relaciones espaciales entre dos elementos de la acción.
   2. Relieve dramático de un personaje o de un objeto importante.
   3. Expresión subjetiva del punto de vista de un personaje.
   4. Expresión de la tensión mental de un personaje.

5.1. Persistencia de la visión

El cine y la televisión crean la ilusión de movimiento al presentar ante el ojo una rápida sucesión de imágenes. En el caso del cine distinguimos las imágenes porque el ojo es incapaz de apreciar como individuales los 24 fotogramas que se proyectan, uno a continuación del otro, en un segundo. En la televisión, el ojo es incapaz de apreciar el movimiento a gran velocidad de un punto brillante sobre la superficie de una pantalla. Esta ilusión es posible gracias a la *persistencia de la visión*, que hace que el ojo no aprecie los fotogramas individuales ni el desplazamiento del punto sino que vea, simplemente, imágenes completas. Cuando el ojo humano se sitúa en posición de espectador en cualquiera de las técnicas audiovisuales, el fenómeno aludido provoca que la imagen persista en el cerebro una fracción de segundo después de que ya ha aparecido sobre la pantalla una nueva imagen.

La persistencia de la visión, también llamada *persistencia en la retina*, es el tiempo que tarda el cerebro en eliminar la información suministrada. Existen, no obstante, unos límites dentro de los que el ojo aprecia este «engaño» lo que se traduce en un parpadeo de la imagen percibida. El ojo aprecia las imágenes fijas provenientes del proyector cinematográfico o formadas por el desplazamiento a gran velocidad del punto brillante en la pantalla del televisor, cuando la frecuencia con que se repiten esas imágenes «completas» es de, aproximadamente, 16 veces en un segundo. A esta frecuencia, el parpadeo a que hacíamos referencia es notorio, desapareciendo por completo a la frecuencia de repetición de unas 48 imágenes en cada segundo.

Para conseguir esta frecuencia de repetición, en el cine se proyectan 24 fotogramas en cada segundo y el mecanismo de obturación en el proyector se diseña de forma que permita la visión «dos veces de cada fotograma». En televisión se consigue el efecto mediante la *exploración entrelazada*, consistente en la visión de 25 imágenes completas en cada segundo con la particularidad de que se subdividen en dos. Es decir, vemos 25 veces el resultado de la exploración de las líneas impares y otras 25 veces el resultado de la exploración de las líneas pares; así, viendo 50 semiimágenes en cada segundo se supera el fenómeno de la persistencia de la retina haciendo posible el visionado ordinario de la imagen televisiva.

5.2. La toma de imagen

Hemos definido la toma (plano de registro) como unidad de captación de imagen por la cámara. La toma comprende todo lo que la cámara recoge en continuidad desde su puesta en función de captación hasta que deja de captar la imagen.

En la práctica de la realización las tomas suelen repetirse más de una vez, registrando todas las pruebas con el fin de seleccionar posteriormente la más adecuada para la edición.

A pesar de que la cámara ha sido y es un objeto móvil pasó mucho tiempo hasta que los operadores permitieron su movimiento libre por el espacio. Esta primitiva inmovilidad comportó que los primeros filmes fueran extremadamente rígidos ya que además se sumaba la práctica inexistencia de montaje que se limitaba a la unión sumativa de los diferentes fragmentos de película filmada.

Poco a poco comenzaron a descubrirse las ventajas del movimiento de la cámara. Aparecieron nuevos puntos de vista de la escena producidos por el único hecho de cambiar su emplazamiento. Con posterioridad, las escenas se desglosaron en diversas tomas con diferentes planos de encuadre, siendo estas tomas también estáticas hasta que, poco a poco, fueron integrándose los movimientos de cámara hasta llegar a su empleo actual.

En cualquier caso, el movimiento de la cámara no formaba parte de las principales preocupaciones de los primeros cineastas. Los decorados, la iluminación, los movimientos y la disposición de los actores, la composición interna de los planos ocupaban mayoritariamente su atención.

Realizadores como Murnau, a mediados de los años veinte, demostraron las posibilidades expresivas de los movimientos de cámara. En su filme *El último* (Der Letzte Mann, 1924) sorprendió al público al filmar la vuelta a casa embriagado de su protagonista mediante la colocación de la cámara en su cintura, filmando el punto de vista de una persona bebida por primera vez en la historia de la cinematografía.

El director y teórico de cine Dziga Vertov se refería, en los términos que siguen, a las posibilidades que el cine ofrecía frente a otros medios de expresión. En relación con el medio y respecto al movimiento de cámara, cantaba sus excelencias: «Soy un ojo. Un ojo mecánico. Yo, la máquina, os muestro un mundo del único modo que puedo verlo. Me libero hoy, y para siempre, de la inmovilidad humana. Estoy en constante movimiento. Me aproximo a los objetos y me alejo de ellos. Repto bajo ellos. Me mantengo a la altura de la boca de un caballo que corre. Caigo y me levanto con los cuerpos que caen y se levantan. Ésta soy yo, la máquina que maniobra con movimientos caóticos, que registra un movimiento tras otro en las combinaciones más complejas»... «Libre de las fronteras del tiempo y del espacio coordino cualquiera y todos los puntos del universo, allí donde yo quiera que estén, mi camino lleva a la creación de una nueva percepción del mundo. Por eso explico, de un nuevo modo, el mundo desconocido para nosotros».

Con el movimiento de la cámara la toma ya no puede describirse mediante el plano de encuadre que recoge, puesto que éste varía en el proceso.

El realizador debe pues describir la toma en su totalidad, indicando el encuadre inicial, el movimiento efectuado y el encuadre final.

5.3. Tipología de la toma

Toma fija

Aun permaneciendo la cámara en una posición fija sin efectuar ningún movimiento ni actuar sobre el *zoom*, el plano de encuadre puede variar si los personajes se acercan o alejan de ella.

Ante la cámara fija pueden transcurrir escenas estáticas, si nada se mueve, o de gran dinamismo, si en el encuadre existe movimiento y acción.

Giro o panorámica

La *panorámica*, desde el punto de vista operacional, es una rotación o giro de la cámara sobre su eje (fig. 11). La cámara se convierte en el centro de una infinidad de esferas desde la que pueden filmarse infinitos ángulos y puntos imaginarios. La cámara, sujeta sobre el trípode o sobre el hombro del operador, sin variar el eje, puede filmar tomas ininterrumpidas hasta 360° pudiendo variar voluntariamente la dirección de la trayectoria.

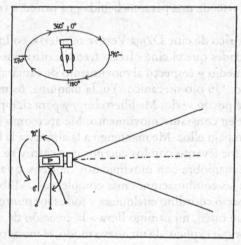

FIGURA 11. *Panorámica.*

Según la trayectoria, la panorámica puede ser *vertical,* si la cámara gira de arriba abajo o viceversa, y *horizontal,* si gira de derecha a izquierda o a la inversa. También cabe la posibilidad de efectuarla en distintos grados de inclinación siendo, en este caso *oblicua* hacia la derecha y de arriba abajo, o hacia la izquierda, *circular* horizontal o vertical en un ángulo de 360°, etc.

La panorámica vertical también se llama *basculamiento* y su efecto visual sustituye a la exploración del ojo cuando observamos un motivo de grandes dimensiones de arriba abajo o viceversa.

La panorámica horizontal equivale a un giro de cabeza hacia uno u otro lado.

La panorámica puede describir un espacio estático o bien puede seguir a un personaje en su trayectoria. También puede poner en relación los elementos del campo con el fuera de campo inmediato.

Como norma general, el giro panorámico debe efectuarse con velocidad lenta, partiendo de un encuadre fijo y acabando también con un encuadre fijo. De este modo, la toma efectuada permitirá más libertad en el momento del montaje.

Salvo cuando se pretenden efectos visuales muy perceptibles, no conviene realizar panorámicas que excedan los 150º de giro. También, en panorámicas realizadas una a continuación de la otra, conviene conservar el sentido de la dirección que es, normalmente, más fluido de izquierda a derecha por coincidir con el sentido de la escritura. La velocidad de su ejecución ha de acomodarse a las posibilidades de lectura del ojo y será siempre más eficaz su realización apoyada en el movimiento de un personaje en cuadro. El movimiento de cámara queda mucho más justificado cuando se apoya en la acción.

La realización de panorámicas puede ocasionar problemas de mantenimiento de foco o de contraluces, es decir, luces de fuerte intensidad que pueden entrar en el encuadre. Por ello, la toma debe ser perfectamente planificada y ensayada.

En muchas ocasiones, la panorámica puede ser sustituida por planos fijos, sobre todo en el caso en que sólo interesen los elementos inicial y final de la toma y no quiera darse la sensación de una mirada que explora.

Barrido

El *barrido* es una panorámica tan rápida que no da tiempo a ver qué imágenes recoge. Se utiliza muchas veces como transición para cambio de emplazamiento elíptico de los personajes.

Travelling

El *travelling* es un movimiento de la cámara en el espacio tridimensional que consiste en un desplazamiento de la cámara horizontal o verticalmente respecto al eje del trípode que la soporta. Este desplazamiento permite el acercamiento al motivo o el alejamiento del mismo (fig. 12).

A diferencia del *zoom* la cámara, en su acercamiento, mantiene el mismo ángulo de lente conservando la perspectiva y la profundidad de campo.

El *travelling* puede ser *vertical,* cuando la cámara se eleva o desciende sobre este eje, u *horizontal,* si el desplazamiento de la cámara así se efectúa. En todos los casos, el efecto conseguido es muy distinto al de la panorámica ya que, a diferencia del movimiento panorámico, en la realización del *travelling* el ángulo de cámara (la distancia focal del objetivo) puede, o no, permanecer invariable. De este modo, si elegimos que no cambie la distancia focal del objetivo empleado,

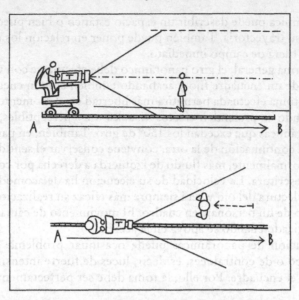

Figura 12. *Travelling.*

conseguimos en toda la trayectoria de la cámara una imagen en la que se mantiene constante la profundidad y la perspectiva de los motivos del fondo respecto a los situados en el primer plano.

Mediante el *travelling* podemos realizar acompañamientos del personaje, *(travelling paralelo)* de modo que no varíe el plano de encuadre. Podemos también realizar acercamientos *(travelling aproximativo)* al personaje sin desenfocar el fondo, o de alejamiento *(travelling de acompañamiento).* Cabe, asimismo, la posibilidad de efectuar *travelling* circular, cuando describe 360° alrededor del motivo referente.

El *travelling* ha dado nombre a un dispositivo mecánico sobre raíles que permite realizar de forma fluida desplazamientos rectilíneos o circulares. No obstante, el máximo desplazamiento de la cámara y, por tanto, la cota más alta de libertad en el movimiento de cámara se consigue con el empleo de *grúas* que pueden actuar tridimensionalmente. Consisten en un brazo articulable en el que hay una plataforma donde se coloca la cámara y que permite elevarla o bajarla con la posibilidad de obtener encuadres picados o contrapicados o mantener una angulación frontal a pesar del desplazamiento.

Existen grúas pequeñas, llamadas *dolly*, que se emplean en las grabaciones en estudio y que poseen una extrema movilidad.

En la práctica, los *travelling* y las grúas se combinan en la creación de movimientos tridimensionales. Esta combinación aporta infinitas posibilidades de movimiento en el espacio tridimensional. La técnica de realización del *plano secuencia* se ve sumamente facilitada por esta utilización que, en la actualidad, se ve incrementada además por el uso del *steadycam*, soporte sobre el que se coloca la cámara y que, manejado por la pericia y fuerza física de un operador de cámara experto permite el registro con una gran movilidad y estabilidad de la imagen.

Zoom o *travelling* óptico

El *zoom*, lente varifocal u objetivo de distancia focal variable permite, mediante el desplazamiento de las lentes, cambiar la distancia focal, con lo que se puede seleccionar a voluntad desde la visión que proporciona un objetivo angular hasta la de un teleobjetivo.

Mediante el *zoom* podemos acercar un objeto y hacer que un detalle ocupe toda la pantalla, o podemos alejarlo hasta obtener la visión del encuadre general.

El *zoom de acercamiento* suele aplicarse para centrar la atención sobre un elemento del conjunto, mientras que el *zoom de alejamiento* se utiliza para descubrir el escenario a partir de un detalle o para alejarse de una situación.

Como regla general, el *zoom* debe accionarse a velocidad constante o progresiva, sin saltos o titubeos, y el movimiento debe ir de un plano de encuadre hasta encuadrar otro plano de la escala, sin quedar reducido a movimientos cuya variación de encuadre no sea significativa.

El paso de objetivo angular a teleobjetivo lleva aparejada una pérdida de profundidad de campo por lo que el movimiento del *zoom* debe ser planificado y ensayado previamente para que la toma acabe en un plano con una imagen perfectamente nítida.

En su acercamiento, el *zoom* cierra el ángulo de lente, con lo que merma el ángulo de visión y aumenta el tamaño de la imagen. Por otra parte, al disminuir progresivamente la profundidad de campo, desenfoca el fondo y produce un acercamiento de los motivos del fondo respecto a los del primer plano eliminando, así, la sensación de profundidad de la escena y acortando la perspectiva.

El movimiento de *travelling* puede llegar a confundirse, en ocasiones, con el efecto de uso del *zoom* aunque el resultado visual es muy diferente en ambas técnicas.

El alejamiento o acercamiento del objeto al accionar el *zoom* se efectúa sin que la cámara se mueva, desplazando las lentes del objetivo en la variación de la distancia focal. En cambio, en el *travelling* la cámara sí se mueve físicamente hacia atrás o hacia adelante. El *zoom* acerca los objetos sin que varíe la composición mientras que en el *travelling* ésta se altera continuamente con el cambio progresivo del punto de vista. Mientras la cámara se acerca al sujeto cambia naturalmente la perspectiva y el tamaño de los objetos situados en el primer término se modifica con respecto al de los más alejados. Con el *zoom* toda la imagen aumenta de tamaño.

La utilización de una u otra técnica implica no sólo una diferente concepción estética sino también una diferencia en la complejidad técnica que una y otra técnica requiere. El *travelling* precisa de un mayor despliegue técnico, si queremos obtener resultados satisfactorios, que el *zoom*. Generalmente, en los vídeos y películas documentales, el *zoom* es una herramienta imprescindible por su rapidez y facilidad de manejo, además de su extrema posibilidad de obtener tomas a distancia. En el cine, o en las series dramáticas de mayor presupuesto, suele recurrirse con mayor frecuencia al uso del *travelling* combinado, en muchos casos, con el uso de objetivos de distancia focal fija.

La facilidad de empleo del *zoom* hace que muchos aficionados lo empleen constantemente sin considerar su significado. La principal función del *zoom* es facilitar la búsqueda del encuadre deseado antes de comenzar a grabar, mientras que el registro del movimiento de *zoom* debe responder siempre a las necesidades informativas y expresivas del relato.

5.4. Movimiento y ritmo

El dinamismo de las tomas viene condicionado por múltiples elementos entre los que destacan la propia actividad recogida en el interior del encuadre, la variación de los centros de interés, el movimiento de la cámara o del *zoom*, la combinación con los planos anteriores y posteriores e incluso por la duración o tiempo de permanencia en pantalla de las mismas.

Las tomas, en la grabación, deben realizarse con una mayor duración de lo que está previsto duren en el plano de edición. Sólo así facilitaremos al montador la posibilidad de elegir el punto de inicio y de final según la conveniencia a efectos de edición.

Así, por ejemplo, si disponemos de una panorámica que empieza con varios segundos de plano fijo, realiza el movimiento y permanece fija en el encuadre final durante varios segundos, permitirá al montador cortar el plano antes del comienzo del movimiento panorámico, introducir la panorámica completa, cortar durante la realización de la misma, cortar después o utilizar solamente el último plano.

Al grabar la acción de un actor es conveniente registrar desde antes de que dé comienzo su actuación. Es preferible recoger el campo vacío antes de que el actor aparezca y seguir también grabando unos instantes una vez terminada la acción. A este exceso de grabación al final de la toma se le llama *dejar cola*.

El plano de edición o parte de la toma seleccionada en el montaje está dotado, como hemos anticipado, de un dinamismo o ritmo interno, según su duración, según la acción recogida, el plano de encuadre y el movimiento de la cámara o de *zoom*, pero también se ve afectado por el ritmo general del programa dado que es combinado con otros planos de edición con los que se establece una interacción que configura un determinado ritmo externo propio del montaje.

La combinación de planos de edición, con encuadres en planos próximos de corta duración, con acción y movimientos rápidos de cámara, puede crear un ritmo externo trepidante del que quizá carezca cada uno de los planos tomados en forma aislada.

La combinación de planos generales con lentas panorámicas contribuirá a la creación de un ritmo lento y contemplativo.

Desde los primeros tiempos de la cinematografía, Griffith ya fue consciente de los valores expresivos del ritmo externo. En sus «salvamentos en el último minuto» reducía la duración de los planos a medida que se acercaba el desenlace.

De hecho, una persecución cinematográfica puede aportarnos datos respecto a si corre más el perseguido o el perseguidor según el tamaño del plano en que aparece cada uno de los contendientes por separado, y también por la duración o permanencia en pantalla de cada uno de estos planos.

CAPÍTULO 6

LA COMPOSICIÓN

Mediante la composición organizamos los elementos en el interior del encuadre para que el espectador distinga con claridad lo que es significativamente importante a efectos comunicativos. Estructuraremos jerárquicamente los puntos de interés de la imagen, clarificaremos, seleccionaremos, destacaremos los elementos cruciales. En ocasiones podremos diseñar la totalidad del encuadre, otras veces podremos afectar sólo a la situación relativa de los sujetos u objetos que conforman el encuadre. El cámara se encontrará a menudo con situaciones en las que no tendrá ningún dominio sobre la acción y sólo podrá seleccionar retazos de realidad.

Tanto en la imagen fija como en la imagen móvil, el espectador descubre imágenes atractivas e imágenes sin interés. Por otro lado, al observar una imagen encontramos que, según la disposición de los elementos dentro del encuadre, «leemos» fijando nuestra atención en unos determinados puntos de interés o bien nuestros ojos divagan alrededor de la imagen sin conseguir detenernos en un punto en concreto. Estamos refiriéndonos a la *composición,* a la construcción o confección de la imagen y a uno de los puntos que generalmente preocupan con más intensidad a los captadores de imágenes y a los realizadores. El dominio de estos aspectos es uno de los más difíciles de conseguir siendo considerado, en ocasiones, como un innato don del que disponen algunos profesionales aunque, como todos los elementos que conforman el conocimiento de las formas de expresar audiovisualmente, está sujeto a leyes y al aprendizaje de sus técnicas.

Tradicionalmente, la composición ha sido uno de los aspectos cruciales estudiados en la creación pictórica. No obstante, suele ser un tema marginal en los tratados sobre lenguaje audiovisual con la excusa de que, si bien las leyes clásicas de la composición estática son aplicables a la imagen en movimiento, en este último caso, la propia limitación del tiempo de lectura hace que, por encima de otra consideración, lo que importe sea centrar la atención en los puntos de interés marcando, al tiempo, un tono expresivo general. Únicamente se le presta una mayor atención en aquellas escenas de carácter contemplativo donde apenas existe información narrativa.

La composición en la imagen móvil es uno de los temas más ricos y complejos de la técnica de creación audiovisual. Es un concepto presente desde la toma de imagen hasta el montaje definitivo del programa e influye decisivamente en la información transmitida y en la expresividad del mensaje audiovisual.

Denominamos composición a la organización de todos los elementos visuales en el interior del encuadre. Componer es agrupar, ordenar todos los valores visuales tomados aisladamente para obtener imágenes con sentido, según una idea guía, un estilo dirigido a alcanzar un efecto estético, informativo o narrativo determinado. Para ello se han de considerar múltiples extremos además de la simple disposición de los objetos, motivos y decorados. Es preciso organizar los colores, texturas, tonos, luces y sombras y, por definición, todo estímulo visual conseguido mediante las técnicas de iluminación, mediante el tratamiento de imágenes ya registradas que se introducen por cualquier tipo de procedimiento en el encuadre, o por cualquier otra técnica de naturaleza mecánica o electrónica que pueda afectar al contenido visual de la imagen final y que sea observable por el espectador.

Si tuviéramos que destacar uno de los principios compositivos más importantes elegiríamos el de la *claridad.* A la hora de componer es preciso tener presente la finalidad de la misma. Vivimos en un universo visual abigarrado que exige la precisión máxima de la imagen en términos visuales. Si algo ha de desecharse es la ambigüedad de las formas. Lo que aparece en el encuadre debe estar por méritos de significatividad y con una máxima nitidez expositiva. En palabras de Néstor Almendros: «Obtener una buena composición dentro de un encuadre cinematográfico es, a fin de cuentas, organizar sus distintos elementos visuales de manera que el todo sea inteligible, útil a la narración y, por lo tanto, agradable a la vista. En el arte cinematográfico, la habilidad del director de fotografía se mide por su capacidad para aclarar una imagen, para limpiarla, como decía Truffaut, separando bien cada figura —persona u objeto— con respecto a un fondo o decorado. En otras palabras, por su capacidad para organizar visualmente una escena ante la lente, de manera que se evite la confusión, destacando tal o cual elemento que nos interesa».

Aunque el principio de la claridad tiende a la reducción de la ambigüedad y a centrar la disposición de todos los elementos de una imagen en función de una idea, no por ello debe caerse en la monotonía. La imagen debe ser atractiva, su ordenamiento debe impulsar el interés por la misma. Este interés surge a partir del contraste que es un expresivo reforzador del significado. Su función prioritaria es la de amortiguar la posible ambigüedad de una composición utilizando la inestabilidad, la provocación, el estímulo y la atracción de la atención.

El contraste puede referirse tanto a las formas como a las líneas, al movimiento frente a la quietud, al tamaño de las figuras, a la luz y al color, etc.

Cabe añadir un elemento que se sitúa frente al contraste, la *armonía,* o vinculación de las diferentes partes del encuadre relacionadas por su semejanza. Una composición armónica es una disposición del encuadre donde los elementos se modulan en variaciones suaves y poco evidentes. Al contrario que el contraste, la armonía puede venir dada por la agrupación de líneas y formas similares, por la elección de colores parecidos, por la suave gradación de matices de grises en una iluminación no contrastada, etc.

6.1. Equilibrio estático y equilibrio dinámico

La percepción humana precisa de una cierta estabilidad que permite introducir en el estudio de la composición la idea de *equilibrio,* concepto de difícil definición y que es más bien una sensación subjetiva, la impresión personal de que la organización de una imagen ha sido adecuada. Existen dos grandes expresiones de este concepto: el equilibrio estático y el equilibrio dinámico.

Podemos decir que el *equilibrio estático* o *composición estática* rehúye todo aquello que suponga movimiento, transformación e inestabilidad. Se opera con elementos que refuercen la uniformidad y la ausencia de fuerzas y tensiones asociadas, muchas veces, a la búsqueda de la simetría que sería una de las principales características de este tipo de equilibrio y que es uno de los efectos que redundan en una pesadez de la imagen.

Por el contrario, el *equilibrio dinámico* o *composición dinámica* ofrece otras alternativas, la asimetría, el conflicto, el contraste, el ritmo libre y la variedad sin confundir, de ninguna forma, dinamismo con confusión. La claridad, como hemos anticipado es un principio conductor de la composición y por ello, las composiciones dinámicas han de estar sometidas a una jerarquización de sus elementos constituyentes en el interior del encuadre.

El principio motor de la claridad impone en las imágenes la necesidad de situar con plena nitidez su *centro de interés* o elemento dominante que les da sentido. Se trata de aquella zona de la imagen que contiene en esencia su principal significado y la composición ha de ponerse en términos absolutos a su servicio. La composición debe conducir al espectador a encontrar urgentemente el centro de interés estableciendo líneas perceptivas o recorridos visuales que el ojo debe seguir para leer dicha imagen.

Este centro de interés no tiene por qué ser único. Es perfectamente factible la coexistencia de distintos núcleos semánticos en una imagen, lo que acrecienta la necesidad de disponerlos cuidadosamente en el encuadre y de facilitar los recorridos visuales que permitan al espectador la interpretación adecuada del valor significativo de la imagen presentada ante sus ojos.

6.2. Fines y funciones de la composición

La composición tiene diversas finalidades y cumple diversas funciones en las producciones audiovisuales:

— La composición tiene una finalidad *informativa* ya que permite al espectador observar claramente el conjunto de los elementos visuales que intervienen en el mensaje. Mediante la disposición de los elementos en el encuadre es posible resaltar los centros de interés y dirigir la atención del espectador de manera que explore la imagen visual en la forma prevista por el creador de las imágenes: cámara o realizador.

— También tiene una finalidad *expresiva*. La disposición de los elementos y la interrelación de luces, sombras, colores, tonos, etc., permite dotar a la imagen de grados muy concretos y distintos de expresividad. Se pueden crear imágenes de gran lirismo, épicas, decadentes, aumentar el valor de un personaje o minimizarlo, etc.

Con la composición es posible conferir *ritmo* interno en el encuadre y en la toma propiciando, al tiempo, la creación de ritmo externo en la edición. Un uso adecuado de las posibilidades de la composición permitirá conseguir más o menos agilidad en el montaje de las imágenes. El ritmo visual tiene que ver con la variación del énfasis visual de un esquema. A determinados ambientes serios y solemnes les corresponden líneas suaves y uniformemente fluidas mientras que líneas zigzagueantes pueden ser adecuadas para situaciones dramáticas y emotivas.

Una cuarta función de la composición en la imagen móvil es el mantenimiento de la *continuidad* y la coherencia en la recreación de la geografía sugerida en las diversas tomas de imagen. En este sentido, merece la pena considerar la coherencia interna del encuadre cuando todas sus partes componentes parecen estar cohesionadas y formar parte de un determinado esquema, o la incoherencia, cuando no existe organización y los elementos parecen dispersos por el encuadre. Respecto al mantenimiento de la coherencia entre diversos planos es preciso, tanto en el trabajo de montaje como en el trabajo directo con multicámara, conseguir una unidad entre planos. De esta forma, la fragmentación del espacio escénico, la descomposición en planos de una escena o la construcción de una geografía sugerida o ideal mediante el montaje, habrá de hacerse atentos a una composición unificada y coherente que permita hacer creíble el resultado y reconocible por el espectador.

Finalmente, la composición ha de facilitar la *transición* entre los distintos planos de forma que en ningún caso se produzca un salto perceptivo que afectaría al mantenimiento de la continuidad y rompería el ritmo del montaje.

El uso adecuado de las reglas de la composición facilita al espectador:

1. La *percepción* de la forma, el tamaño de los objetos, su volumen, la profundidad de la escena...
2. El *reconocimiento* del ambiente en que se desarrolla una determinada acción, de los motivos principales respecto a los secundarios, la separación de la figura y el fondo...
3. La *relación* de los elementos situados en el interior del encuadre, su estructura jerárquica, la posición, distancia, semejanza o disimilitud entre los mismos...
4. La *interpretación* y extracción de significado de lo que es mostrado en campo al espectador, el contenido en relación con la trama de la historia contada o representada.
5. El *sentimiento* en la dirección deseada por el realizador dado el poder expresivo deducible de una u otra disposición de los elementos en el interior del encuadre y por su interacción con los puntos anteriores.

6.3. Composición y expresión

Mediante la composición se pueden transmitir sensaciones de equilibrio, paz, armonía, ritmo, tensión, desequilibrio, etc.

El esqueleto estructural de la escena encuadrada entendido como la reducción de las formas a líneas produce sensación de estabilidad, equilibrio y firmeza si éstas son verticales; de calma, reposo y seguridad cuando las líneas son horizontales; de acción y peligro cuando predominan las líneas inclinadas; de lucha, si se entrecruzan oblicuamente; de dificultad y peligro cuando las líneas son quebradas; de vida y movimiento cuando se trata de líneas curvas; etc.

Las formas representadas en el encuadre crean visualmente sensación de fuerzas y tensiones entre ellas mismas y también con los límites del encuadre. Algunas de estas tensiones y fuerzas las percibimos como auténticas fuerzas físicas.

En realidad, las imágenes actúan visualmente como si en el interior del encuadre existiesen las leyes de la gravedad.

Si dibujamos un círculo negro en el interior de un cuadro en blanco (figs. 13, 14 y 15), un ligero desplazamiento del círculo negro respecto al centro hace que lo percibamos como inestable y, según variemos su posición, percibiremos distintas fuerzas sobre los límites del cuadro. El círculo descentrado es percibido como inestable y si lo situamos en el borde del encuadre da la sensación de sentirse atraído por el margen, en este caso de la derecha.

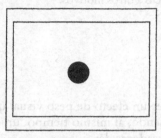

FIGURA 13. *El círculo centrado se percibe como estable.*

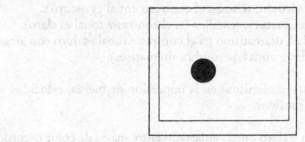

FIGURA 14. *El círculo descentrado es percibido como inestable.*

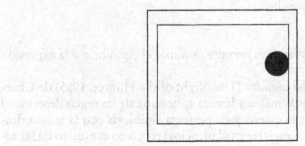

FIGURA 15. *El círculo parece atraído por el margen de la derecha.*

Las formas tienden a agruparse en un esquema global *(estructura inducida)* por relaciones de semejanza (de forma, de luminosidad, de color, de tamaño, etc.) o por disposición espacial. La forma inducida forma una unidad con un peso y valor visual específico que funciona como un único elemento en el equilibrio composicional del encuadre.

Las formas están dotadas de diferente *peso visual* o *masa* según:

— Su tamaño.
— Su color.
— Su ubicación en el encuadre: derecha, izquierda, arriba o obajo.
— Su profundidad espacial.
— Su interés intrínseco: originalidad, monotonía, fascinación...
— Su acompañamiento o aislamiento.
— Su compacidad (concentración de peso sobre su centro).
— Su posición respecto a otros motivos.
— Su dirección.
— Su tono.
— Su contraste.
— Su movimiento.
— La acción.

El *contraste tonal* posee un efecto de peso visual que puede contrarrestar el resto de los factores ejerciendo, al mismo tiempo, un efecto expresivo determinante en las sensaciones creadoras de:

— Ambiente pesado, sórdido, serio (si el contraste tonal es oscuro).
— Alegría, delicadeza, abertura, sencillez (si el contraste tonal es claro).
— Misterio, solemnidad, dramatismo (si el contraste tonal es duro con áreas de luz muy definidas y zonas de sombra sin matices).

Las *zonas tonales* influyen asimismo en la impresión de fuerza, velocidad y opresión o libertad de los motivos.

— Un móvil pequeño y claro queda aplastado entre masas de color oscuro.
— Una base configurada por una masa oscura dota de fuerza y firmeza al motivo situado sobre ella.
— Etc.

La combinación de los factores permite dominar el equilibrio y la expresión de la escena.

En el filme *La noche del cazador* (The Night of the Hunter, 1955) de Charles Laughton, encontramos la más académica aplicación de las reglas descritas al servicio de la expresión de la escena y en perfecta simbiosis con la acción dramática. La composición se convierte en el principal refuerzo expresivo de las acciones.

Durante la secuencia principal de la película —persecución de un niño y una niña por parte de un predicador asesino a lo largo de una noche— los niños escapan entre las masas negras del cielo y la tierra que parecen aplastarles (fig. 16). En este caso, los móviles pequeños y claros quedan aplastados entre dos masas de color oscuro.

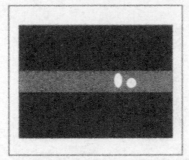

FIGURA 16. *Los móviles pequeños y claros quedan aplastados entre dos masas de tono oscuro.*

El predicador está a punto de atraparles apareciendo de abajo hacia arriba en el encuadre, sobre una masa oscura a sus pies (fig. 17). Aquí, los movimientos resultan impactantes y la masa oscura como base dota al motivo de estabilidad y fuerza).

FIGURA 17. *Los movimientos de abajo arriba resultan impactantes, y la masa oscura como base dota al movimiento de estabilidad y fuerza.*

Los niños logran huir en una barca pero el agua agitada en espiral nos transmite la sensación de peligro.

Encuentran refugio en un establo, pero a través de la ventana se divisa el horizonte en el tercio superior del encuadre: la tierra es una masa negra, mientras el cielo brilla con el sol del amanecer.

El niño observa el horizonte y sobre él aparece una figura diminuta a contraluz (el predicador a caballo) que se desplaza firme sobre la masa oscura hasta colocarse arriba y a la derecha del encuadre sobre la figura mucho mayor del niño. Este punto de tono oscuro en profundidad, arriba y a la derecha, sobre una gran masa negra como base, adquiere un peso visual y una fuerza muy superior a la figura del niño a pesar de su mayor tamaño y de su ubicación (fig. 18). En este caso, un objeto pequeño, oscuro, por encima del encuadre, a la derecha y en profundidad, adquiere mayor peso que los motivos de masa muy superior.

Los niños escapan de nuevo en la barca y otra vez el cielo y el agua se convierten en dos masas oscuras que les aprisionan...

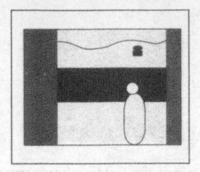

FIGURA 18. *Un objeto pequeño, oscuro, arriba del encuadre, a la derecha y en profundidad adquiere mayor peso que los motivos de masa mucho mayor.*

Durante esta memorable secuencia, la composición transmite las sensaciones de peligro, intranquilidad, opresión, debilidad y fuerza y también de tranquilidad, calma y libertad en perfecta coherencia con el clima dramático de cada situación. La composición puede crear disposiciones agradables y desagradables, estáticas o dinámicas, de fácil o difícil lectura, que refuerzan, contrastan o son incoherentes con el «clima» de la escena. Permite conseguir efectos expresivos de gran valor dramático.

6.4. Equilibrio composicional y peso visual

El encuadre se equilibra mediante la colocación de los motivos de forma que sus pesos se contrarresten. La forma más simple es mediante la simetría, pero el equilibrio dinámico se consigue mediante la disposición asimétrica de las formas, de modo que unas contrarrestan el peso de las otras por ubicación, tamaño, tono, etc.

El *peso visual* es el factor más importante en la creación del equilibrio composicional. Los objetos enmarcados tienen una sensación de peso variable. Podemos señalar como referencia las siguientes reglas composicionales:

— A mayor tamaño del objeto, mayor peso.
— Cuanto más alejado del centro del encuadre, más peso.
— A la derecha del encuadre, el motivo tiene más peso.
— Los tonos oscuros tienen más peso.
— Cuanto más arriba se sitúe en el encuadre, más peso.
— A mayor profundidad de la escena o decorado, más peso. Los puntos lejanos tienen gran poder contrapesante.
— Los colores cálidos tienen más peso que los colores fríos y cuanto más saturados son tienen mayor peso.
— Las formas regulares o compactas tienen mayor peso.
— El espacio hacia donde mira o camina el sujeto adquiere peso visual.

Las líneas de fuga que convergen en un motivo le dotan de peso, especialmente si el motivo está situado a la izquierda del cuadro, ya que la atención se detiene en él con más facilidad mientras que si se sitúa a la derecha del cuadro, la tendencia es a continuar la exploración saliendo del cuadro por la derecha.

De lo que se deduce que un objeto de gran tamaño centrado puede ser contrapesado por otros más pequeños descentrados. También un objeto grande de tono claro es contrapesado por un objeto pequeño de tono oscuro, y más si este último se sitúa en la parte superior del encuadre, a la derecha y en profundidad.

Puede decirse, asimismo, que un objeto grande de tono oscuro, situado a la derecha del cuadro adquiere enorme peso y parece acorralar a los motivos de menor peso, situados a la izquierda del cuadro, etc. En el ejemplo de *La noche del cazador* (fig. 19), el predicador, en tono oscuro, a la derecha del encuadre, acorrala a los niños, en tono más claro, situados a la izquierda del encuadre.

FIGURA 19. *En* La noche del cazador *de Charles Laughton, el predicador en tono oscuro a la derecha del encuadre acorrala a los niños, en tono más claro a la izquierda del encuadre.*

6.5. Composición e información

Componer implica seleccionar los motivos en tamaño y cantidad, combinarlos y entrelazarlos de modo que se resalte lo principal de lo accesorio y se dirija la atención (recorrido visual) al *centro de interés,* equilibrando pesos y valores (tono y contraste) de forma que se obtenga la claridad visual y la expresión deseada.

Unos escasos rasgos salientes (identificables) no sólo determinan la identidad de un objeto percibido, sino que, además, hacen que se nos aparezca como un esquema completo e integrado. Sin embargo, la vista escogida, en un caso extremo, puede no responder a la estructura del concepto visual que se pretende transmitir: sirva como ejemplo el ya tópico dibujo del mejicano sentado al sol, tomado en plano cenital (planta) en el que sólo se ve el esquema de su sombrero que responde a la imagen de una piedra de molino o un donut.

Otros problemas que la composición puede resolver para hacer más preciso el reconocimiento son la confusión de motivos del fondo, la dificultad de reconocer motivos parcialmente ocultos por otros construyendo extrañas figuras, la apreciación del tamaño y proporciones de los motivos, etc.

6.6. Los puntos fuertes. La regla de los tercios

Derivado de un principio muy antiguo conocido como la Regla Áurea o la Proporción Áurea, cuya aplicación es consecuencia de observar que las formas de la naturaleza que la respetan resultan agradables, se ha obtenido la *Regla de los Tercios*. En el año 1509, Luca Pacioli escribió un tratado sobre lo que llamó «la divina proporción», que ilustró Leonardo da Vinci. La divina proporción, «sección áurea» o «proporción áurea», consiste en una división en dos partes, de modo que la parte menor es a la mayor, como la mayor es al todo.

Para hallar la sección áurea de un segmento AB se procede como se indica en la figura 20. Para obtener los puntos fuertes en un rectángulo dado, se procede como indica la figura 21.

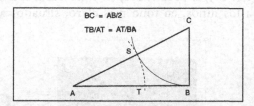

FIGURA 20. *La Sección Áurea es una división en dos partes de modo que la parte menor es la mayor, como la mayor es al todo. Para hallar la sección áurea de un segmento AB, se levanta en el punto B una perpendicular BC igual a la mitad de AB. Se unen los puntos C y A. Desde C se traza un arco de radio CB que corta a AC en S. Desde A se traza un arco de radio AS que cortará a AB en un punto T. Este punto divide a AB en dos partes según la proporción áurea, es decir TB es a AT como AT es a AB.*

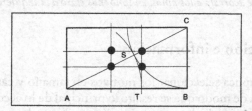

FIGURA 21. *Para hallar los puntos fuertes en un rectángulo, se divide el lado mayor y el lado menor según la Proporción Áurea. En los puntos obtenidos se trazan líneas paralelas a los lados. Se obtienen cuatro puntos de intersección que determinan la sección áurea en el interior del rectángulo. Los puntos de intersección son los puntos fuertes. Estas operaciones pueden realizarse sobre los lados menor y mayor de cualquier rectángulo (pantalla de TV o cine de cualquier formato), a fin de obtener los puntos fuertes.*

El modo más rápido de obtener un rectángulo áureo y sus puntos fuertes es a partir de un cuadrado. Para ello se procede como se explica en la figura 22.

Derivado de la sección áurea surgió una aproximación muy fácil de aplicar y que se ha venido usando en fotografía y en cine como sustituto de esta regla. Se trata de la *Regla de los Tercios*. Si se divide la pantalla en tres partes iguales en el sentido horizontal y en el vertical, las líneas divisorias se cruzan en cuatro pun-

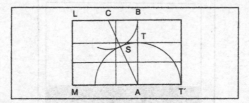

FIGURA 22. *A partir del cuadrado de base MA y altura AB, basta hallar el punto T que divide el lado AB según la Sección Áurea, de modo que BT es a TA como TA es a BA. Como BA es igual que AM y AT es igual que AT', tenemos que AT' es a AM como AM es a MT'. El rectángulo resultante tiene hallados ya los puntos de Sección Áurea, con lo cual los puntos fuertes son de cálculo inmediato. Como puede observarse el resultado no coincide exactamente con la división d en tercios.*

tos llamados «puntos fuertes» que resultan ser los puntos en que mejor se resaltan los centros de interés (fig. 23).

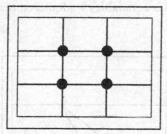

FIGURA 23. *Puntos fuertes o puntos que resaltan los centros de interés.*

La regla de los tercios orienta sobre el modo de disponer el horizonte en el cuadro. En vez de situarlo en el centro, lo que provocaría una sensación de simetría excesivamente estática, carente de ritmo y expresividad.

Si deseamos resaltar la tierra colocaremos la línea del horizonte en el tercio superior. Si deseamos resaltar el cielo dispondremos la línea del horizonte en el tercio inferior del encuadre (figs. 24 y 25).

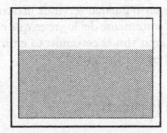

FIGURA 24. *Para resaltar la tierra resulta conveniente situar el horizonte en el tercio superior del encuadre.*

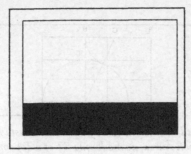

FIGURA 25. *Para resaltar el cielo suele disponerse el horizonte en el tercio inferior del encuadre.*

Las composiciones en diagonal que resultan atractivas y marcan la perspectiva, también resultan más agradables si en lugar de morir en los vértices, se dirigen a la intersección de las líneas del tercio superior o inferior con el encuadre. En el caso de diagonales que no salen de cuadro se les da mayor fuerza haciéndolas finalizar en uno de los puntos fuertes (fig. 26). Las diagonales que finalizan en el horizonte resultan más agradables y adquieren mayor fuerza cuando van a morir en un punto fuerte.

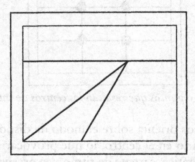

FIGURA 26. *Las diagonales que finalizan en el horizonte, resultan más agradables y adquieren mayor fuerza cuando van a morir a un punto fuerte.*

En el caso del encuadre de sujetos, conviene situarlos en los puntos fuertes, dejando aire hacia donde miran, en vez de centrarlos.

Los elementos del escenario pueden servir de marco para el sujeto centrando en él la atención, independientemente del lugar en que está situado. Existen otras técnicas del enmarcado, como son el cerramiento en iris, dejar fuera de foco lo que rodea al motivo, emplear cortinillas, etc.

6.7. Composición en la práctica

En la práctica, la composición puede ser efectuada por el realizador de diversas formas:

Composición por diseño

Es aquella en la que el autor crea íntegramente los elementos compositivos: un caso extremo sería la producción de dibujos animados o la creación de imagen sintética por ordenador (infografía).

En la época de los grandes estudios los escenarios se construían a medida para cada rodaje. Aunque esta práctica se ha ido sustituyendo por el empleo de escenarios naturales, actualmente los efectos especiales por ordenador han ampliado de forma casi infinita la posibilidad de componer por diseño en las producciones de gran presupuesto.

Composición por disposición

El autor coloca los elementos en el escenario según su criterio. Los elementos del escenario se disponen a conveniencia y el realizador dirige la puesta en escena haciendo que los autores se desplacen y se sitúen de modo que se pueda obtener la composición de encuadre requerida.

En el filme *La soga*, al ser rodado sin cortes (con montaje interior en una sola toma), Alfred Hitchcock se ve obligado a realizar una laboriosa composición por disposición, convirtiéndose esta producción en un ejemplo extremo de las posibilidades de uso de esta técnica.

Composición por selección

Ante una realidad determinada, el autor decide el punto de vista y el encuadre.

En el trabajo propio del ámbito de ENG (periodismo electrónico), esta modalidad de composición suele ser la única opción posible para el registro de sucesos aunque también lo es en la retransmisión de eventos (deportes, conciertos, ceremonias, etc.), donde las opciones se limitan al lugar de ubicación de las cámaras y de los puntos de vista desde donde seleccionar los encuadres de las tomas.

A pesar de la evidente imposibilidad de cambiar o adaptar la realidad presente, es posible efectuar ajustes de la composición de la imagen con el uso de algunas técnicas tales como el *ajuste del encuadre*, introduciendo o excluyendo deliberadamente partes o detalles de la escena; *aumentando* o *disminuyendo el ángulo de captación del objetivo*, con lo que podremos determinar la amplitud de la imagen que abarcará nuestro encuadre; *ajustando la posición de la cámara*, el movimiento de la misma consigue el efecto de que los elementos del encuadre cambien de posición alterando las relaciones composicionales y, finalmente, *modificando las proporciones*, que es una combinación de la manipulación de la distancia focal (actuando sobre el *zoom*) con un movimiento de *travelling*, técnica de difícil ejecución que posibilita el mantenimiento de un plano en el mismo tamaño pero ajustando sus proporciones.

Normalmente, la composición es fruto de estas tres opciones, una parte por diseño (de iluminación, por ejemplo), otra parte por disposición (ordenando el escenario y el movimiento de actores) y otra última por selección (eligiendo la posición de la cámara y el encuadre).

Composición por combinación o articulación

La composición en la imagen estática está, como hemos avanzado, muy estudiada, tanto en el plano como en el espacio, pero no se cuenta con estudios tan sistemáticos en la imagen móvil donde la composición de un plano de encuadre está ligada a la de los que la preceden y a la de los que le siguen, sea en una toma en movimiento o en los planos de edición ya ensamblados tras la fase de montaje. En este caso, la composición estará condicionada por la continuidad.

De cualquier forma, y aunque las opciones aquí tratadas responden, en unos casos, a criterios creativos y, en otros, a los condicionantes que impone la realidad, sea cual sea la opción, el autor debe valerse de los principios y reglas expuestos para conseguir los efectos deseados en el plano, en el espacio y en el tiempo.

6.8. Composición en el plano

Encuadrar supone seleccionar un punto de vista para mostrar los objetos. El punto de vista escogido influye de forma determinante en el reconocimiento de la forma de los objetos y, por tanto, en la identificación de los motivos. El plano de encuadre elegido (PP, PM, PG...) y el ángulo de cámara (picado, normal, contrapicado) poseen características informativas y expresivas propias.

Por otro lado, los sujetos, estáticos o en movimiento, deben ser compuestos considerando el efecto del enmarcado.

La imagen debe valorarse como un todo ya que gran parte del espacio recogido por la cámara puede ser inútil a efectos expresivos o incluir fragmentos sin ninguna función precisa. El realizador ve lo que verá el espectador y compone los elementos dirigiendo la exploración del espectador hacia los puntos de interés de la imagen presentada.

Dirección de la acción

Las líneas que configuran el contorno del cuadro tienen una existencia visual y son un elemento más de la composición de la imagen global. El *aire* o espacio vacío que se deja por encima o a los lados del sujeto ha de cuidarse. El aire por encima del sujeto debe ser escasísimo en los primeros planos, ampliándose a medida que nos acercamos a los planos generales. Para favorecer la combinación de planos se procura que la cantidad de aire en planos de encuadre iguales sea siempre el mismo.

Debe procurarse que el sujeto quede enmarcado de forma que no se dirija ni hable a la línea del marco, sino que quede aire (espacio libre) en el sentido hacia el que camina, mira o habla.

Separación de figura y fondo

La figura debe separarse del fondo, lo que se consigue, entre otras técnicas, mediante la diferencia de contrastes:

— Tonal. De claro a oscuro.
— Cromático. De colores saturados con colores menos saturados.
— Ornamental. Entre figuras lisas y ornamentadas.
— Lineal. Entre las direcciones y las formas de las líneas dominantes.
— Proporcional. Entre las proporciones de los motivos encuadrados.

6.9. Composición en el espacio

Las tomas frontales están carentes de perspectiva. Por ello, para transmitir sensación de espacio en profundidad se efectúan tomas en escorzo de los personajes y tomas a 45 grados de los motivos haciendo que aparezcan *las líneas de fuga*. Las líneas de fuga hacia la derecha marcan la dirección de lectura e incitan a abandonar con rapidez la lectura del cuadro, mientras que las líneas de fuga hacia la izquierda centran la atención sobre el fondo. La línea de la izquierda del encuadre actúa, a efectos expresivos, como un muro o barrera, mientras que la línea de la derecha del encuadre actúa como un espacio abierto. Así es posible acentuar la expresión de libertad o de acorralamiento en la representación de enfrentamientos y persecuciones.

La profundidad se consigue también mediante la disposición en profundidad de diferentes términos, o mediante el establecimiento de proporciones diferenciadas gracias al uso de objetivos gran angulares o diferenciando entre nítido y fuera de foco.

Los diferentes tonos ambientales creados con la iluminación permiten establecer zonas en profundidad. De hecho, la iluminación es un elemento más de la composición en lo que a lenguaje se refiere (tanto por la vía informativa como por el lado expresivo), aunque normalmente se contempla como un apartado con entidad propia en el estudio de las técnicas de iluminación.

6.10. Composición en el tiempo

En el caso de las imágenes en movimiento y, especialmente con el proceso de edición, la composición de un plano casi nunca es independiente de la de los que le preceden y de la de los que le siguen, pudiéndose establecer relaciones de continuidad y de discontinuidad.

La composición puede variar por montaje interno, dentro del plano del encuadre, por movimiento de los actores, por aparición de nuevos personajes, por cambios de iluminación, etc. Además, en el interior de la toma, puede variar por cambios de óptica (*zoom* o *travelling* óptico), por movimientos de cámara y por montaje externo con la combinación en edición de tomas o partes de tomas seleccionadas (planos de edición).

La variación de los planos de encuadre, ya sea dentro de una toma o mediante edición, crea un efecto informativo y expresivo que se desarrolla en el tiempo. Otro aspecto a considerar en la composición en el tiempo está ligado al efecto de la permanencia de las imágenes en la retina que hace que imágenes presentadas a gran velocidad se solapen permitiendo la percepción con naturalidad de las imágenes cinematográficas y televisivas.

Cuando se toman planos individuales de dos personas que conversan, uno habla de derecha a izquierda y otro de izquierda a derecha, pero además, el que habla de izquierda a derecha ocupa la zona izquierda del encuadre y la otra persona, la zona derecha, a pesar de que, como hemos advertido, se trata de tomas individuales de cada uno de ellos. Si no se efectuase de esta forma, cabría el peligro de que, al superponerse perceptualmente las dos imágenes en la mente del espectador, se produjese un efecto de traslado (las dos imágenes cabalgasen una sobre la otra).

Un efecto de origen similar es el llamado salto «estroboscópico», por el que, en la unión de dos planos del mismo objeto no suficientemente diferenciados (en cuanto a tamaño de plano y ángulo de cámara) se produce una transición brusca y desagradable, un salto de la imagen.

Ligado con lo anterior está el empleo de la composición en la fluidez perceptiva del espectador, de un plano de edición a otro. Si la lectura de un plano de encuadre termina en un punto de atención, el punto de inicio de la exploración del plano siguiente se hace coincidir en la misma zona del encuadre, si se desea una transición perfecta.

También existen otros aspectos que afectan a la composición en el tiempo, como son la continuidad o coherencia del fondo en el cambio de plano, o el efecto de la complejidad de la composición en el tiempo de lectura del cuadro y en el ritmo de la escena, o el efecto de la combinación de planos estáticos con planos dinámicos, etc. Asuntos, todos ellos, que superan con creces los objetivos de este manual introductorio.

Capítulo 7

ELIPSIS Y TRANSICIONES

El uso adecuado de las formas de transición en la narración audiovisual podemos equipararlo a un buen uso de las normas de puntuación en la escritura. La realidad es secuencial a efectos temporales, una hora dura sesenta minutos, pero en los medios audiovisuales normalmente empleamos la elipsis, suprimimos el tiempo muerto a efectos expresivos y mostramos sólo aquellas acciones relevantes, significativas y sugerentes de forma que, por corte o por fundido o por cualquier otra forma de transición, podemos pasar de hoy a mañana, al próximo siglo o a próximos milenios.

En el año 1896, un operador de los Lumière, mientras realizaba el reportaje de la visita del zar de Rusia a París, observó que no disponía de suficiente rollo de película para filmar el acontecimiento en su totalidad, por lo que decidió rodar solamente las partes más significativas de las escenas.

Al proyectar el rollo se consideró que la película era comprensible, a pesar de las elipsis. Parece que ésta fue la primera edición de cámara de la historia de la cinematografía.

Las elipsis, es decir, los tiempos y espacios eliminados en la representación, se daban también en las obras teatrales, pero eran de otra índole. En el teatro se efectuaban ya cambios de tiempo entre las partes del relato representadas, del mismo modo que hizo Meliès en cine en su película *La cenicienta* (Cendrillon, 1899).

La cenicienta consta de veinte encuadres en plano general: 1º. La cenicienta en la cocina. 2º. El hada, ratones y lacayos. 3º. ..., hasta presentar en el encuadre número 20 el triunfo de la cenicienta. Esta forma de presentar capítulos cronológicamente ordenados es propia del teatro y tiene paralelismo con la pintura medieval en la que se representaban en diferentes cuadros las escenas de la vida de Cristo o de los santos.

La elipsis temporal entre cada episodio se hacía patente de algún modo para que el espectador no apreciase brusquedad en la transición: en el teatro se cambiaba el decorado o se hacía una pausa. En el cine se instituyó el rótulo separador que orientaba a los espectadores de los cambios temporales. También se idearon otros recursos tales como el fundido a negro, que indicaba paso del tiempo, el cerramiento progresivo del diafragma, etc.

Podemos considerar la elipsis como un mecanismo narrativo que consiste en presentar únicamente los fragmentos significativos de un relato. Es consustancial con la esencia del audiovisual donde podemos representar generalmente escenas sugerentes y no secuenciales que alargarían las secuencias narrativas tanto como la vida misma.

La elipsis permite ahorrar infinidad de tiempo entre distintas escenas y secuencias. De la misma forma que en los medios audiovisuales es posible alargar, ralentizando o deteniendo el tiempo, lo habitual es contar en un filme de noventa minutos de duración, historias que han transcurrido en semanas, meses, años o siglos. Un ejemplo espectacular del uso de la elipsis se da en el filme *2001, una odisea del espacio* (2001: A Space Odissey, 1968) de Stanley Kubrick, donde se nos muestra el primer acto inteligente en la cadena de la evolución humana mediante una secuencia en la que unos monos descubren la eficacia como arma de un hueso. Excitados, arrojan hacia el cielo el hueso que gira sobre el azul del cielo y que se transforma, sorprendentemente, en una nave que surca el espacio miles de años más tarde.

El lenguaje audiovisual ha evolucionado tanto que, en la actualidad, los espectadores son capaces de ubicarse en cada momento en la nueva situación espacio-temporal marcada por los cambios de plano de edición, sin necesidad de recurrir a artificios y convenciones que, con el tiempo, han devenido arcaicos y estilísticamente superados.

No obstante, alguno de estos recursos han resistido el paso del tiempo y han adquirido nuevos significados. En estos momentos se vive una recuperación y ampliación de los mismos de la mano de los nuevos medios tecnológicos de creación de efectos digitales en vídeo y en televisión.

Los anuncios audiovisuales, los vídeos musicales, el «vídeo arte», las caretas de presentación de programas, los clips de continuidad de las cadenas de televisión, los programas informativos e incluso algunos narrativos han vuelto a recurrir a todo tipo de transiciones, en ocasiones por requerimientos funcionales y expresivos y, en otros casos, como meros adornos de moda.

El tiempo audiovisual puede, como hemos afirmado, alargar o acortar el tiempo de la realidad mediante el uso de la *ralentización*. En cine, este efecto se logra rodando a una velocidad de cámara superior a la normal para luego proyectar a la velocidad de paso convencional. De esta forma, si hemos rodado, por ejemplo, a setenta y dos fotogramas por segundo, conseguiremos en la reproducción (24 fotogramas por segundo) una velocidad tres veces más lenta que en la realidad.

En vídeo existen otras técnicas aplicadas en la postproducción que permiten conseguir este mismo efecto.

La ralentización puede emplearse como un recurso expresivo más o, también, como un efecto didáctico, guiando la observación hacia procesos que no podríamos percibir en toda su extensión a una velocidad de paso estándar.

Con el *congelado* también podemos alargar el tiempo real. Este efecto es de una eficacia extrema en el centramiento de la atención del espectador en algún detalle de la acción o de la expresión de un personaje, aunque se emplea, muchas veces, como señal de que un filme o programa ha finalizado.

Para condensar la duración de lo real, procedemos a la *aceleración*, proceso inverso a la ralentización. En cine, este efecto se consigue filmando a una velocidad inferior a la normal para ser proyectada la película, después, a la velocidad estándar de paso. En vídeo este efecto se aplica, asimismo, en la postproducción mediante el uso de los recursos tecnológicos adecuados.

Este efecto ha sido ampliamente utilizado en el cine cómico aunque puede emplearse expresivamente con un fuerte valor dramático para, por ejemplo, expresar el paso de toda una vida, la agitación de la vida actual, la actividad de una persona, etc.

Desde el punto de vista de sus aplicaciones más técnicas y científicas, este efecto se aplica en el registro condensado de acontecimientos que duran lapsos de tiempo largos, como el proceso de apertura de una flor o la transformación en el tiempo de una ciudad, el progreso constructivo de una edificación, etc. Para ello, es preciso recoger hora a hora, día a día, mes a mes... unos cuantos fotogramas a la misma hora, con la misma luz y el mismo emplazamiento de cámara. El efecto en la pantalla durará, tan sólo, unos instantes.

7.1. Modos de transición

Para realizar en la práctica la elipsis entre distintas escenas, existen muchos recursos que se caracterizan por aportar valores expresivos diversos y que repasaremos a continuación.

La transición se aplica físicamente en el momento de la compaginación o edición, pero es el realizador quien, con conocimiento de las reglas del montaje, planifica los registros de modo que las tomas permitan el modo de transición que ha previsto.

Corte

Llamado *corte directo* o corte en seco, hacer referencia al ensamblado de una imagen con otra por yuxtaposición simple, es decir, que a una imagen nítida le sucede otra de las mismas características.

Es la transición elíptica más sencilla e imprime un carácter dinámico en la asociación de dos situaciones. Su principal fuerza expresiva radica en la instantaneidad. La naturalidad que proporciona ha de ser dosificada para no correr el riesgo de una brusquedad que haga patente en el espectador su existencia como recurso. El sistema ideal de paso de una escena a otra es aquel que pasa desapercibido para el espectador ya que si los cortes son bruscos, puede distraerse la atención del espectador rompiendo la ilusión de presenciar una acción continua e ininterrumpida.

Por corte directo podemos pasar de una vista a otra realizada desde otra posición de cámara con un encuadre diferente, o podemos pasar de un escenario a otro distante o cercano en el que se desarrolla una acción continuación o no de la anterior.

La edición por corte conduce la acción suprimiendo lo que no es necesario para el desarrollo dramático, debiendo hacer comprensible a los espectadores la evolución espacio temporal del relato, sin ninguna indicación externa a la propia información audiovisual contenida en los planos de edición.

En la edición por corte se hacen críticas las exigencias de *raccord* y continuidad, poniendo a prueba la capacidad de planificación del realizador.

Encadenado

Con este efecto, la transición entre dos escenas es más suave. Consiste en ver cómo una imagen se desvanece mientras una segunda imagen va apareciendo. En este proceso de sustitución paulatina de una imagen por otra, hay un momento en que ambas imágenes tienen un mismo valor que es progresivamente aumentado hasta la permanencia definitiva de la segunda imagen.

El *encadenado* se utiliza, entre otras posibilidades, para pasar de un personaje al mismo en otra situación. Indica pasos de tiempo no muy largos.

La utilización de esta técnica de transición permite variar la velocidad del encadenado de forma que existen algunos tan rápidos que pasan totalmente inadvertidos al espectador. Algunos realizadores, especialmente en publicidad, hacen continuo uso de esta técnica como sustitutiva del corte. La justificación está en que en los *spots* publicitarios se pasan tantos planos en pocos segundos que estos breves encadenados imperceptibles facilitan una contemplación menos brusca.

El encadenado permite disimular fallos de *raccord* entre imágenes y suaviza notablemente la transición. Esta circunstancia hace que su empleo se haya hecho abusivo utilizándose en ocasiones sin ninguna justificación informativa o expresiva.

El empleo correcto del encadenado permite realizar secuencias de montaje que resumen largos períodos de tiempo, hace posible realizar elipsis sobre las acciones de un mismo personaje y, permite, entre otras cosas, pasar de una situación a otra distanciada en el espacio o en el tiempo.

Después del corte, el encadenado es el recurso expresivo más empleado, como forma de transición, en las producciones narrativas de cine y televisión.

Cuando el encadenado se prolonga en el tiempo y las dos imágenes permanecen mezcladas sobre la pantalla obedece, generalmente, a un fin diferente al predominio de la función elíptica. Hablamos, entonces, de *sobreimpresión,* técnica consistente en mezclar imágenes que se desarrollan en espacios o tiempos diferentes para configurar una realidad nueva. A veces, y según el contexto narrativo, la nueva realidad creada mediante este efecto puede tener un carácter de irrealidad, lirismo, imaginación, sueño, delirio, etc.

Fundido

El *fundido* consiste en la gradual desaparición de una imagen hasta dejar el cuadro en un color. En un principio los fundidos iban de la imagen al negro, pero en la actualidad funden a cualquier color.

El fundido es, también, uno de los recursos clásicos de transición y surge de la necesidad de separar temporalmente los episodios del relato.

La imagen siguiente aparece a partir del color en que fundió la anterior, es decir, que si una imagen funde a negro la siguiente viene de negro y se aclara progresivamente hasta conseguir un nivel de tonos correcto.

Tanto en cine como en los dramáticos de televisión, es muy común comenzar de negro y fundir a negro al final, así como utilizar el mismo recurso para separar escenas o secuencias que representan situaciones distanciadas en el tiempo.

Existe un consenso en cuanto a considerar que el fundido da una sensación de salto temporal más acusada que el encadenado.

Desenfoque

Desenfocar una imagen y pasar a la siguiente de desenfocado hasta foco es un recurso que se ha aplicado para indicar pasos de tiempo cortos o cambios de uno a otro espacio.

El *desenfoque* en visión subjetiva es un recurso expresivo que sirve para indicar el desvanecimiento o pérdida de la consciencia de un personaje y, en visión objetiva, en *zoom* hacia su frente, se ha empleado para iniciar un *flash back* o vuelta atrás en el tiempo para pasar a ver los recuerdos del personaje.

Existe un empleo retórico del desenfoque y paso a foco, utilizado para variar la atención de un motivo o personaje enfocado a otro motivo o personaje que estaba fuera de foco.

Hay, también, lo que podríamos denominar como *desvanecimiento ondulante* o distorsión de la imagen en forma de aguas semejante a si se arrojase una piedra a un estanque. Normalmente, si la imagen es irreconocible, se encadena con otra de aspecto similar que se aquieta gradualmente hasta ser perfectamente reconocible.

Barrido

El *barrido* es un efecto que se produce en la fase de registro de la imagen y que consiste en un giro rapidísimo de la cámara que produce un efecto visual semejante al paso de un elemento que ocupa toda la pantalla, tan deprisa que no da tiempo a ver de qué se trata.

El barrido se ha utilizado para pasar de un espacio a otro de forma instantánea. Al final del barrido podemos encontrarnos a los mismos personajes en otro lugar y situación.

Cortinillas

Las *cortinillas* consisten en la utilización de formas geométricas para dar paso a nuevas imágenes. Pueden tener formas muy variadas: horizontal, vertical, oblicua, de estrella, de iris... Se han empleado en cine tradicionalmente para facilitar los cambios de escenario y sus desplazamientos. Se trata de una técnica en que la segunda imagen «invade» la primera y ha tomado múltiples formas: de arriba abajo, de izquierda a derecha y viceversa, pasos de página, etc.

Las cortinillas han perdido la función que tuvieron en la narrativa cinematográfica y sólo se emplean en filmes evocadores o como guiño cultural para espectadores con conocimiento de la evolución del lenguaje cinematográfico.

En televisión, sin embargo, las cortinillas son muy utilizadas y forman parte de la enorme gama de efectos digitales que permiten los actuales equipos de postproducción de vídeo. Uno de los usos más frecuentes puede verse en algunas entrevistas en las que se seleccionan fragmentos de las mismas habiendo sido registradas todas ellas en un mismo plano de encuadre. La cortina, en este caso, evita el salto perceptivo entre cada empalme y advierte al espectador de la operación de selección realizada.

La gama de este tipo de transiciones se ha prolongado extraordinariamente con el registro en vídeo y las posibilidades que aportan los sistemas analógicos y digitales de postproducción: mosaicos, posterizaciones, vueltas de página, recorridos de la imagen en perspectiva, imposición a partir de un punto, espirales, etc. Todos estos recursos son susceptibles de aplicarse a la transición elíptica entre escenas.

Capítulo 8

CONTINUIDAD

La vivencia de un espectador que asiste a la representación de una obra audiovisual donde la continuidad ha sido perfectamente mantenida en todos sus aspectos, se asemeja a la experiencia de un pasajero que viaja en un cómodo y moderno tren en primera clase. Por el contrario, los errores de continuidad en un filme o programa se parecerían más bien a la experiencia de un pasajero en un automóvil llevado por un conductor novato que se mueve a trompicones. La continuidad en el relato audiovisual debe asegurar el disfrute placentero por el espectador que no va a verse despistado, confundido ni engañado. Y afecta no sólo a los aspectos formales sino también a la estructura dramática, a la narrativa, al tema y a la percepción.

A medida que la narración mediante imágenes en movimiento ha ido conquistando y estableciendo su propio lenguaje, ha conseguido independizarse de la servidumbre al continuo espacio-tiempo, recreándolo mediante la selección y la combinación de sus partes significativas y estableciendo, con el paso del tiempo, lo que hoy se conoce como *reglas de continuidad*.

La continuidad o *raccord* en sentido estricto hace referencia al mantenimiento o coherente transformación de los elementos en campo según la lógica secuencial de los acontecimientos representados.

La idea de continuidad va mucho más allá de lo que en muchos manuales aparece con el nombre de *raccord*, entendido como mantenimiento de las características visuales de lo que aparece en campo, o su lógica transformación en un campo posterior según el lapso de tiempo representado y la continuidad de direcciones de actuación entre un campo y otro.

La continuidad recoge aquellos aspectos meramente formales que es preciso dotar de coherencia entre un plano y los siguientes. Pero además contempla las cadenas de relaciones que permiten la construcción de la secuencia y su percepción como tal, y las relaciones entre secuencias que permiten mantener la unidad de sentido a lo largo de todo el relato.

La posibilidad de efectuar el montaje en una fase posterior a la toma, permite gestionar la realización, fragmentando las escenas en tomas que luego son ensambladas en la edición. De este modo, es posible grabar sin estar sujetos a un orden lógico del relato, pudiendo ocurrir que una acción sea grabada en una o más tomas realizadas con días o meses de diferencia entre una y otra.

Con este procedimiento habitual de trabajo cabe la frecuente posibilidad de que se presenten fallos de continuidad, es decir, errores que hacen que una toma no sea coherente con la siguiente. Puede suceder que el actor muestre vestimenta diferente o que el cigarrillo que fumaba haya experimentado un crecimiento o una disminución inusitada de una a otra toma situada en continuidad aparente, o que se produzca un cambio injustificado en la dirección de la mirada, o que la luz matinal haya sido sustituida por la vespertina, etc.

Para evitar este tipo de problemas existe la figura del *script* o *secretario de rodaje*, que se encarga de anotar con extrema minuciosidad todos aquellos elementos del final de una toma para asegurar una total continuidad y coherencia con la toma siguiente.

Los problemas de continuidad (*raccord* en sentido amplio) afectan a todo el proceso constructivo.

8.1. Tipos de continuidad

La *continuidad temática* es una relación de contenido que hace progresar la narración de forma comprensible según la continuidad propia de la lógica audiovisual. Esta lógica está basada en reglas de asociación asumidas e interiorizadas por el espectador.

Pero no basta que las imágenes tengan entre sí una relación de contenido para que la reconstrucción mecánica de los hechos se produzca de forma instantánea por el espectador. Es preciso que exista, además de una lógica coherente en los contenidos, unas relaciones formales que también sean coherentes. No se puede pretender efectuar un montaje comprensible cuando en un plano aparece un sol radiante y en el siguiente plano, y refiriéndonos a la misma situación y al mismo tiempo audiovisual, el día se ha nublado. En este caso, el espectador interpretaría que se trata de dos escenarios separados en el tiempo y tal vez en el espacio.

La fragmentación del espacio escénico en diferentes vistas parciales exige, para su correcta interpretación, que existan en ella indicios que permitan la asociación, o en su caso, la ausencia total de relación. En primer lugar, es preciso que existan *indicios de relación formal*, ha de haber unidad de ambiente, coincidencia en las direcciones y en las situaciones, y todo ello independientemente de que como es habitual en el trabajo audiovisual, las tomas puedan realmente haberse efectuado en lugares y tiempos diferentes.

La relación formal no atañe únicamente a las formas o motivos reconocibles en cada una de las vistas. Existe, de hecho, una característica externa e independiente de los propios motivos o acciones representados. Nos referimos al modo en que la cámara capta la imagen, al tipo de encuadre, a si es observada de forma estática o acompañándola en su movimiento, acercándose o alejándose de los motivos con lentitud o con rapidez, manteniendo la imagen durante un extenso lapso de tiempo o durante breves instantes...

Igual que existe una continuidad de idea y una relación de formas, debe existir también una *continuidad perceptiva*, una lógica de la observación audiovisual que conduce al espectador a la sensación de asistir al desarrollo de los acontecimientos sin solución de continuidad, sin saltos ni rupturas en la percepción independientemente de los saltos espacio temporales del relato.

Para conseguir la perfecta vivencia del relato, el ojo de la cámara debe ser aceptado por el espectador como su propio ojo. Un ojo que puede ver en cada instante lo que realmente importa y del modo más expresivo. Puede captar cualquier detalle, desde cualquier punto de vista, siempre que se asocie con lo que anteriormente le ha sido presentado y con lo que se le presentará. Todo ello con la intención de transmitir de la mejor forma posible la información y la consecución del grado de emoción exactamente requerido.

El espectador podrá ser sorprendido, pero nunca debe ser confundido. Con los medios audiovisuales se construyen relatos que se pretenden sean vividos por el espectador como si fuese él mismo quien, dotado del mágico don de la ubicuidad, observara o participase de los hechos sin que se haga consciente la mediación de la cámara. Cualquier efecto inesperado, cualquier ruptura debe ser asimilable e integrable por el espectador de forma inmediata, sin que la tensión de la espera o el impacto rompan la vivencia de los hechos en continuidad.

El paso suave entre las vistas y las transiciones finas entre escenas o secuencias, se consigue respetando las reglas de coherencia establecidas por la tradición y el uso o, en todo caso, mediante organizaciones novedosas que llevan en sí la necesaria orientación para que el espectador realice las necesarias asociaciones sin dificultad.

El que la cámara pase desapercibida depende de que toda manifestación responda al favorecimiento de las cualidades informativas y expresivas de los motivos o acciones recogidos. El efecto de un *zoom* rápido a los ojos del asesino en cuanto la víctima, que intuye su presencia, gira la cabeza, contribuye a sobresaltar al espectador que no es consciente del artificio pero que acusa su impacto. Este mismo uso de las posibilidades del objetivo de focal variable, el *zoom*, es un efecto del que suelen abusar los principiantes utilizándolo de forma indiscriminada, despojándolo de su valor, desproveyéndolo de significado y constituyendo, simplemente, una vacía llamada de atención. De la misma forma, una cámara que tiembla, es, simplemente «una cámara que tiembla» cuando al operador le falla el pulso mientras realiza una encuesta en la calle. Sin embargo, una cámara que tiembla no será percibida como tal cuando está al servicio de recoger una escena de pánico durante el rodaje de un terremoto.

Estos ejemplos sirven para resaltar que todo cambio observable debe pasar desapercibido, enmascarado por su propio efecto. Si no es así, el cambio se torna significativo, y si realmente no contiene un significado pone en evidencia la existencia del ojo de la cámara que brusca y repentinamente ha dejado de ser el ojo privilegiado del espectador.

La percepción de un relato audiovisual que consigue una perfecta fluidez y continuidad podría compararse con el plácido viaje de un pasajero en un vagón de primera clase en un moderno tren directo. La percepción de un relato con defectos de continuidad tales como saltos de zona de cuadro o cambios bruscos, panorámicas cortadas sin finalizar el movimiento seguidas de vistas fijas de motivos estáticos, cambios injustificados en la profundidad de campo o en la iluminación, etc., provocan el efecto de un choque o de un frenazo que, de no reforzar el sentido de lo que se expresa, produce una sensación semejante a la que se experimenta sentado en un coche conducido por un novato que no sabe manejar el cambio.

Como puede observarse, para que el relato progrese de forma fluida ha de propiciarse la *continuidad perceptiva* (ausencia de saltos físicos de imagen y organización de los aspectos formales que afectan a la percepción puramente visual), la *continuidad temática* (progreso coherente o lógico de la narración que incluye la *continuidad de idea*, o asociación conceptual entre una vista y otra relacionada) y también una *continuidad formal* o *raccord* en sentido estricto, que hace referencia, como hemos apuntado con anterioridad, al mantenimiento o lógica transformación de los elementos en campo al pasar de una vista a la posterior.

Todo ello contribuye a que el espectador reciba el mensaje de forma automática, sin que se requiera de él un aporte adicional de atención, un esfuerzo de comprensión que lo distraiga mínimamente de la vivencia en continuidad de la acción representada.

Toda solución es buena mientras sea comprendida instantáneamente de forma que la atención se concentre siempre sobre lo que aparece en pantalla y no sobre lo que acaba de suceder. El relato no se detiene para dejarnos reflexionar y sigue implacablemente su marcha.

La continuidad, la no ruptura, afecta también a la asimilación, a la perfecta sincronización entre los instantes de presentación y recepción comprensiva. Afecta al ritmo, a los silencios y pausas para permitir la adecuada asimilación que permita al espectador centrar la atención en lo venidero.

Para el disfrute audiovisual, la comprensión debe ser inmediata. La comprensión *a posteriori* puede satisfacer el ego del realizador o director, pero la vivencia obtenida en la recepción audiovisual es ya imposible de recuperar.

La anterior afirmación no significa que no pueda existir la comprensión retardada, sino que ésta ha de venir dada en la estructura del programa, y siempre en el momento en que los elementos a descifrar, relacionados con una secuencia anterior no explicada, se encuentren en pantalla. La comprensión *a posteriori* viene dada, en este caso, por una explicación retardada, pero se mantiene siempre la sincronía de la interpretación con las imágenes presentes en pantalla en cada momento. Incluso un aparente error formal es admisible si en el instante se justifica. De este modo, es factible presentar una toma que varía las posiciones de los personajes respecto a la toma anterior si en el instante siguiente se ve que se trata de imágenes reflejadas en el espejo.

El aprendizaje y la interiorización de las reglas del lenguaje audiovisual hace que en manos de un realizador experto incluso los relatos más intrascendentes sean narrados sirviéndose de un modo de presentación institucional. Los equipos de realización se profesionalizan y adquieren «oficio» hasta conseguir lo que se ha denominado «el grado cero de la escritura cinematográfica», refiriéndose a un conjunto de técnicas que permiten conseguir la fluidez y la continuidad, de forma que el espectador no sea consciente de la existencia de la cámara y pueda vivir el relato como un sueño.

8.2. Continuidad en los inicios

Desde el momento en que situamos la cámara seleccionamos una parcela del espacio, un «campo». En los inicios del cine este campo abarcaba un plano general desde un punto de vista fijo. Se trataba de un plano secuencia en el sentido estricto, una única toma que recogía todo el desarrollo de la escena en plano general. Sin embargo, al existir el fuera de campo, entradas y salidas de personajes, miradas a «fuera de campo» y otras interacciones, comenzaron a aparecer problemas relacionados con el mantenimiento de la continuidad. En principio se trataba de mantener la idea de *geografía sugerida* en fuera de campo. Así, si un personaje mira a la derecha de la pantalla esperando ver llegar a otro personaje, este último, cuando llegue, ha de hacerlo entrando en campo por la derecha de la pantalla y, si un personaje se ha ido de la escena por la izquierda de la pantalla, cuando vuelva al mismo lugar deberá entrar en campo por el mismo lado (fig. 27).

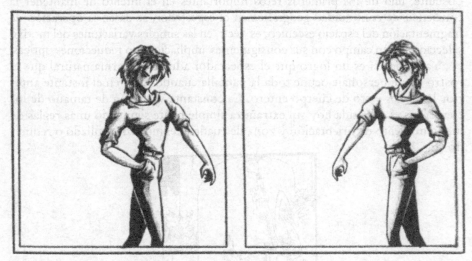

FIGURA 27. *Es imprescindible mantener la geografía.*

Cuando en los principios de la cinematografía las acciones eran tan simples que se rodaban en una única toma este problema apenas aparecía, pero cuando la filmación se hizo más elaborada y compleja requiriendo varias tomas para cada escena, realizadas con frecuencia en días diferentes, se hizo preciso tener presente aspectos tales como la *continuidad de dirección* y el control de la permanencia de los motivos presentes en campo en tomas anteriores y posteriores. Sólo así podía evitarse que un personaje variase su vestimenta en el transcurso de una escena, o que un vaso pasara de lleno a vacío de uno a otro plano, o incluso que una acción comenzase con luz matinal y el siguiente plano correspondiese a una puesta de sol.

En el momento en que un filme se compone de más de una escena aparece otro problema de continuidad, la *continuidad temporal*. El espectador, tras admitir la discontinuidad espacial que supone la presentación de un nuevo escenario, debe valorar la *elipsis temporal* entre el discurrir de los acontecimientos presentados en una escena y la siguiente, y ha de relacionar ambas escenas observando la *continuidad de idea* (conceptual o temática que hace progresar el relato) y la *continuidad formal* (que permite reconocer a los personajes y la nueva situación ambiental).

En los comienzos del cine narrativo la continuidad se resolvía mediante la permanencia de personajes en episodios cronológicamente ordenados. De esta forma, aun siendo comprensible la continuidad cronológica, se creaba una rigidez en los aspectos formales del filme que fueron finalmente resueltos con la adopción del *montaje alternado*. Con la utilización de este tipo de montaje disminuyen los problemas de mantenimiento de la continuidad perceptiva dentro de cada línea de acción al no ser preciso mantener un mismo personaje como nexo entre las distintas escenas.

La alternancia de vistas de escenas diferentes plantea problemas propios de continuidad visual y espacio temporal que serán comentados más adelante. No obstante, uno de los primeros retos importantes en el intento de mantener la conciencia de continuidad geográfica en el espectador, se da en la operación de fragmentación del espacio escénico, es decir, en las simples variaciones del motivo seleccionado en campo con sus consiguientes ampliaciones o reducciones ópticas.

Ya de por sí es un logro que el espectador admita de forma natural que el rostro de un personaje ocupe toda la pantalla cuando justo en el instante anterior le hemos visto de cuerpo entero. La constante variación de tamaño de los elementos es admitida hoy sin extrañeza simplemente siguiendo unas reglas de mantenimiento de orientación y zona de cuadro del motivo ampliado o reducido (fig. 28).

FIGURA 28. *Mantenimiento de la orientación en la narración.*

La fragmentación del espacio, su presentación incompleta mediante diferentes planos que se suceden en la proyección permite al espectador, si se han respetado las reglas de continuidad, la reconstrucción mental del escenario, la situación espacial de los elementos en escena y su interacción.

Los tratados sobre posiciones de cámara indican el modo de conseguir la apariencia de continuidad entre tomas para evitar la provocación de saltos visuales cuando las imágenes no aparecen perfectamente continuas o cuando no están suficientemente diferenciadas.

8.3. Fragmentación sin cambio de escenario

Cuando en una producción audiovisual se pasa de un punto de vista a otro diferente, o de un escenario a otro, sin más limitación que el interés del desarrollo narrativo, el problema de la consecución de la ilusión de continuidad se presenta en toda su complejidad. La consecución de soluciones adecuadas depende del buen hacer del realizador que, en cada momento, elegirá aquellas imágenes que consigan transmitir al espectador la sensación de geografía sugerida útil para la comprensión del relato.

En el campo máximo abarcado por el objetivo desde una posición fija de la cámara, cabe casi siempre la posibilidad de selección de diversos *núcleos semánticos*. Podemos imaginar una escena extraída de un cómic de Astérix en la que, en plano general, se recoge la despedida de los moradores de una aldea gala a sus héroes: los héroes salen por la izquierda del encuadre, la multitud los despide y el bardo, en la derecha del encuadre, intenta entonar una canción de despedida que es impedida por la contundente amenaza del pescadero que con su cachiporra intimida al «cantante» (fig. 29).

Esta escena constituye un plano general pero podría ser recogida por la cámara seleccionando simplemente los núcleos semánticos que la componen. Se trataría de planificar la escena.

La mano de uno de los pobladores de la aldea agitando el pañuelo bastaría para significar la despedida; los rostros de los personajes agrupados mirando hacia la izquierda del cuadro, tomados juntos o uno a uno, nos explicarían con claridad quiénes son los que despiden. Astérix y Obelix, caminando hacia la izquierda del cuadro mientras saludan a la derecha del cuadro, nos mostrarían a quiénes despiden. El pescadero y el bardo constituyen otro núcleo semántico de la escena que podría a su vez descomponerse en distintos fragmentos.

La importancia de esta fragmentación no radica únicamente en poder mostrar la expresión y en poder dotar a la escena de ritmo externo (dinamismo fruto de la combinación de planos llevada a cabo en la edición). Su auténtica importancia viene dada por la capacidad de cada núcleo, de cada fragmento, de servir a un significado inexistente en la escena original. Esta capacidad se ve ampliada al poder combinarse con otros núcleos de otros escenarios y tiene que ver con el surgimiento de lo que los teóricos rusos llamaron la *tercera idea*, base del montaje constructivo de Pudovkin y del montaje intelectual de Eisenstein.

FIGURA 29. *Núcleos semánticos en la ilustración de Astérix.*

La posibilidad de fragmentar las escenas facilita que el rodaje no haya de estar sujeto al orden marcado por el guión. La fragmentación de las escenas en planos y el *plan de producción* permiten racionalizar el orden de los registros según criterios de productividad y economía pero, al mismo tiempo, se agudizan los problemas de mantenimiento de la continuidad. Sólo así se justifica la existencia de un profesional especializado en el cuidado de estas cuestiones: el *script* o *secretario de rodaje*.

8.4. Escenario real y escenario audiovisual

Conseguir la fluidez en la percepción y la interpretación, facilitar al máximo al espectador las necesarias operaciones de percepción de las relaciones formales y de asociación de los significantes para configurar el sentido constituyen el objeto de la observación de las reglas de continuidad. A la vez, el conocimiento y la aplicación de esas mismas reglas permite construir el espacio fílmico a partir de materiales dispersos de la realidad. No será preciso contar con un chalé con piscina para hacérselo ver al espectador, bastará, por ejemplo:

— Una vista cercana de un chalé.
— Una vista cercana de una chica asomada a un balcón mirando hacia abajo.
— Vista en picado de una piscina.
— Vista de la muchacha entrando en campo y lanzándose al agua.

Simplemente así, se sugiere un escenario en continuidad a partir de tomas distanciadas en el tiempo y con lugares distanciados en el espacio.

Es evidente la extrema potencialidad que el lenguaje audiovisual, gracias al uso de las técnicas de fragmentación del espacio, posee para construir geografías ideales y para sugerir diferentes expresividades. Veamos otro ejemplo: un cazador dispara a una paloma.

Partamos de una toma en la que aparece un cazador, en situación de izquierda a derecha del cuadro, apuntando con su escopeta hacia arriba. La toma siguiente no podría ser cualquier material extraído de archivo en la que apareciese una paloma puesto que el campo mostrado por la cámara en el plano anterior sugiere un fuera de campo que el espectador completa a partir de los indicios de lo que se observa en campo. Con esta información previa podemos saber si el cazador se encuentra en un bosque o en un trigal, si el día es claro o nublado y, en definitiva, mucho más de lo que se nos muestra. El fuera de campo sugerido no debe ser defraudado en la imagen siguiente. Ha de haber una perfecta coherencia entre el paisaje sugerido y el que se nos muestra al hacerlo visible.

La continuidad formal requiere que se cuiden también las relaciones de dirección. Así, la colocación de la paloma en cuadro debe concordar con la dirección insinuada en la pose del cazador. En este caso, la relación de sentido (aspecto fundamental de la continuidad) no presenta problemas.

El espectador reconoce, completa y se crea determinadas expectativas sobre lo que vendrá. Percibe las relaciones formales entre las imágenes y las relaciona significativamente.

Si decidimos continuar la secuencia de este ejemplo, podemos hacerlo con una imagen relacionada o no relacionada con las anteriores.

En el primer caso, podemos seguir con un primer plano de una paloma ya cocinada en un plato. El espectador relacionará inmediatamente esta paloma con la anterior y esperará la confirmación en las imágenes siguientes. Es probable que así sea pero también puede haber sido conducido suavemente (transición suave) con engaño a otro escenario y otro lugar, a otras palomas y a otro banquete distinto al que esperaba. Sea como sea, las imágenes siguientes habrán de situarle, sin confusión, en el nuevo contexto, haciendo evidente la relación de sentido no ya de una imagen en concreto sino de la nueva escena o secuencia con las anteriores. De este modo, el espectador, en una cadena de relaciones condicionadas, irá construyendo de forma fluida el sentido deseado por el realizador y, lo que es más importante, lo hará del modo en que este último lo haya organizado.

Existen, como vemos, diferentes tipos de relaciones a considerar:

— Relaciones entre una vista y la siguiente, pertenecientes a la misma escena.
— Relación de movimiento entre una toma y otra consecutiva.
— Relación entre la imagen final de una escena y la primera imagen de la siguiente escena.
— Relación entre escena y escena, relaciones entre secuencias y una relación de cada parte con el todo: un todo conformado en cada momento por lo ya presentado y sugerido y, en alguna medida, conformado por lo que el espectador supone a partir de lo ya visto.

La relación de continuidad puede obtenerse asimismo por el sonido, bien por el sentido expresado por un narrador o por el diálogo, o por los efectos musicales, el silencio o los efectos de sonido. Existen, también, otros recursos convencionales: barridos, para pasar rápidamente de un lugar a otro, encadenados, utilizados para dar saltos en el tiempo y en el espacio, cortinillas, fundidos, etc. El mayor interés se centra en la relación formal y de sentido entre imágenes enlazadas por corte lo que, si bien entraña mayor dificultad, se impone como fórmula preferida en la actual narración en imágenes. El uso del corte tiene la ventaja de ser más directo y de eliminar recursos arcaicos o cuyo convencionalismo se hace demasiado evidente para el espectador.

Las posibilidades creativas de la selección y combinación de campos relacionados son enormes. La observación de los principios de continuidad permite la construcción de la realidad fílmica con total apariencia de naturalidad, aplicable a la manipulación y al engaño, o la dramatización respetuosa con la verdad, o la pura ficción.

8.5. El directo

Parece lógico que, para ser fiel al desarrollo temporal de una acción, se registre ésta en continuidad y en tiempo real. De este modo, la continuidad formal y de idea quedaría asegurada.

En muchos programas audiovisuales científicos se recomienda esta técnica con el convencimiento de que es el modo más objetivo de registro de los acontecimientos. Es frecuente el registro en un plano único y en tiempo real, de operaciones de cirugía para ser analizados *a posteriori* por cirujanos o estudiantes de medicina.

También es frecuente el registro, con esta modalidad, de clases magistrales de profesores o conferencias de personalidades y, en general, de muchos de aquellos acontecimientos donde predomina el interés informativo sobre el expresivo, o donde el discurso verbal es lo fundamental.

Si de uno de estos acontecimientos, tomados en continuidad con una sola cámara, intentamos resumir la acción presentando los momentos principales y suprimiendo lo que no nos interesa, los saltos de imagen en los puntos de corte harían evidente y molesta la discontinuidad. Por otro lado, las elipsis temporales serían imposibles de reconstruir por un espectador que no conociese de antemano la duración real de los hechos.

Se trata, sin duda, de ejemplos extremos que no aportan nada al desarrollo del lenguaje y la técnica narrativa audiovisual. También es cierto que, a veces, algunos de estos acontecimientos se registran en tiempo real pero por partida doble o triple, con dos, tres o incluso más cámaras, variando en cada caso la distancia y el ángulo de toma.

Los directos en televisión son un buen ejemplo de este último caso. El realizador decide, en cada momento, la imagen de cámara a la que da entrada para ser grabada o emitida coincidiendo el conjunto de vistas presentadas con la exacta cronología del hecho observado en toda su duración.

La continuidad temporal, en el directo, no presenta dificultades para el espectador ya que ésta es total (no hay elipsis) al desarrollarse todo el registro en tiempo real. Pueden, no obstante, surgir problemas para mantener la coincidencia geográfica del espectador si lo que no está en campo varía de *posición*; si hay discontinuidad o *salto de eje* entre tomas; si las elipsis espaciales, aun dentro del mismo escenario, no respetan determinadas reglas de *escala*, o de representación de *distancia*, o de mantenimiento de *zona de cuadro,* o de *dirección*; o todo aquello que dificulta la percepción de relación en continuidad entre una imagen y las siguientes.

En los directos televisivos es fundamental que la primera toma sea un plano general del escenario donde va a discurrir la acción. En este plano, al que deberá recurrirse con cierta frecuencia, podrán observarse todas las relaciones espaciales entre los participantes en la acción. Es el llamado *plano máster.*

Con esta vista, el espectador podrá hacerse una composición de lugar y el realizador dispondrá de la libertad de introducir primeros planos de las intervenciones de los distintos personajes con las consiguientes elipsis respecto al espacio general del plano máster.

Uno o dos personajes ocuparán todo el campo, dejando a los demás fuera de campo. No obstante, el fuera de campo estará presente para el espectador porque en el plano máster habrá recibido la información suficiente para situar geográficamente a cada uno de los personajes.

El fondo, la orientación postural, la colocación de la zona de cuadro y el aire respecto al marco, la dirección de las miradas, la escala de tamaños y las distancias sugeridas, etc., deben ser coherentes con la situación previamente establecida en el plano máster.

La observación de las reglas de continuidad espacial se hace tanto más necesaria cuanto, como en el caso del cine o del vídeo, toda nueva imagen aparece sobre el mismo espacio anterior, sobre la pantalla, espacio físico único e invariable.

8.6. Respecto al tiempo real

Hemos contemplado, en el apartado anterior, el registro de una única acción con elipsis espaciales que mantienen siempre presente un detalle de la misma.

Respetando el tiempo real de duración de las acciones podemos recurrir a lo que denominaremos *planos de espera*, haciendo que parte de la acción se desarrolle «en *off*» (fuera de campo) hasta que la acción se continúa en el plano de espera. De esta forma, se eliminan problemas de mantenimiento de la continuidad aunque el resultado expresivo no será el mismo y concederá una importancia a la vista contenida en el plano de espera que, de no estar plenamente justificada en la narración, entorpecerá el ritmo del relato e incluso puede ser una fuente de confusiones.

Otro recurso que puede respetar el tiempo real es el de las *acciones yuxtapuestas*, acciones del fuera de campo en la acción principal que se intercalan dejando «en *off*» parte de la propia acción principal (así, por ejemplo, mientras el maestro vuelve la espalda para dirigirse a escribir en la pizarra, un niño saca un tebeo de su pupitre y comienza a leerlo; entretanto, el maestro ha llegado a la pizarra y comienza a escribir una fórmula química).

Una variante de este mismo recurso son las *acciones paralelas* o las *convergentes* ya que permiten el mismo tipo de tratamiento. No sucede lo mismo con las *simultáneas* puesto que, al no ser superpuestas en el mismo espacio han de ser colocadas una a continuación de la otra con la consiguiente asincronía rompiendo, de esta forma, la exacta reproducción de la temporalidad real en que se desarrollaron.

Los planos de detalle *(insertos)* y los planos de recurso tomados fuera de campo de la acción principal *(cutaway)*, permiten solucionar muchos problemas de continuidad, así como los cortes y empalmes en movimiento y las variaciones de ángulo de toma y tamaño del plano que, al diferenciarse netamente de la imagen precedente, manteniendo evidente su relación de sentido con la misma, escamotean al espectador los posibles errores de continuidad.

Para conseguir el respeto al tiempo real suele rodarse con más de una cámara tomando una un plano cercano y la otra un plano lejano. En el proceso de montaje se insertan sobre la toma general los detalles que aporta el plano más cercano. Para que se produzca el efecto de continuidad formal la calidad de las imágenes aportadas por las dos cámaras ha de ser equivalente y ha de ponerse extremo cuidado en el uso de las ampliaciones y reducciones ópticas así como en mantener todas las reglas referentes a los cambios de puntos de vista.

La consecución de la compresión del tiempo en los medios audiovisuales es posible mediante la utilización de diversos recursos de lenguaje que pretenden evitar los desorientadores y desagradables efectos que puede provocar la utilización de elipsis espacio-temporales.

8.7. Compresión y expansión del tiempo

Hemos comentado la forma en que, de acuerdo con el mantenimiento de las reglas de continuidad, pueden darse las elipsis de espacio aun respetando el orden temporal y la duración real de los hechos. Básicamente, las elipsis espaciales más corrientes son:

1. Con *continuidad* (con o sin continuidad temporal). Se observa en campo el mismo espacio o una parte menor del observado en el plano anterior.
2. Con *discontinuidad y relación*. El campo siguiente guarda una relación espacial con el anterior. Así, si suceden, por ejemplo, en una misma habitación.
3. Con *discontinuidad y sin relación*. El plano B no se puede situar en el espacio respecto al plano A.

Cada uno de estos casos debe ser resuelto aplicando las reglas de continuidad que permiten establecer la relación o la ausencia de relación y la fluidez perceptiva.

Aunque hemos tratado en primer lugar la elipsis espacial sin elipsis de tiempo, en el devenir histórico de la cinematografía se dio en primer lugar la elipsis temporal que permitía pasar de un episodio a otro posterior mediante elipsis indefinidas.

La descomposición del espacio escénico en planos próximos fue un logro posterior.

La observación de que un hecho era comprensible presentando una serie de partes significativas relacionadas (recordemos la anécdota anteriormente expuesta sobre la filmación por un operador de los Lumière de la visita del zar a París y su fortuito montaje con la cámara), dio lugar a la diversidad de elipsis temporales que resultan de:

— Suprimir una parte de la acción inútil a efectos narrativos.
— Suprimir una parte de la acción que el espectador echaría en falta.

En el segundo caso, se rompe la continuidad. Aunque no quiere ello decir que no se puedan evidenciar determinadas elipsis sin romper la continuidad.

La continuidad entendida en el sentido de «comprensión fluida del relato» y vivencia del mismo sin distracciones, puede conseguirse mediante el montaje con *elipsis evidenciadas*.

De este modo, en las llamadas *secuencias de montaje* (ejemplos encadenados de primeras planas de periódicos que muestran el éxito de un artista con el paso del tiempo) se hacen evidentes las elipsis sin entorpecer la progresión del relato.

Existen recursos convencionales para hacer evidente al espectador la existencia de una elipsis temporal. Así, en el cine mudo, era frecuente el fundido en negro, y aún lo sigue siendo el encadenado y el barrido (aunque este último suela ser más utilizado para efectuar elipsis de espacio sin elipsis de tiempo).

No obstante, en el lenguaje actual se considera mucho más interesante resolver por corte. Como ejemplo magnífico de secuencia de montaje podemos referirnos a la antológica secuencia de *Ciudadano Kane* (Citizen Kane, 1940), de Orson Welles donde, en el mismo escenario y con la misma acción, el almuerzo de Kane con su esposa, se presentan una serie de almuerzos diferentes y espaciados en el tiempo que muestran magistralmente por diálogo e imagen, el distanciamiento progresivo entre ambos, y todo ello tratado como en un solo almuerzo (fig. 30).

FIGURA 30. *Mediante el diálogo y la imagen se hace patente el distanciamiento progresivo del matrimonio.*

Aun evidenciando las elipsis mediante la separación de tomas por barrido y por el cambio de vestuario, la continuidad es perfecta y las elipsis mediante este tratamiento se convierten en un excelente recurso expresivo para resaltar la situación descrita.

Cada escena de la secuencia descrita acorta el tiempo en pantalla y, al tiempo, el diálogo va siendo cada vez más breve, seco y cortante. Los ritmos interno y externo se complementan para intensificar el relato.

Normalmente, las elipsis tienden a suavizarse aplicando técnicas de montaje continuo para eliminar brusquedades en la transición: insertos, *cutaways* o planos secundarios, planos de reacción, planos de espera, acciones paralelas o yuxtapuestas, empalmes en la acción con continuidad perceptiva, por continuidad sonora o de diálogo, por tema musical, etc.

La aplicación de las reglas de continuidad a la suavización de las elipsis y la economía y ritmo expresivo que con ello se consigue, han hecho que ésta sea la técnica más aplicada en la actualidad, en el lenguaje audiovisual.

La expansión del tiempo como recurso de lenguaje se explotó desde los inicios de la cinematografía. Porter lo hizo en la repetición de las acciones de los bomberos en *La vida de un bombero americano* (The Life of an American Fireman, 1902) y fracasó, teniendo que rehacer el montaje consiguiendo así el que se reconoce como primer ejemplo de montaje de acciones paralelas. También utilizó este recurso Eisenstein con muchísimo éxito en la escena del descenso de las escaleras de Odesa. Griffith lo empleó igualmente, y, de forma magistral, explotó este recurso con profusión Hitchcock.

En la concentración del tiempo, que es realmente el problema más común de la narrativa audiovisual, se emplean con frecuencia las elipsis evidentes en lo que se llama *montaje discontinuo*. Así, una vista de un señor que prepara su maleta en una habitación, enlaza con la siguiente vista de un barco en el que se supone ha embarcado; o bien a una vista de un fotógrafo accionando el disparador le seguirá una segunda vista en el cuarto oscuro revelando una fotografía en la cubeta.

Las elipsis, en este caso, son evidentes, pero la continuidad de idea, la relación de sentido, no se resiente y nadie nota la falta de la parte obviada.

Las elipsis, aun siendo evidentes, pueden ser *suavizadas* y *evidenciadas*. En ambas modalidades existen recursos para hacer la transición brusca o suave.

El modo más corriente de suavizar la transición es aplicar técnicas de montaje continuo: un plano de espera de un segundo de duración sustituye un largo trayecto; tres segundos de acción paralela cuando nuestro personaje sube a su coche permiten situarle en otro espacio de elipsis indefinida.

En todos los casos en que se pretende suavizar la transición de una elipsis (sin emplear convenciones como encadenados, cortinillas u otros recursos similares) se cuida siempre que en el siguiente campo no aparezca repentinamente el mismo personaje, de forma brusca, en la nueva situación. Se precisa al menos de un instante para que el espectador se sitúe. Así, el señor que hace las maletas no aparecerá directamente sobre el barco sino que primero aparecerá el barco en plano general para, a continuación, descubrirle en el siguiente plano. Del fotógrafo en acción de disparar pasaremos a la cubeta y luego al fotógrafo que mira su fotografía.

La excepción de esta regla responde a una técnica del montaje continuo, la de *empalme en movimiento* o *empalme en la acción*, también llamado *empalme en continuidad*. Consiste en terminar en el segundo campo la acción que comienza en el primero. Por ejemplo, un niño cae de bruces al suelo. La cámara nos muestra un plano detalle de sus ojos. Se abre el campo desde los ojos y descubrimos que quien se levanta del suelo es ya un hombre hecho y derecho.

Existen casos como el *montaje por imágenes clave* o el *montaje simbólico* en el que no existe una perfecta continuidad aunque el sentido global es captado inmediatamente por el espectador que lo integra perfectamente en la línea argumental y en el discurrir narrativo.

Un indio con una antorcha encendida, una flecha que se clava en el pecho de un colono, una rueda suelta que cae girando, una carreta ardiendo y el rastro de polvo levantado por los indios al alejarse, bastan para reflejar todo un ataque. Las imágenes, en este tipo de montaje por imágenes clave son como flashes de un mismo hecho, y entre todas ellas construyen el sentido donde lo que importa es, prioritariamente, la componente expresiva.

La técnica de las imágenes clave es la más empleada en los cómics de aventuras. Las elipsis del cómic son mayores que las del cine o la televisión y además, este medio gráfico no plantea problemas para hacer aparecer a los personajes en una nueva situación en la viñeta siguiente. No es preciso contar con el fenómeno de la persistencia retiniana ni con las dificultades de la proyección sobre un único espacio.

Las imágenes de continuidad hacen posible, en los medios audiovisuales, aplicar las elipsis que el cómic utiliza de forma natural y sin peligro de crear confusión o saltos perceptivos.

CAPÍTULO 9

REALIZACIÓN PRÁCTICA: CONTINUIDAD EN EL DESPLAZAMIENTO DE UN SUJETO

Para que los programas audiovisuales sean comprendidos por el espectador es preciso seguir unas normas, interiorizadas y asumidas por el uso, que los realizadores deben dominar. Los desplazamientos de los personajes deben adaptarse a las normas existentes para que sean adecuadamente percibidos. Es preciso establecer ejes de interacción, colocar las cámaras a uno u otro lado de los sujetos u objetos, establecer sentidos direccionales, controlar las salidas y entradas en campo y, en definitiva, conocer y aplicar las convenciones en la realización práctica para que el espectador perciba, en todo momento, la sensación de continuidad.

La narrativa y la descripción de acciones en el discurso audiovisual precisan de unas reglas que orienten al espectador respecto a la situación de los personajes en el escenario así como sobre las relaciones que entre ellos se establecen y sobre sus movimientos y desplazamientos. Estas reglas no siempre son inmutables y la propia evolución del lenguaje audiovisual tiende, en ocasiones, a favorecer su no respetabilidad. La publicidad, los videoclips y algunas fórmulas realizativas propias de la televisión actúan en esta dirección. No obstante, el conocimiento de estas normas es vital para los realizadores y para los montadores que, en ciertas circunstancias, tendrán que enfrentarse a solucionar algunos problemas de continuidad derivados de una deficiente realización.

9.1. El eje de acción

En todos los manuales de iniciación a las técnicas de realización audiovisual se dedica un apartado a explicar el concepto de *eje de acción* y a mostrar el efecto de la combinación de tomas efectuadas desde uno y otro lado de este eje.

El eje de acción o «eje de interacción» es una recta imaginaria que se traza sobre la dirección de la acción, es decir, hacia donde el personaje se dirige, la dirección que marca su mirada, la línea que une las miradas de dos personajes que se hablan, etc. (fig. 31).

FIGURA 31. *Las tomas 1, 2, 3, 4 y 5 mantienen el sentido de marcha del sujeto: de derecha a izquierda. Por el contrario, la toma 6 al saltar el eje (situarse al otro lado invierte el sentido de la marcha del sujeto).*

La línea que marca el eje de acción divide la escena en dos zonas situadas a cada uno de sus lados. Así, en un campo de fútbol el eje de acción sería la línea recta imaginaria que une el centro de las dos porterías. Todas las tomas efectuadas desde un mismo lado del eje mantendrán la dirección de la acción del sujeto en el mismo sentido pero si la cámara pasa al otro lado de la línea, la dirección de la acción se invierte. Por ello, en un partido de fútbol o en cualquier acontecimiento en que se precise dejar clara la referencia direccional de los sujetos u objetos, será preciso situar las cámaras siempre en un solo lado de la línea imaginaria.

El denominado *salto de eje* que se manifiesta cuando pasamos de realizar tomas de los sujetos desde un lado de la acción al otro lado, produce un efecto desorientador para el espectador ya que el efecto que se produce es el de una inversión injustificada de la posición y el sentido de la marcha de los sujetos (en el ejemplo del campo de fútbol parecería que los jugadores intentaran marcar un gol en su propia portería). Este efecto es básico y sobradamente conocido por todos aquellos que poseen una mínima experiencia de cámara, pero es un error que suelen cometer con frecuencia quienes comienzan a iniciarse en la toma de imágenes.

En la actualidad es muy frecuente que en las retransmisiones deportivas se ofrezcan repeticiones de jugadas efectuadas desde el otro lado de la línea imaginaria para aprovechar mejor el punto de vista. En estos casos, la toma viene precedida, por lo general, de un aviso «toma de ángulo inverso», efecto o cortina que pone sobre aviso al espectador y nunca durante el desarrollo normal del juego. El salto de eje que, como veremos más adelante, puede efectuarse en la realización convencional, ha de estar siempre justificado a los ojos del espectador dado que guarda una estrecha relación con la comprensión de la fragmentación escénica y con las reglas de construcción de una «geografía sugerida» a partir de la relación de múltiples vistas parciales.

9.2. Espacio continuo, espacio discontinuo

Desde el momento en que dividimos el espacio escénico en un determinado número de tomas que contienen encuadres distintos desde diferentes puntos de vista, precisamos respetar determinadas reglas para que la recreación del espacio sea comprensible para el espectador.

Estas reglas son absolutamente necesarias debido a la propia naturaleza del visionado audiovisual sobre un espacio único y estático: la pantalla.

Nuestro sistema perceptivo permite que exploremos el entorno directamente, con nuestros ojos, centrando la atención en lo que deseamos sin que perdamos la relación de las partes con el conjunto. En un recorrido visual imaginario podemos fijar nuestra vista en la lámpara del techo de la habitación, observar luego un aparador, girar y mirar la ventana situada en el otro lado de la estancia y, en todo momento, somos conscientes de la situación de cada elemento respecto a los demás. Somos conscientes de los movimientos que efectuamos en la exploración, cómo miramos a uno u otro lado, cómo nos giramos, etc.

Si, a partir de este ejemplo, combinásemos las vistas de lo que ha llamado nuestra atención suprimiendo los movimientos de exploración ocular hasta llegar al punto de interés en el que focalizamos la atención, y las proyectásemos una tras otra sobre una pantalla, ningún espectador que no conociese de antemano la habitación podría hacerse idea de la situación de los elementos en el conjunto espacial ni de su interrelación. Esta pérdida de referencia espacial no sucedería si la cámara registrase la observación en una toma continua porque sería visible el recorrido y los movimientos efectuados. Pero una toma de estas características, a diferencia de lo que ocurre en la visión directa de nuestros ojos, en la que nuestro cerebro desecha la información no pertinente, podría resultar lenta y desagradable al obligar al espectador a observar todo el recorrido incluyendo, lógicamente, aquellas imágenes con ningún contenido informativo pertinente.

Esta técnica es la más natural para «saltar el eje» ya que el paso de un lado a otro de la línea imaginaria se hace a la vista sin que exista posibilidad de desconcierto por el espectador que acompaña a la cámara en su recorrido y se sitúa sin dificultad en cada nuevo punto de vista (fig. 32). Sin embargo, aunque este salto a la vista se haga sin distraer la atención de la acción principal, precisa medios técnicos sofisticados para poderlo resolver con corrección, grúa, *travelling* circular o *steadicam*, ya que si se efectuara en la modalidad de «cámara al hombro» o con *dolly* (trípode con ruedas) el recorrido visual podría verse entorpecido por «baches», movimientos y saltos bruscos de la imagen en pantalla acrecentados si se emplease un objetivo de larga distancia focal (teleobjetivo) que contribuye a exagerar, todavía más, los movimientos de la imagen.

FIGURA 32. Travelling *circular por medio de una* dolly *montada sobre un raíl circular.*

Por estas razones, muchos autores aconsejan resolver este tipo de situaciones mediante diferentes tomas realizadas con variados emplazamientos de cámara. Así, aunque respetando las reglas del eje de acción, se evitan desagradables temblores de la imagen, se obvia la dificultad de mantener un perfecto control del encuadre durante el desplazamiento de la cámara, se disminuye el riesgo de registrar fondos no deseados y se dispone de una mayor posibilidad de sintetizar y centrar la atención exclusivamente en aquello que interesa. En el caso de trabajar con actores, el uso de esta técnica favorece la memorización de los textos al dividirse en fragmentos de poca extensión.

Es evidente que con la técnica de planificación aquí apuntada no se desvaloriza el trabajo de realización mediante tomas continuadas (técnica del plano secuencia) sino, sencillamente, que la dificultad de su ejecución y los medios que esta técnica requiere aconsejan su uso sólo cuando se tenga la certeza de que el recurso añade expresión y realmente se adecúa al sentido de la escena, y cuando, además, se cuenta con medios humanos y económicos suficientes. En este caso, el «plano secuencia» puede enriquecer considerablemente la realización.

En los trabajos de plató de televisión se suele utilizar la técnica de *multicámara* (grabación con varias cámaras) en la que se registran bloques de grabación relativamente largos efectuados en «montaje contemporáneo». De forma instantánea se selecciona, en la mesa de mezclas, la cámara que proporciona el plano deseado. De esta manera se consigue una gran variedad de encuadres y puntos de vista sin interrumpir la actuación favoreciendo la continuidad y la progresión del clima dramático en los actores y agilizando notablemente el tiempo de producción.

9.3. Eje de acción en desplazamientos de un personaje

La cámara no recoge toda la realidad, efectúa elipsis de espacio y nos muestra un encuadre determinado. Por otro lado, en la construcción narrativa se realizan elipsis de tiempo, se seleccionan sólo las vistas más significativas de forma tal que permitan la reconstrucción de acciones y de situaciones sin necesidad de respetar el tiempo real ni mostrar las partes del proceso que no son interesantes a efectos de la comprensión del relato. Por ello, la imagen de una persona que comienza el ascenso de una escalera enlaza directamente con la vista en que se contempla su llegada a un piso determinado, sin necesidad de presentar todo el trayecto.

De la misma forma, si interesa mostrar a un señor que va a su casa al acabar el trabajo en la oficina, bastará verle salir del despacho y ver cómo entra en su casa, pero si lo que interesa mostrar es precisamente todo aquello que encuentra en el recorrido hacia su casa, aun suprimiendo la duración temporal con respecto al tiempo en la vida real, el número de vistas sería muy superior: lo veríamos saliendo de la oficina, camino del metro, en el metro, al salir del metro, camino de casa, entrando en casa...

Si en una sola y simple acción es necesario respetar la regla del eje de acción para no despistar al espectador, ¿qué ocurriría en las tomas de todo el trayecto descrito, en su paso por diferentes escenarios?

Existe una convención perfectamente asumida por la que al ver a un personaje que camina, por ejemplo de izquierda a derecha, y sale de cuadro —en nuestro caso por el lado derecho—, al verle aparecer en la vista siguiente por la parte izquierda de la pantalla (de hecho vuelve a entrar en pantalla) nadie se sorprende, porque, de modo inconsciente, el espectador, al ver una nueva imagen, convierte el espacio único de la pantalla en un espacio diferente cada vez según los indicios que aparecen en campo y la coherencia con la acción o la imagen anterior (fig. 33).

FIGURA 33. *En el dibujo representamos el recorrido del sujeto en dos cuadros, pero en vídeo el personaje continuaría caminando no en un nuevo cuadro, sino otra vez por la izquierda del único cuadro que existe: la pantalla. El espectador sin embargo realiza una operación mental por la cual la nueva aparición en cuadro se interpreta como un cuadro diferente, al igual que en nuestro dibujo.*

El respeto del eje durante todo el trayecto hace que el personaje conserve el sentido de su marcha (en el ejemplo anterior, saliendo por la derecha del encuadre en una vista, y entrando por la izquierda en el encuadre siguiente mantiene, así, el sentido de la marcha de izquierda a derecha durante todo el recorrido). Mediante este procedimiento se evita que en algún momento parezca que el personaje vuelve sobre sus pasos, caso que se produciría si se intercala una toma desde el otro lado del eje (fig. 34).

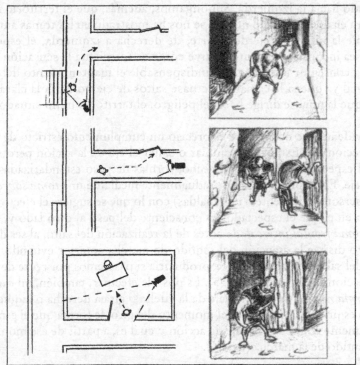

FIGURA 34. *Todo el trayecto del personaje conserva el sentido general de izquierda a derecha.*

9.4. El sentido direccional

El sentido direccional ha estado muy arraigado en la producción cinematográfica, hasta el punto de trasladarlo a situaciones en que en la realidad esta correspondencia es inexistente.

Un ejemplo de ello es la conversación telefónica en la que uno de los personajes se orienta hacia la derecha del cuadro y el otro hacia la izquierda como si estuvieran hablando en presencia física. En ocasiones, se llega incluso a dividir la pantalla, apareciendo cada uno desde un lado, perfectamente orientados uno hacia el otro, tomando como eje de acción el de la interacción directa.

El sentido direccional también ha de considerarse en el caso de un sujeto que efectúa largos recorridos como, por ejemplo, en el desplazamiento en barco o en avión de uno a otro país. En este caso, la dirección de la marcha suele hacerse coincidir con la orientación de los mapas geográficos.

También se aplica este principio en los filmes del género *western* en los que se observa que los indios atacan siempre de izquierda a derecha y los del fuerte de derecha a izquierda o viceversa, con lo que se favorece la creación de una conciencia geográfica en el espectador que conoce en todo momento la orientación del fuerte y el campamento indio. Así, el espectador tiene conciencia clara de la situación de los personajes y del escenario a lo largo de todo el relato. Podemos imaginar una escena en que una niña sale del fuerte y se pierde caminando hacia la izquierda. Supongamos, además, que el territorio indio se encuentra en ese lado dado que así se nos ha mostrado en las tomas anteriores. Conforme la niña se aleje del fuerte, de derecha a izquierda, el espectador, aunque sea inconscientemente, intuye cómo se acrecienta la sensación de peligro. Para conseguir este efecto es indispensable el mantenimiento del sentido direccional ya que si la cámara efectuase saltos de eje no daría la clara impresión de que la niña se dirige hacia el peligro: el territorio indio situado a la izquierda.

Es evidente que no siempre es preciso un cumplimiento estricto de las normas direccionales. Es posible cambiar o saltar el eje de la acción pero sin confundir al espectador. Existen, de hecho, formas de paso estandarizadas para el salto de eje. El eje puede pasarse gradualmente mediante una *toma sobre el mismo eje* (personaje de frente o de espaldas) con lo que se sugiere el efecto de *salto a la vista* en el que el espectador es consciente del paso al otro lado y, en todo caso, la *toma frontal intercalada* antes de la realización del salto, al ser de carácter neutro distrae la atención del sentido de marcha anterior evitando la brusquedad del salto perceptivo que se produciría si pasásemos por corte de un sentido direccional al opuesto (fig. 35). Es posible efectuar, también, un *cambio de eje de forma natural* si el personaje da la vuelta o gira a derecha o izquierda. En este caso es preceptivo registrar el momento del giro de forma que el espectador vea claramente cómo varía el eje de acción y cuál es, a partir de ese momento, el nuevo sentido de la marcha (fig. 36).

FIGURA 35. *Paso correcto al otro lado del eje intercalando la toma 3 (toma frontal); la cual, equivale al «salto a la vista» en el que la cámara se desplaza al otro lado sin dejar de filmar.*

FIGURA 36. *Si el personaje gira en su recorrido, el giro debe ser recogido por la cámara para justificar el nuevo sentido de marcha.*

9.5. Trayectoria curvilínea del sujeto

Cuando el personaje realiza un trayecto curvilíneo y se desea que el espectador conozca no sólo el sentido de la marcha, sino que además sea consciente del recorrido efectivamente realizado por el sujeto, deben observarse dos reglas:

1. No hay que realizar tomas desde el interior de la curva.
2. No hay que realizar tomas a través de la curva.

Si el montador recibe las tres tomas que se aprecian en la figura 37, se encontrará que la toma 2, que «registra desde el interior de la curva», aunque siga al su-

jeto en giro (panorámica), no recoge el movimiento curvilíneo sino que dará la
sensación de un desplazamiento en línea recta. Por otra parte, la toma 3, que «registra a través de la curva», presenta el sujeto desplazándose en cuadro en sentido inverso a la toma anterior. Si la toma 3 cruzase la curva en la posición de la figura 38, el motivo entraría en cuadro siguiendo el sentido de marcha correcto,
pero volvería a salir por el mismo lado. La toma 3 de la figura 38, aun enlazando
bien con la toma anterior, cambia el sentido de la marcha del vehículo y presenta problemas de ensamblado con las tomas siguientes. Si para resolver esta situación enlazamos la toma 3 con la toma A realizada desde el otro lado del eje, el espectador tendría la sensación de correcta continuidad y el registro podría
continuar ensamblando las siguientes tomas efectuadas desde el mismo lado del
eje en que se hizo la toma A.

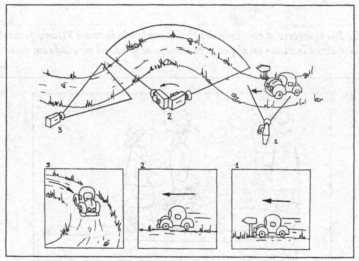

FIGURA 37. *Las tomas a través de la curva no son aconsejables.*

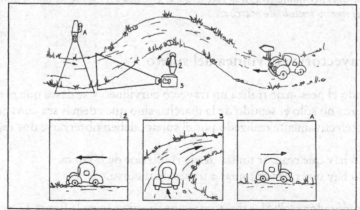

FIGURA 38. *Se produce un problema de sentido real de marcha.*

En la solución anterior hemos aplicado un «cambio del sentido de la marcha» *falseando la realidad* ya que al aplicar dicha opción hemos renunciado a presentar al espectador el recorrido real del automóvil que, aun siendo curvilíneo en todo momento, mantiene el sentido direccional de izquierda a derecha.

En las retransmisiones de carreras de coches son normales los saltos de eje en el paso por curvas que hacen muy difícil al espectador hacerse una idea del trazado real del circuito, el cual sólo es perceptible si se intercalan tomas aéreas. De cualquier forma, lo prioritario en este tipo de retransmisiones no es el trayecto real de los automóviles sino la emoción de la lucha por la victoria.

Existen otras soluciones para mostrar la realidad del movimiento curvilíneo manteniendo el sentido direccional de la marcha pero no debemos olvidar la dificultad que se introduce si registramos desde el interior de la curva o a su través (fig. 39).

FIGURA 39. *La toma 3 desde el «exterior» de la curva refleja perfectamente el trazado de la misma.*

9.6. Sensación de perfecta continuidad en desplazamiento rectilíneo

Hasta ahora hemos visto cómo el sentido de la marcha de un individuo marca un eje de acción que es necesario respetar al representar la trayectoria mediante varias tomas realizadas desde diferentes emplazamientos de la cámara.

Hasta el momento nos hemos centrado en el mantenimiento del sentido general del desplazamiento del personaje en el encuadre, de izquierda a derecha o de derecha a izquierda, entendiendo por *izquierda* la amplia zona que cubre toda la mitad izquierda del encuadre y por *derecha* la zona de la mitad derecha (fig. 40).

Pero en la práctica de la realización no basta únicamente con que el espectador perciba el sentido general del desplazamiento de los personajes o sujetos. En ocasiones es preciso que el espectador perciba con precisión los desplazamientos rectilíneos para lo que debemos considerar otros aspectos además del eje de ac-

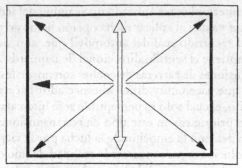

FIGURA 40. *El sentido izquierda derecha cubre una gran variedad de desplazamientos según el ángulo respecto al eje óptico (línea perpendicular al objetivo). Todos ellos pueden combinarse manteniendo el sentido general izquierda derecha.*

ción. Supongamos un desplazamiento rectilíneo de un sujeto que cruza un escenario (fig. 41). En la toma 1 de la figura 41 el sujeto *se acerca a la cámara* de izquierda a derecha en un determinado ángulo. En la toma 2 atraviesa la pantalla *paralelamente* al objetivo de la cámara y en la toma 3 *se aleja* de espaldas a la cámara (de izquierda a derecha con un ángulo equivalente al de la toma 1). A pesar de que en pantalla el movimiento representado en la figura 41 no es rectilíneo, el espectador tiene la sensación de haber presenciado un desplazamiento del sujeto en línea recta y en perfecta continuidad de marcha. Ello es así porque las tomas cruzadas (tomas 1 y 3) han sido efectuadas cuidando dos aspectos (fig. 42).

FIGURA 41.

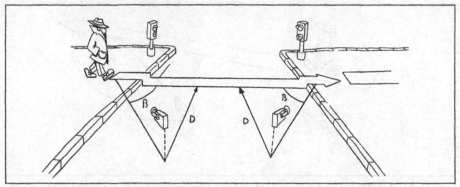

FIGURA 42. *Con el mismo ángulo de lente en las dos cámaras, al ser el ángulo β igual se mantienen de forma exacta el sentido de marcha y al ser iguales las distancias D de las cámaras al eje de acción se mantiene también el tamaño del sujeto respecto al encuadre.*

1. Las dos cámaras (con el mismo ángulo de lente) tienen sus ejes ópticos (línea imaginaria perpendicular al objetivo de la cámara) formando el mismo ángulo β con el eje de acción, lo que hace que el personaje, que camina recto, entre en pantalla por la izquierda en la toma 3 exactamente con el mismo ángulo en que salió por la derecha en la toma 1, dando, así, una perfecta sensación de continuidad lineal en el sentido de la marcha.

2. Por otro lado, la distancia de las cámaras al eje de acción también es igual en una y otra toma, con lo que el tamaño del sujeto al salir de la toma 1 es idéntico al tamaño que tiene al entrar en la toma 3. Si el ángulo de lente fuera distinto en una y otra toma, podríamos mantener igualmente el mismo tamaño del sujeto a la salida de la primera toma y a la entrada de la segunda colocando más cercana la cámara con un ángulo más abierto y más lejana otra cámara con el ángulo más cerrado pero, en este caso, perderíamos la continuidad visual del fondo que, en la primera toma sería con gran profundidad de campo (propia de los objetivos de gran ángulo) y, en la segunda, con muy poca profundidad de campo (propia de los objetivos de larga distancia focal).

Con el mismo ángulo de lente en cada emplazamiento, aunque variemos la distancia de la cámara al sujeto, se mantendrá la sensación de continuidad lineal de la marcha si mantenemos iguales los ángulos de eje óptico con eje de acción, pero variará el tamaño del personaje (el plano de encuadre) en cada toma (fig. 43). Cuando el personaje se desplaza en diagonal hacia un lado de la cámara, si se aplican estas reglas se obtiene igualmente una sensación de continuidad lineal, consiguiendo un efecto equivalente al que obtendríamos si al pasar el sujeto por nuestro lado volviésemos inmediatamente la cabeza para seguirle con la vista (fig. 44).

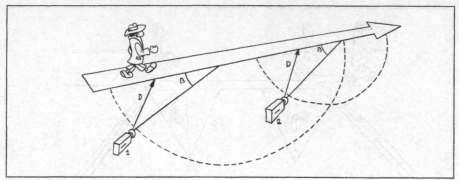

FIGURA 43. *La cámara 2 mantiene el sentido exacto de marcha al conservar el mismo ángulo β que la 1, pero al ver variado la distancia D sin variar el ángulo de lente motivará un plano más cercano del personaje. En otras palabras, el personaje entra en campo con un tamaño mayor del que salió en la toma 1.*

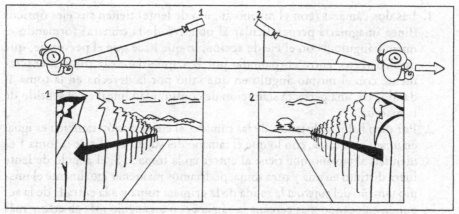

FIGURA 44. *Sensación de marcha en línea recta. Obsérvese que en pantalla el personaje va siempre de derecha a izquierda, aunque en el primer cuadro sale por la parte inferior izquierda y en el segundo sale por la parte superior izquierda. Obsérvese además la perfecta correspondencia entre tamaño de personaje en la salida de un cuadro y la entrada en otro, y zona de salida (inferior izquierda) del primer cuadro con zona de entrada (inferior derecha). Ello es debido a la igualdad de los ángulos.*

Si no se observan las reglas indicadas, aun respetando la regla general del eje de acción, el desplazamiento no parece rectilíneo y la continuidad no es perfecta. Podrían producirse ligeros *saltos del personaje en pantalla*, especialmente si la variación del ángulo β y la distancia D no cambian sustancialmente para que el espectador aprecie inmediatamente que se trata de un nuevo punto de vista diferenciado (fig. 45). Esta norma, que sirve para sujetos estáticos o en movimiento, implica que la variación en el ángulo β del nuevo punto de vista respecto al anterior debe ser superior a 30°, y para mejor diferenciarla de la vista anterior, la distancia D de la cámara, que marca el tamaño del personaje (plano de encuadre), debe ser significativamente diferente (fig. 46).

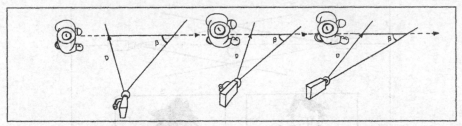

FIGURA 45. *La variación del ángulo de la cámara con el eje de acción es muy pequeño, lo que puede provocar saltos bruscos del personaje en la pantalla.*

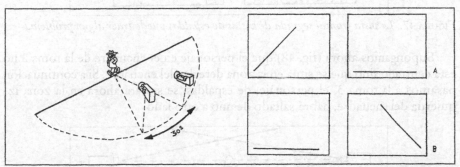

FIGURA 46. *Si el plano de encuadre y el ángulo del nuevo punto de vista no están suficientemente diferenciados de los de la toma anterior, se produce un salto estroboscópico, llamado así por el movimiento estroboscópico que consiste en la sensación de desplazamiento o animación de figuras con pequeñas diferencias entre sí al ser proyectadas una tras la otra. Este efecto, estudiado por la Gestalt, se ejemplifica en la figura. Así, en A la línea parece caer y en B la línea parece levantarse.*

9.7. Casos particulares

1. *Campo/contracampo* sobre un sujeto

Como ya hemos apuntado, las tomas sobre el propio eje (toma 3 de la fig. 35) pertenecen a los semicírculos de uno y otro lado del eje de acción y son un recurso para pasar gradualmente de uno a otro lado. Como un desarrollo de ese tipo de tomas nos referimos, ahora, a la combinación de tomas frontales del personaje o motivo seguidas de tomas de espaldas que, aun siendo tomas correctas respetuosas con la regla del eje de acción, si se realizan como *campo/contracampo* (vista frontal seguida de vista de espaldas) pueden presentar algún tipo de problemas (fig. 47).

En la figura 47 tenemos al personaje de la toma 2 centrado en el encuadre. Cuando pasamos a la toma 3, aparece de espaldas también centrado, de forma que no se produce ningún salto pudiendo considerar la toma correcta si está justificada por el sentido de la narración.

FIGURA 47. *La vista frontal seguida de vistas de espaldas puede traer algún problema.*

Supongamos ahora (fig. 48) que el personaje en el encuadre de la toma 2 no está centrado sino que se sitúa en la zona derecha del encuadre. Si a continuación pasamos a la toma 3, el personaje, de espaldas, se situará ahora en la zona izquierda del encuadre, habrá saltado de uno a otro lado.

FIGURA 48. *El personaje salta de la zona derecha del encuadre a la zona izquierda produciendo un efecto desagradable.*

Esta toma, aparentemente incorrecta, no producirá molestias ni desconcierto en el espectador si la zona que ocupaba el personaje en la toma 2 es ocupada en la toma 3 por un nuevo centro de interés que lo justifique (fig. 49).

FIGURA 49. *Aunque el personaje salte de la zona derecha a la izquierda, la aparición de un nuevo centro de interés en el punto donde él estaba disimula el salto de «zona de cuadro» e incluso refuerza la atención sobre el nuevo centro de interés.*

2. Visión subjetiva

El desplazamiento del personaje puede cambiar su sentido en pantalla cuando se intercala la visión subjetiva de un personaje que le observa (fig. 50).

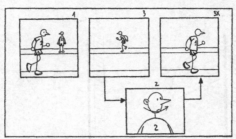

FIGURA 50. *La toma 2 permite al espectador ponerse en el punto de vista del personaje del fondo, con lo que queda justificada la toma 3; la cual, invierte el sentido de marcha en pantalla, pero que es la visión subjetiva del personaje. Si pasamos directamente a la toma 3x se produciría un cambio de sentido muy brusco: por esta circunstancia, es recomendable intercalar de nuevo la toma 2 antes de volver a la visión objetiva del corredor.*

El paso a la visión subjetiva de la figura 50, que invierte el sentido de la marcha del sujeto, está justificado y es la forma «natural» de hacerlo, sin embargo, no resulta recomendable volver directamente a la visión objetiva del personaje (toma 3x de la figura) sino que conviene volver al personaje que observa antes de pasar a ver de nuevo al primer personaje con el eje de acción de la toma objetiva (con el sentido de marcha normal).

3. El eje como recurso

En ocasiones puede interesar que parezca que un individuo camina siempre en la misma dirección cuando en realidad no lo hace.

Para conseguir este efecto se registra desde un lado del eje la dirección correcta. Luego se pasa la cámara al otro lado del eje y se registra al personaje haciéndole caminar en sentido contrario al de la toma anterior. De esta forma, al haber saltado el eje con la cámara, seguirá dándonos el mismo sentido de la marcha que en la primera toma (fig. 51).

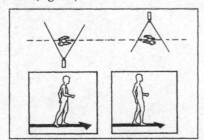

FIGURA 51. *A veces puede interesar que un mismo individuo aparezca en la pantalla caminando en el mismo sentido, cuando en realidad no lo hace.*

La recurrencia a este «truco» puede ser necesaria cuando se desea representar un trayecto en el espacio reducido de un plató con un solo fondo (fig. 52). En la figura 52 se ejemplifica el caso de simulación de un trayecto rectilíneo, de un lugar a otro, variando el decorado del fondo en cada toma.

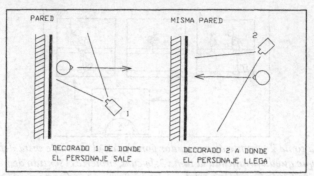

FIGURA 52. *La angulación de las cámaras permite no mostrar elementos del fuera de cuadro. Para conseguir movimiento rectilíneo el ángulo β de los ejes ópticos con el eje de acción es igual, y para mayor sensación de continuidad, la distancia D de las cámaras al eje de acción también es igual, de este modo se mantiene el personaje al mismo tamaño a la salida del primer cuadro y en la entrada del segundo.*

Capítulo 10

REALIZACIÓN PRÁCTICA: CONTINUIDAD EN LAS TOMAS DE UNO Y DE DOS SUJETOS ESTÁTICOS

El eje de acción o interacción, el eje óptico y el eje cámara-personaje que se describen a continuación, son los tres elementos con los que cuenta el realizador para que los desplazamientos o las tomas de uno o dos sujetos estáticos sean percibidas por el espectador con la sensación de continuidad que es exigible a la comprensión del relato audiovisual.

Todas las cuestiones relacionadas con el mantenimiento de la continuidad en la variación de las posiciones de cámara pueden ser solucionadas respetando las reglas basadas en los tres ejes a los que nos hemos referido con anterioridad (fig. 53):

— *Eje de acción o interacción.* El respeto a la zona del eje permite mantener la orientación del personaje hacia el lado en que interactúa en la primera toma.
Saltar el eje supone invertir la orientación del personaje y variar su posición en la zona de cuadro de forma que el personaje de la derecha pasa a la izquierda y viceversa.
— *Eje óptico.* El eje óptico determina la orientación del personaje respecto a la pantalla: perfil, escorzo, frontal, etc. Todo nuevo punto de vista que no conserve el mismo eje óptico o el mismo ángulo con el eje de acción, puede dar diferente orientación del personaje y diferente fondo.
— *Eje cámara-personaje.* Se trata de una línea imaginaria que une el centro del objetivo con el personaje.
El eje cámara-personaje habrá de ser considerado para mantener en continuidad la relación del personaje con los márgenes laterales del encuadre. Esto se hace especialmente evidente en el caso que expondremos a continuación.

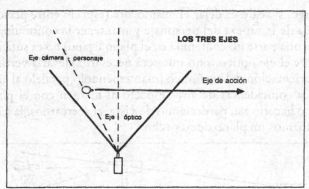

FIGURA 53. *Los tres ejes: eje cámara-personaje, eje óptico y eje de acción.*

10.1. Acercamiento y alejamiento de un sujeto en continuidad

En este supuesto pueden darse dos casos, que el sujeto esté centrado en el encuadre o que esté descentrado.

1. Mantenimiento de la continuidad en acercamiento-alejamiento sobre un sujeto centrado

Si el sujeto está centrado en el encuadre pudiera parecer que basta acercar la cámara sobre el eje óptico para obtener un plano de encuadre cercano, en continuidad con el anterior (fig. 54).

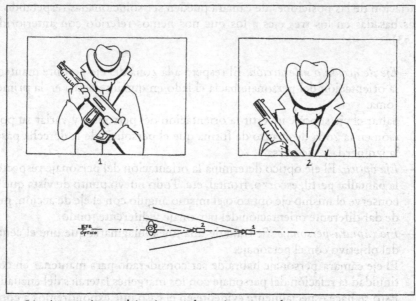

FIGURA 54. *Acercamiento-alejamiento sobre sujeto centrado.*

Sin embargo, si se desea dejar el mismo aire (espacio entre personaje y marco) por encima de la cabeza del personaje y mantener la continuidad del fondo (que no se vea una parte no contenida en el plano lejano) no es suficiente acercar la cámara sobre el eje óptico, sino que será necesario elevarla verticalmente sin modificar la orientación del eje óptico (manteniéndolo paralelo al anterior) hasta conseguir la coincidencia de aire respecto al margen con el plano anterior (fig. 55). De no hacerlo así, perderíamos de vista, al acercarnos, la cabeza del sujeto y obtendríamos un plano de su pecho.

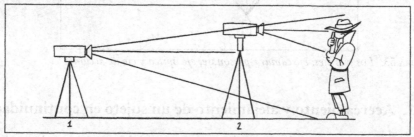

FIGURA 55. *En el acercamiento a posición 2 es preciso elevar la cámara para mantener el mismo aire sobre el sujeto.*

Normalmente, el operador suele acercar la cámara sobre el eje óptico y, una vez en la nueva posición, corrige el encuadre con panorámica vertical (giro), obteniendo una toma en contrapicado.

De esta forma, la continuidad no es perfecta y aunque el efecto no resulte desagradable puede presentar problemas si la cámara descubre objetos no deseados, por ejemplo, los focos del techo (fig. 56).

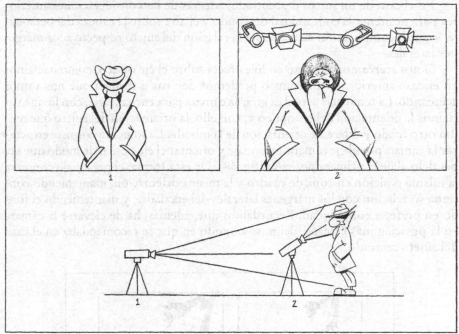

FIGURA 56. *Efecto de acercamiento sin elevación de cámara y con corrección en contrapicado.*

Por este motivo, en televisión es común dejar el aire necesario en el plano general para que, al acercar la cámara hasta obtener un primer plano, éste quede perfectamente encuadrado, exactamente con el aire deseado (fig. 57).

FIGURA 57. *Acercamiento con el zoom*

En el caso de realizar el acercamiento mediante *zoom*, al efectuar la corrección para ajustar el aire de la parte superior, el problema no es tan grave, puesto que el efecto de contrapicado es mucho menor al permanecer la cámara alejada del sujeto y al reducir el ángulo de visión en el acercamiento, lo que reduce el espacio abarcado por el objetivo.

2. Mantenimiento de la continuidad en acercamiento-alejamiento sobre un sujeto descentrado

En el caso de un sujeto descentrado, además de las consideraciones anteriores para mantener la continuidad del fondo y el aire sobre la cabeza del personaje, surge la complicación de mantener la relación del sujeto respecto a los márgenes laterales.

Si nos acercamos al sujeto en línea recta sobre el eje óptico, como hacíamos en el caso anterior, le cortamos o perdemos de vista a medida que nos vamos acercando. La tendencia actual es girar la cámara para encuadrarle, con lo que variamos la orientación del eje óptico y, con ello, la orientación del sujeto que tendrá otro fondo y diferente orientación de la mirada. La solución consiste en acercar la cámara por el eje cámara-personaje y orientar el eje óptico de modo que sea paralelo al de la primera posición (fig. 58). De esta forma, el personaje conserva la misma posición en zona de cuadro y la misma orientación, manteniendo continua su relación con los márgenes laterales del encuadre, y manteniendo el fondo en perfecta continuidad. Recordamos que, además, ha de elevarse la cámara en la posición más cercana, del mismo modo en que se recomendaba en el caso del sujeto centrado.

FIGURA 58. *Acercamiento sobre sujeto descentrado.*

10.2. Mantenimiento de la continuidad en variación de tomas sobre dos personajes en interacción

El caso de dos personajes en interacción puede solucionarse de diferentes formas: mediante la combinación de tomas de cada uno de ellos por separado, o bien por tomas de los dos personajes a la vez.

1. Ejes ópticos paralelos, en tomas de dos personajes, tomados de uno en uno

Si trazamos un semicírculo, tomando como centro el punto medio del eje de interacción entre los dos personajes, y emplazamos la cámara para efectuar un plano general, de forma que el eje óptico sea perpendicular al eje de acción coincidiendo su intersección en el vértice del semicírculo, habremos dividido el espacio a uno y otro lado del eje, en dos zonas simétricas.

Las posiciones 2 y 3 de la figura 59 están colocadas sobre el mismo semicírculo y son simétricas respecto al eje óptico de la posición 1. De este modo, sus distancias al eje de acción son idénticas y mantienen el mismo tamaño de plano. Sus ejes ópticos son paralelos entre sí y respecto al de la posición 1, con lo que mantienen idénticas las orientaciones de los personajes, en este caso de perfil.

FIGURA 59. *Ejes ópticos paralelos.*

La continuidad en la interacción es, pues, perfecta, y la orientación del espectador es total; los personajes se miran directamente a los ojos y su posición en el cuadro coincide totalmente con la del plano general.

Sin embargo, y siendo esta alternativa la única capaz de mantener la continuidad del fondo presentado en el plano general, la aplicación de la regla explicada no es, ni mucho menos, la solución más atractiva ya que los personajes aparecen así planos y sin perspectiva, sin reflejar convenientemente su expresión. Por ello es tan fácil caer en la tentación de prescindir de la estricta continuidad y combinar la toma de perfil de un personaje con la toma en escorzo del otro, tal como se hace cuando se quiere variar el punto de vista sobre un único personaje (fig. 60).

Como se dijo cuando nos referíamos al caso de un solo personaje, podemos variar el punto de vista de la cámara de forma evidente, rompiendo la continuidad, pero sin molestias ni desconcierto para el espectador, que se situará sin problemas en el nuevo punto de vista diferenciado.

FIGURA 60. *Variación significativa del punto de vista.*

Si pretendemos hacer lo mismo con dos personajes y combinamos la toma de perfil de uno con el escorzo de otro, el resultado, además de romper la continuidad, puede ser tremendamente desconcertante para el espectador.

Este caso puede darse si, cuando estamos en la posición de cámara 2 tomando el perfil de un personaje, giramos en panorámica y tomamos el escorzo de otro personaje (fig. 61). Los personajes, que en el plano general tomado desde cámara 1 se están mirando a los ojos, en los planos individuales no se miran: de hecho, el personaje masculino mira al personaje femenino mientras este último, distraídamente, mira hacia otro lado.

FIGURA 61. *Los ángulos de los ejes de las cámaras 2 y 3 son diferentes, lo que hace que no conserven las orientaciones posturales relativas. La chica que en la realidad mira al chico fijamente, en pantalla mira distraídamente a otro lugar mientras él se dirige a ella.*

Esto no ocurre cuando los ejes ópticos son paralelos o, más estrictamente, cuando el ángulo que forma el eje óptico en la posición 1 con el eje de acción, es igual al ángulo formado por el eje óptico de la posición 2 con el mismo eje de acción.

Esta regla es la de aplicación más corriente mediante la técnica de tomas cruzadas, de modo que la cámara situada en la parte derecha del semicírculo toma al personaje de la izquierda, y la cámara situada en la parte izquierda toma al personaje de la derecha, respetando, por supuesto, la ley de no saltar el eje, pues de no ser así el resultado sería aún más aberrante (fig. 62).

FIGURA 62. *Si se salta el eje, aunque se conserve la igualdad de ángulos, el resultado falsea totalmente la realidad.*

La aplicación correcta de estas reglas en la técnica de ejes cruzados se ejemplifica en los casos que estudiamos a continuación.

2. Ejes ópticos cruzados y simétricos, en tomas de dos personajes, tomados de uno en uno

En el mismo semicírculo del caso anterior, haciendo que el eje óptico de la cámara 4 cruce el eje óptico de la cámara 3 para tomar los planos del personaje masculino, y que el eje óptico de la cámara 3 cruce el eje óptico de la cámara 4 para tomar al personaje femenino (fig. 63), obtenemos planos en escorzo de cada personaje que mantienen perfectamente la continuidad de interacción.

En este caso, al combinar las tomas de las cámaras 3 y 4, obtenemos fondos diferentes al del plano general, lo que implica cubrir más espacio con el decorado del fondo. El resultado es, sin embargo, mucho más atractivo que en el caso de ejes ópticos paralelos (fig. 59), ya que los personajes ganan en perspectiva y expresividad y, al formar los ejes ópticos de las dos cámaras el mismo ángulo con el eje de acción, garantizan la correspondencia de orientación de los personajes, haciendo que sus miradas converjan en un punto fuera de la pantalla, en dirección a los espectadores.

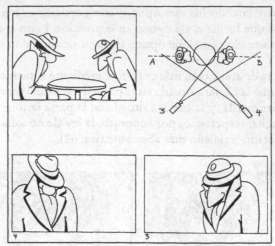

FIGURA 63. *Los ejes ópticos cruzados, obtienen tomas más expresivas de los sujetos.*

3. Ejes ópticos cruzados y simétricos, en tomas de dos personajes, tomados de dos en dos

Cruzar las cámaras siguiendo las mismas reglas explicadas en el párrafo anterior, pero encuadrando a los dos personajes en la toma, permite mostrar la interacción de forma más directa y tiene la ventaja de disimular fallos de correspondencia entre una toma y otra, hasta el punto de que un salto de eje puede no desorientar al espectador, aunque sí resultar molesto por invertir la posición de los personajes.

Las tomas cruzadas de dos personajes son muy empleadas en cine y televisión en escenas de conversación pudiendo, según el ángulo que formen los ejes ópticos con el eje de acción, aumentar o disminuir el efecto de enfrentamiento entre los personajes. Así, a medida que las cámaras se cruzan (fig. 64) alejándose del eje óptico de la cámara 3 situada en plano general, aumenta el efecto de enfrentamiento. Efecto que disminuye a medida que las cámaras acercan su posición al eje óptico de la cámara del plano general.

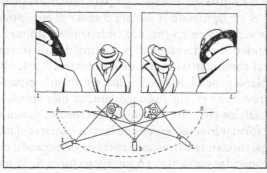

FIGURA 64. *Tomas cruzadas de dos personajes.*

Estas reglas son las de más corriente aplicación en los registros multicámara en plató de televisión, especialmente en el caso de dos personajes registrados con tres cámaras en montaje contemporáneo.

4. Entrevista formal de dos personajes, realizada con tres cámaras

En este caso es habitual reservar la cámara frontal para planos generales y planos cercanos de uno y otro personaje, mientras que las otras dos cámaras toman planos cruzados de uno o de los dos personajes (fig. 65).

FIGURA 65. *Tomas en entrevista formal de dos personajes.*

Esta disposición de cámaras garantiza la posibilidad de efectuar una correcta realización en los aspectos informativos y expresivos ya que cubre toda la gama de planos de encuadre de los personajes aunque condicionado a una especial disposición del *set* o escenario de grabación, cuyo espacio se diseña en forma de *tríptico* al objeto de cubrir el fondo de los tiros de cámara cruzados para que no *desaforen* (la cámara no muestre parte del fuera de cuadro o fuera de encuadre).

Esta disposición es, por otro lado, la base para el diseño del espacio en televisión siendo empleada tanto de los *sets* más sencillos como, mediante la combinación de trípticos, para los más complejos.

10.3. Angulaciones en sentido vertical

Es frecuente el caso en que dos personajes estén situados en diferente nivel como, por ejemplo, que un personaje situado de pie hable con otro que está sentado.

En estas ocasiones, es preciso hacer corresponder el ángulo de vista del plano de encuadre con la posición relativa de cada personaje. Si vemos al personaje que está de pie, le veremos en contrapicado y, cuando nos presenten al personaje que está sentado, le veremos en ángulo picado.

En el caso de establecer la relación mediante tomas individuales de cada personaje, es preciso cuidar estrictamente la correspondencia de ángulos para conseguir que sus miradas se encuentren (fig. 66).

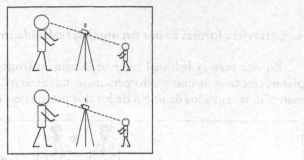

FIGURA 66. *Angulaciones en sentido vertical.*

El seguimiento de la correspondencia de ángulos en la realización de las tomas en conjunto de los dos personajes, añade el efecto expresivo de dominio del personaje que está a mayor altura respecto del que se sitúa más bajo. Este plano de conjunto se suele efectuar con la cámara situada en un nivel normal ya que, al verse a los dos personajes en el encuadre, no hay peligro de que sus miradas no sean coincidentes evitando así el riesgo de enfatizar excesivamente la escena.

10.4. Salto de eje a la vista por movimiento de cámara

Cuando interesa obtener mayor variedad de planos o preparar la toma para la entrada de un nuevo personaje, puede saltarse el eje en las tomas sobre dos sujetos estáticos, siempre que se realice a la vista, mediante movimiento de cámara (fig. 67).

FIGURA 67. *Si la cámara se desplaza durante el registro, el encuadre final es totalmente distinto del inicial.*

El punto final del desplazamiento de cámara dará una toma que condicionará las tomas posteriores de los dos personajes las cuales deberán realizarse desde el nuevo lado del eje siguiendo, a partir de ese momento, las reglas hasta ahora explicadas.

Capítulo 11

REALIZACIÓN PRÁCTICA: CONTINUIDAD EN LAS TOMAS DE DOS, TRES O MÁS PERSONAJES

La percepción realista de la «distancia» entre los personajes que interactúan es un tema que se analiza en este capítulo donde se hace especial hincapié en las posibilidades de saltar el eje que se producen en la interacción de dos o más personajes.

En los dos capítulos anteriores hemos abordado los casos de mantenimiento de la continuidad en las tomas de dos sujetos estáticos en interacción. Antes de abordar los casos de tres personajes, nos detendremos en un nuevo aspecto relacionado con el tratamiento de dos personajes, el del mantenimiento de la continuidad según la distancia existente entre ellos. Finalizaremos exponiendo el caso en que un personaje se desplaza durante la interacción. Este supuesto tiene dos variantes principales. En ambas se origina la creación de nuevos ejes, circunstancia que permite saltar los ejes iniciales.

11.1. Mantenimiento de la relación de distancia

1. Continuidad realista, continuidad expresiva

Existe una lógica de la representación de la distancia que separa a los dos personajes que interactúan, basada en el tamaño del plano de encuadre y en la percepción de la profundidad de campo por detrás del sujeto.

Como veíamos en las tomas simétricas y cruzadas de dos personajes (cámaras con igual ángulo de lente), las dos variables de la continuidad que afectan a la percepción de la distancia eran: por un lado, la igualdad de ángulo entre los ejes ópticos y el eje de acción, lo que mantenía la continuidad en la coincidencia de miradas y, por otro, la igualdad en las distancias de las cámaras respecto al eje de acción, que mantenía la continuidad en el tamaño de los planos de encuadre de los dos personajes, conservando la misma profundidad de campo por detrás de uno y otro sujeto.

Si las distancias de las cámaras respecto al eje de acción son diferentes, manteniendo iguales los ángulos de sus ejes ópticos con el eje de acción, se conserva la continuidad de miradas. No obstante, para obtener los mismos tamaños de planos de encuadre es preciso actuar sobre el *zoom* en la cámara más alejada, hasta obtener el mismo tamaño del plano de encuadre, en la posición de teleobjetivo. Ello acarrea una cierta pérdida de perspectiva y un aplastamiento del fondo sobre el sujeto debido a la disminución de profundidad de campo que origina el uso de un objetivo de distancia focal larga.

En la representación digamos «realista» de la distancia, existe una convención por la que el efecto *zoom* con pérdida de nitidez del fondo, se asocia a una ampliación de la visión desde lejos, visión antinatural que el ojo es incapaz de efectuar pero que es la que se obtiene con el uso de medios ópticos de la cámara. Por ello, el personaje con el fondo nítido se percibirá como espacialmente alejado del personaje tomado en teleobjetivo.

Si a las vistas individuales de los dos personajes, tomados de la manera descrita, sigue una vista general en la que observamos a los dos personajes juntos, el espectador se sentirá desconcertado al observar la contradicción entre la distancia sugerida en las vistas individuales y la presentada en la toma de conjunto.

Por otro lado, en las tomas de los dos personajes a la vez, manteniéndose constante la distancia real entre ellos, la percepción de esta distancia varía según el ángulo de toma y la óptica empleada. Por ello, en la combinación de tomas de dos personajes con vistas de un solo personaje, se deben cuidar los aspectos relacionados con las distancias de las cámaras respecto al eje de acción y respecto al uso de los ángulos de lente, al objeto de que la combinación de planos mantenga orientado al espectador sobre la relación de distancia entre los personajes, sin incurrir en contradicciones.

2. Representación realista de la distancia entre dos personajes, tomados de uno en uno, con cámaras que emplean el mismo ángulo de lente

Tomemos como ejemplo el caso de una persona que ve acercarse a otra desde lejos.

Colocamos la cámara a una distancia cercana a la persona que observa la llegada de la otra y obtenemos un plano medio frontal del que espera. A continuación, sin cambiar el emplazamiento de la cámara, la giramos para encuadrar al personaje distante: sin modificar el ángulo de lente recogemos un plano general frontal del personaje que se acerca.

Si sumamos las distancias de la cámara al primer personaje (plano medio), con la distancia de la cámara respecto al segundo personaje (plano general), obtendremos la distancia real entre los dos personajes (fig. 68).

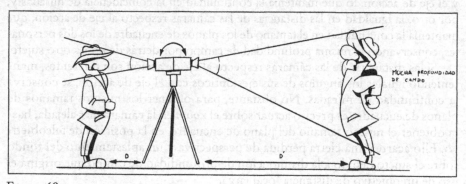

FIGURA 68.

A medida que el segundo personaje se acerca al primero, con el mismo emplazamiento de cámara y el mismo ángulo, iremos obteniendo planos de encuadre, cada vez más cercanos que, combinados con los planos del primer personaje desde el mismo emplazamiento (plano medio constante), orientarán perfectamente al espectador sobre la distancia precisa que les separa en cada momento.

3. Representación de la distancia con tomas de diferente ángulo de lente

En estos casos, la distancia real es muy difícil de percibir llegando únicamente a la deducción de que un personaje está alejado del otro.

En el caso ejemplificado en la figura 69, las tomas efectuadas serían un plano medio, o primer plano, del personaje que mira hacia el lugar donde se encuentra el segundo (con ángulo normal o abierto y mucha profundidad de campo) y otro plano cercano del personaje lejano (tomado en teleobjetivo con reducida profundidad de campo).

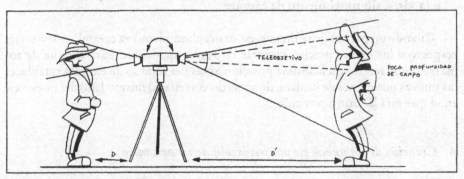

FIGURA 69.

La representación realista de la distancia no es una norma rígida y puede romperse por necesidades expresivas.

El caso más común es aquel en que el tamaño del plano deja de representar la distancia espacial para representar el acercamiento emocional o psicológico.

Es clásica la escena del *El manantial* (The Fountainhead, 1949) de Vidor, donde la atracción entre el protagonista masculino y la protagonista femenina, que se encuentra a gran distancia, se expresa mediante la combinación de primeros planos y planos medios cortos de los personajes, pendientes el uno del otro (fig. 70).

FIGURA 70. *Exceptuando las primeras y últimas tomas, los planos no responden a la representación de la distancia espacial entre los personajes, sino que representan la irrupción en el espacio íntimo por la fijación de la mirada, hasta el punto que ella se siente turbada y gira la cara.*

Otro caso de continuidad expresiva que prescinde de la representación realista de la distancia espacial, consiste en la inserción de primeros y primerísimos planos para resaltar la intensidad de una acción o la expresión de un carácter o un sentimiento.

11.2. Continuidad con desplazamiento

1. Mantenimiento de la continuidad con desplazamiento de un personaje a la vista, sin movimiento de cámara

Cuando un personaje se mueve, en su desplazamiento va creando nuevos ejes respecto a los que es preciso respetar las reglas apuntadas. Para ello, ha de tomarse como referencia la última posición antes del cambio de eje para establecer las nuevas posiciones de cámara, de acuerdo con ella (al mismo lado del nuevo eje en el que está la última posición).

A. Creación de un nuevo eje por traslación de un personaje

Si dos personajes I y II interactúan, establecen un eje de acción A-B. Nos limitaremos a realizar las tomas respetando dicho eje tal y como hasta ahora hemos explicado, pero si el personaje II se aleja hasta el punto X (fig. 71), desde el que continúa la interacción, habrá creado un nuevo eje C-D, cuya relación con la última toma (2a) condicionará la posición de cámara de la toma siguiente (3).

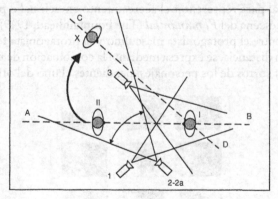

FIGURA 71.

B. Mantenimiento de la continuidad con el desplazamiento en off de un personaje

Si en una situación de interacción de dos personajes, la mirada de uno de ellos describe una trayectoria siguiendo el desplazamiento del otro personaje, este desplazamiento será intuido por los espectadores, pudiendo pasarse a la toma del personaje que se ha desplazado desde una posición de cámara idéntica a la que utilizaríamos en el caso de que el personaje se hubiera trasladado a la vista de la cámara. Esto se haría respetando la relación de la última posición de cámara con el nuevo eje que el personaje ha creado en su desplazamiento en *off* (fig. 72).

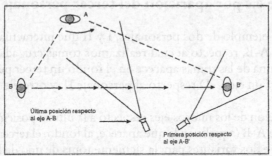

FIGURA 72. *La mirada del personaje A indica el desplazamiento en* off *del personaje B. De este modo, la siguiente toma del personaje B se realiza según el eje AB' en correspondencia con la última toma del personaje A.*

2. Mantenimiento de la continuidad con desplazamiento de un personaje a la vista, con movimiento de cámara

Existe un caso de desplazamiento circular con seguimiento en panorámica de la cámara (fig. 73) que añade a la dificultad del mantenimiento de la continuidad de dos personajes en interacción, la del mantenimiento de la continuidad del desplazamiento (tal como se explicó con anterioridad cuando nos referíamos a la continuidad en el desplazamiento de un sujeto).

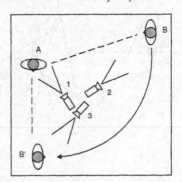

FIGURA 73. *El desplazamiento circular del personaje B, en pantalla rectilíneo al ser tomado en panorámica por la cámara 2 (desde el interior de la curva) con lo cual parece que se haya alejado aún más del personaje A y que le habla sin mirarle. Sólo la mirada del personaje A orienta sobre la nueva posición de B, que no está donde se esperaba. La posición de la cámara 3 ha saltado el primer eje AB al invertir su eje óptico respecto a la posición 2.*

Para dar comienzo al estudio del mantenimiento de la continuidad en tomas de tres personajes en interacción, resulta de utilidad comenzar con la explicación de un caso de transición de dos a tres personajes. La aparición del tercer personaje crea un nuevo eje y permite saltar el anterior.

11.3. Salto de eje por aparición del tercer personaje

Partimos del ejemplo de dos personajes, I y II que interactúan estableciendo un eje de acción A-B, respecto al cual realizamos tomas cruzadas de uno y otro personaje. Si en una de las tomas aparece en el fondo un tercer personaje, su presencia establecerá un eje C-D respecto al personaje II, y otro eje F-E, respecto al personaje I.

Según la relación de los nuevos ejes respecto a la última posición de cámara establecida en el eje A-B (aquella en la que aparece, al fondo, el tercer personaje), podemos optar entre dos variantes para la siguiente toma de uno de los personajes.

1. Primera variante: el tercer personaje mira o se dirige al segundo

En esta situación (fig. 74), el eje que importa es el C-D y colocaremos la nueva posición de cámara (3) para tomar al personaje II en el mismo lado del eje C-D, en que esté la posición de cámara anterior (2) y cruzada con ella, siguiendo las normas ya explicadas.

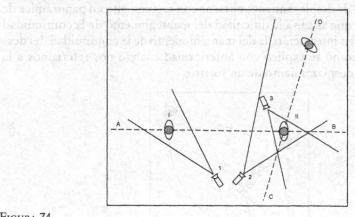

FIGURA 74.

2. Segunda variante: el tercer personaje mira o se dirige al primero

El eje que interesa es el F-E (fig. 75), y colocaremos la cámara en el mismo lado del eje en que estuviera en la última posición, para continuar con las tomas cruzadas del personaje III y del personaje I, según las normas ya explicadas.

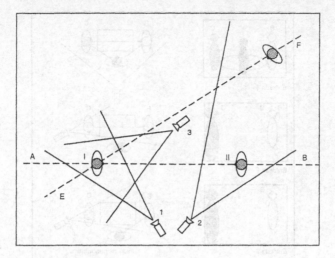

FIGURA 75.

3. Otras variantes

Pueden combinarse las tomas que recogen a los dos personajes a la vez, siguiendo las mismas reglas, o bien pueden combinarse tomas de dos con tomas de uno, sin que varíe la regla apuntada.

Otro recurso consiste en pasar a un plano general de los tres, tomado desde el mismo lado que la última toma, o bien justo desde el otro lado (en contracampo), creando un nuevo punto de partida para comenzar el juego de posiciones según las reglas apuntadas. También puede pasarse a un plano frontal de un personaje y establecer un nuevo eje según a quién se dirija.

Ejemplo de aplicación:

En el caso de tres personajes interactuando, en el que los tres tienen igual peso (disposición en triángulo, sin agrupación de personajes), la aplicación de las reglas descritas permite la variación de posiciones de cámara en continuidad, siguiendo los ejes que las interacciones entre los personajes vayan creando sucesivamente. Así puede realizarse una exploración del espacio total, al modo cinematográfico, en el que se da cabida a la *cuarta pared*. En televisión es común la disposición de un *set* para trabajo en multicámara, en el que el fondo es un tríptico, sin que se coloquen cámaras al otro lado de dicho tríptico. En la actualidad se utilizan soluciones más atrevidas, especialmente en debates y concursos, donde no es extraño sorprender en imagen a los operadores de cámara mientras efectúan las tomas de contracampo. En el siguiente ejemplo (fig. 76), podemos ver un juego correcto de variaciones de punto de vista que respeta las reglas descritas.

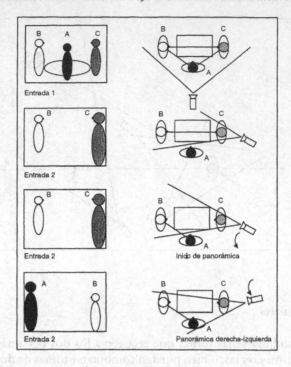

FIGURA 76.

11.4. Tres personajes tratados como dos

Una forma sencilla de trabajar con tres personajes (fig. 79) consiste en tratarlos basándose en un único eje. De este modo, pueden resolverse con elegancia numerosas situaciones.

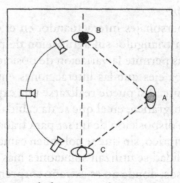

FIGURA 77. *El cambio de cámara, de forma que el espectador sepa en cada momento la ubicación de los personajes, se consigue fácilmente mediante la dirección de las miradas de los personajes. De esta forma, se hacen invertir los ejes B-A y C-A, que en todos los casos son registrados sin saltar el eje principal B-C. Esta técnica tiene una aplicación evidente en los registros multicámara, en los que la cuarta pared (lugar donde se sitúan las cámaras) no existe.*

Si en lugar de colocar los personajes en triángulo, agrupamos dos y aislamos el tercero, existirá un único eje entre el personaje aislado y los otros dos.

Así podremos realizar el juego de reglas cruzadas con planos del personaje solo y de los otros dos juntos, aplicando, estrictamente, las reglas de dos personajes, sin problemas de cambios de ejes.

Naturalmente, la acción habrá de prestarse a este tratamiento.

Un error común que provoca un efecto desagradable y desorientador de salto de zona de cuadro de un personaje que, a modo de salto estroboscópico, salta de un lado a otro de la pantalla, puede producirse por la combinación de tomas que recogen, cada vez, a dos de los tres personajes que interactúan.

De esta forma, el personaje central pasa a ocupar la zona derecha de pantalla cuando aparece con el personaje de su derecha, y la zona izquierda, cuando aparece con el personaje de su izquierda. Al combinar ambas tomas, el personaje parece saltar por arte de magia de un lugar a otro, efecto perceptivo que se acentúa cuando el personaje lleva una vestimenta llamativa o contrastada.

Este efecto también se produce en las tomas de dos personajes cuando un elemento del ambiente toma una relevancia presencial (a efectos de realización es como si pasase a ocupar el lugar del tercer personaje). Es común en las entrevistas ver saltar ceniceros, floreros o lámparas de un lado a otro del encuadre.

Cuando el paso se realiza con movimiento de cámara en panorámica, este efecto no existe, pero se pierde en agilidad y ritmo, mostrando información no pertinente y haciendo demasiado evidente la presencia de la cámara.

Cuando existe posibilidad de postproducción, el defecto se corrige mediante el inserto de un plano de tres, o mediante el inserto de un primer plano de cualquiera de los personajes situados a los lados.

Un ejemplo gráfico de este error puede verse en el filme *Y el mundo marcha* (The Crowd, 1929) de Vidor, en la secuencia final en que el protagonista y su mujer, que están en el cine, ríen ostensiblemente con una película cómica, y hacen partícipes de su alegría al vecino de butaca. En este punto, el montador combina la toma del protagonista y su mujer con la toma del protagonista y el vecino, incurriendo en el error explicado al aparecer, el protagonista, en uno y otro lado de la pantalla en cada cambio de plano.

11.5. Personajes alineados

Cuando existe un conductor con varios personajes, suele preverse una toma central de éste, desde la que se recoge con facilidad la variación de la orientación de su mirada, situando el resto de los personajes de forma que sean fácilmente cubiertos por tomas cruzadas. No obstante, a veces puede darse el caso de colocar a todos los personajes en línea.

En esta hipótesis, donde los participantes alineados se dirigen en ocasiones a los compañeros situados a su izquierda y, en otras, a su derecha, suele aparecer el problema de encuadrar correctamente a los personajes, de forma que se deje aire por el lado hacia el que interactúan.

En los directos de televisión este caso se da con cierta frecuencia, de forma que las continuas correcciones de encuadre, para situar el eje cámara-personaje de acuerdo a las leyes compositivas relacionadas con el mantenimiento del aire hacia donde se interactúa, provoca molestias al espectador con frecuencia superiores a una incorrecta disposición del personaje en el encuadre. Hay que añadir, además, la presión del directo en multicámara que hace que el realizador pinche o seleccione la cámara que toma a un determinado personaje cuando el operador no ha tenido tiempo, todavía, de encuadrar en la forma adecuada.

11.6. A modo de conclusión

Un tratado exhaustivo de realización práctica recogería un abanico de reglas, normas y soluciones más extenso que el que se ha presentado en estas páginas. Podrían, sin duda, ejemplificarse casos prácticos de múltiples personajes aunque consideramos que la realización, en estos casos, puede deducirse de las reglas apuntadas con el tratamiento de uno, dos y tres personajes.

Baste añadir a lo expuesto que la aplicación de las reglas explicadas permite la realización fluida, sin molestias para el espectador, que se encontrará siempre orientado sobre la disposición de los personajes y la geografía de la escena. Al mismo tiempo, el realizador dispondrá de los recursos necesarios para dotar a la escena de la expresividad adecuada.

No debe olvidarse que la técnica está al servicio de la información y expresión de las acciones. Esta expresión se puede conseguir y mejorar mediante montajes expresivos, simbólicos o rítmicos en los que ya no rige estrictamente la aplicación de las reglas de la continuidad formal.

Cabe referirse, por último, al posible aprovechamiento positivo de la ruptura de las normas que puede producirse para la consecución de resultados expresivos conscientemente provocados. Estas rupturas han de estar convenientemente justificadas para no provocar desconcierto en el espectador que dificulte la comprensión del relato.

Capítulo 12

LA PUESTA EN ESCENA

La luz, el color, la decoración, el atrezzo, *la iluminación, el vestuario, el maquillaje y la interpretación son elementos que constituyen la puesta en escena de cualquier filme o programa audiovisual. Su elección es determinante para construir un ambiente o atmósfera que contribuya a dar credibilidad. El director de cine, el realizador de vídeo o de televisión, el escenógrafo o director de arte, el iluminador, el peluquero, el figurinista, el decorador, el sastre son básicamente los profesionales que se encargan de materializar un guión literario, una idea de concurso o un informativo para transmitir de la forma más efectiva al espectador los contenidos comunicativos del filme o programa.*

La puesta en escena es un concepto que el cine tomó del teatro y que, progresivamente, se desarrolló adaptándose a la expresión audiovisual.

La puesta en escena se refiere, fundamentalmente, a la creación de un ambiente general que sirve para dar credibilidad a la situación dramática. Este concepto engloba, por tanto, la decoración, la luz, el color, la iluminación, el vestuario, el maquillaje y la interpretación de los actores. En suma, todos los elementos expresivos que configuran la creación de un filme o programa.

Originalmente, el término francés *mise en escene*, se aplicaba a la dirección de espectáculos teatrales y su traducción más directa era la de poner en escena una acción. La adopción de este término por la cinematografía expresa el control del director por todo lo que aparece en la imagen presentada por el encuadre de la cámara.

Desde una perspectiva actual, la *puesta en escena* se concibe como una noción totalizadora. Es decir, se entiende como un conjunto de operaciones dirigidas a la construcción del discurso que adoptará unas u otras formas según sus finalidades. El concepto de puesta en escena ha dado lugar a la existencia de diferentes posiciones respecto a su relación con el realismo. El dominio de esta técnica permite la creación de nuevas realidades que deben de aceptarse como una de las posibilidades mágicas del medio audiovisual siempre y cuando se acepte la relación entre naturalidad y convención que rige la esencia de los productos fílmicos.

Aunque en la concepción clásica del cine (la empleada en la mayor parte de las producciones), se procura que pase desapercibida para el espectador, que la integra de forma natural y espontánea, hay autores que pretenden, justamente, que el espectador sea consciente de la construcción de esta puesta en escena. Con la explicitación del espacio de la filmación se le dan al espectador elementos para la interpretación y la elaboración del discurso. Se trata de una modalidad que podríamos denominar distanciadora la cual pretende crear una reflexión sobre su propio proceso generativo. Se crea, así, una distancia entre espectáculo y espectador que facilita la posibilidad de una participación más crítica. El espacio de la puesta en escena se convierte, en esta modalidad, en un punto de encuentro para la reflexión del tema a debate.

Dado que nuestra vista es sumamente sensible a las diferencias que puedan establecerse en el encuadre, los cineastas aprovechan esta sensibilidad para orientar nuestra comprensión de la puesta en escena. Puede afirmarse que todas las pistas del espacio de la historia interactúan entre sí al objeto de poner énfasis en los elementos de la narración y para dirigir nuestra atención estableciendo relaciones dinámicas entre las zonas del espacio de la imagen.

12.1. La escenografía

La realidad tridimensional queda reducida a una representación bidimensional en el cuadro de la pantalla de proyección o en el receptor televisivo. Esta ventana se convierte en un escenario en el que suceden acciones que, si no están basadas en la realidad más objetiva, requieren crear un espacio escénico y un ambiente que reproduzca el lugar imaginario en el que se desarrolla la acción. Esta tarea, que tiene una relación muy directa con la puesta en escena, es responsabilidad de la dirección artística de un filme o programa: del *escenógrafo*.

La función del escenógrafo, llamado también *director de arte* o *director artístico*, que trabaja de acuerdo con el realizador, es la de crear los ambientes que se correspondan con los requerimientos dramáticos y expresivos del guión y de su argumento. Tanto si se trata de un filme de ficción como de un concurso o de un informativo será preciso crear una atmósfera que dé credibilidad a la acción o a los acontecimientos que se representen en la pantalla.

El *decorado* tiene la capacidad de crear espacios con la atmósfera conveniente en cada tema, expresando y ayudando a comprender el mundo interior de los personajes y provocando inquietudes en el espectador.

El realizador puede manipular los escenarios y decorados de modos muy distintos. Puede elegir una *localización*, interior o exterior, ya existente, para escenificar en ella la acción. También puede preferir construir los decorados disfrutando, de esta forma, de un mayor control tanto de la atmósfera necesaria como de la práctica de la realización (ubicando paredes móviles, emplazamientos especiales para la cámara...).

Los decorados construidos no siempre tienen que respetar el tamaño natural. Es frecuente la recurrencia a la miniatura con objeto de ahorro económico o para facilitar la realización de determinados efectos especiales. Incluso pueden emplearse decorados en forma de pinturas convenientemente combinadas con objetos a tamaño natural o también es posible simular o *diseñar decorados de imagen sintética* (por ordenador) con el uso de las técnicas de realidad virtual.

Cuando se manipula y construye el decorado de un plano, se puede crear el *atrezzo*, término tomado de la puesta en escena teatral. Se denomina *atrezzo* a cualquier objeto del decorado que opera de una forma activa dentro de la acción. Con la adecuada combinación de decorado y *atrezzo* va construyéndose, poco a poco, la *ambientación*, técnica y arte de hacer creíble lo esencial gracias a la utilización de múltiples detalles accesorios. Ambientar para hacer creíble una atmósfera no es tanto, por más que a veces se afirme lo contrario, una cuestión de presupuesto como una labor de elegir signos complementarios y un exquisito gusto en su colocación.

La escenografía ha ido adquiriendo un papel cada vez más relevante con la continua evolución de los medios audiovisuales. Los cineastas han ido adquiriendo progresivamente la conciencia de vestir adecuadamente sus productos con el objeto de alcanzar una mayor rigurosidad que, de no tenerse en cuenta, acabaría por vulgarizar el resultado.

12.2. La luz. El espectro visible

La luz es una radiación electromagnética de la misma naturaleza que las ondas de radio con la particularidad, desde el punto de vista humano, de que es el sentido de la vista quien puede captarla e interpretarla. Si partiendo del espectro electromagnético, que clasifica todas las diferentes radiaciones existentes, ampliamos la porción correspondiente a la luz visible apreciaremos, en primer lugar, que la longitud de onda de la luz es mucho menor que la de las radiaciones de radio y televisión. Según la longitud de onda de la radiación emitida, nuestro cerebro percibirá una sensación variable que denominamos color.

Para entender el *espectro de luz visible* (fig. 78) imaginemos un sistema capaz de producir distintas radiaciones. A partir de la generación de radiaciones de longitud de onda de entre 7.500 y 7.000 angströms (Å) observaríamos un color rojo oscuro que se iría aclarando progresivamente hasta que, al llegar a los 6500 Å, se transformaría en naranja. Continuando la generación de radiaciones apreciaríamos que a una longitud de onda de aproximadamente 6.000 Å, el naranja se tornaría en amarillo adquiriendo un máximo grado de pureza hasta convertirse en verde cuando la radiación fuese de una longitud de onda de unos 5800 Å. De forma paulatina, el verde se cambiaría en cian, el cian en azul y, a partir de los 4.500 Å de longitud de onda, el azul se oscurecería gradualmente hasta convertirse en un violeta claro que dejaría de percibirse en una longitud de onda cercana a los 4.000 Å. A partir de entonces entraríamos en el dominio de los rayos ultravioleta de menor longitud de onda y mayor frecuencia. Quede claro que todos estos cambios en la coloración se producen de forma gradual y que resulta sumamente difícil establecer, con precisión, límites entre unos colores y otros.

infrarrojo	rojo oscuro	rojo	naranja	amarillo	verde	cian	azul	violeta	ultra-violeta

FIGURA 78. *El espectro visible.*

El ojo humano posee una exquisita sensibilidad para discriminar y reconocer como colores distintos radiaciones electromagnéticas diferenciadas en menos de cincuenta nanómetros (millonésimas de milímetro). El ojo reacciona a las más mínimas variaciones lo cual contrasta con la incapacidad del mismo para distinguir otras radiaciones que se extiendan más allá del *infrarrojo*, por un lado, o del *ultravioleta*, por el otro.

1. Colores primarios o simples

Cualquier estudio de la teoría del color exige el conocimiento del comportamiento del ojo humano ante las radiaciones luminosas. Los sistemas audiovisuales especialmente los de base electrónica imitan, en cierta medida, dicho comportamiento.

El sistema óptico del ojo humano produce una imagen de la realidad reducida e invertida en la retina. A partir de ella, los mecanismos perceptores de la visión transforman los estímulos luminosos en impulsos eléctricos. Estos impulsos son enviados al cerebro y constituyen la información de lo que los ojos perciben.

En la retina existen dos tipos de células sensibles a la luz: los *conos* y los *bastones*. Cada uno de estos tipos de células cumple una misión diferente. Los bastones se ocupan de registrar la intensidad o cantidad de luz mientras que los conos son sensibles a diferentes longitudes de onda.

Aun cuando no existe una constatación científica certera sobre el mecanismo de la visión humana parece ser que existen tres clases de conos sensibles al color: aquellos que se excitan cuando reciben radiaciones luminosas de longitud de onda correspondiente a un rojo de, aproximadamente, 6.000 Å; los que son excitados y por tanto envían impulsos eléctricos al cerebro cuando reciben luz de color verde de unos 5.400 Å y, todavía hay un tercer tipo de conos que reaccionan a las radiaciones de alrededor de 4.500 Å, que se corresponde con la luz azul. Los colores excitan a un tipo de conos u otros según su propio componente cromático. Así un color magenta (compuesto de rojo y de azul) excitaría a dos tipos de conos: los sensibles al rojo y los sensibles al azul.

El estudio del comportamiento de la visión ha permitido asegurar la denominación de *colores primarios* o *simples* para los colores rojo, verde y azul en las longitudes de onda anteriormente mencionadas. El ojo aprecia todos los demás colores según el grado de excitación de las tres clases de conos existentes.

2. Colores secundarios o compuestos

La totalidad de los colores del espectro visible puede obtenerse a partir de la suma de los colores primarios. *Suma de colores* significa proyectar luces de color sobre una pantalla de forma que, en la superposición de los colores proyectados, se producen nuevas tonalidades. Los *colores secundarios* o *compuestos* se obtienen a partir de la suma de los colores primarios o simples tomados dos a dos.

Existen tres posibilidades de suma y, por ello, tres colores compuestos:

— Sumando verde y rojo obtenemos amarillo.
— Sumando rojo y azul obtenemos magenta.
— Sumando azul y verde obtenemos cian.

Luego el amarillo, el magenta y el cian son los colores secundarios o compuestos.

Los colores secundarios no pueden obtenerse independientemente sino a partir de combinaciones (sumas) de los colores primarios. Los colores compuestos excitan siempre, en nuestra retina, a dos tipos de conos.

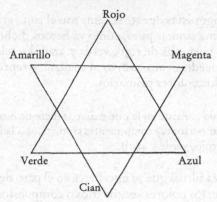

FIGURA 79. *Colores primarios y secundarios.*

3. Cualidades del color

Los colores se analizan en términos de tono, brillo y saturación.

El *tono* es la sensación que nos produce un color, su matiz, el atributo que permite nombrarlo como rojo, verde, cian, etc. Es la más llamativa de sus características.

El *brillo* o luminosidad de un color es la cantidad de luz que el ojo percibe al observar ese color. Esta cualidad se apreciaría si fotografiáramos en blanco y negro el color observado. Veríamos entonces que existen colores muy luminosos que aparecerían muy claros en la copia y colores poco luminosos que aparecerían muy oscuros. Se expone en la figura una escala de brillo.

Blanco	Amarillo	Cian	Verde	Magenta	Rojo	Azul	Negro

FIGURA 80. *Escala de brillo.*

Un color es saturado o puro si no está mezclado con luz blanca. La *saturación* es el grado de pureza de un color. Un color verde, por ejemplo, puede ser verde intenso o verde pálido. En ambos casos su brillo sería el correspondiente al verde. Desaturando al máximo se perdería su tono convirtiéndose en un gris.

4. Sistemas de obtención de colores

Existen dos técnicas básicas para obtener luces de cualquier color: el sistema aditivo y el sistema sustractivo.

El *sistema aditivo* consiste en la obtención de luces de color a partir de sumas (adiciones) de colores primarios.

Los colores protagonistas de este sistema son el rojo, el verde y el azul. El ojo humano actúa de forma similar pues, como ya hemos dicho, analiza el cromatismo de las escenas en términos de rojo, verde y azul. La televisión en color también hace uso del procedimiento aditivo al analizar y reproducir los colores tomando como base a los colores primarios.

El *sistema sustractivo* consiste en la obtención de luces de cualquier color por el procedimiento de restar (sustraer) componentes cromáticos a la luz blanca (la luz blanca está compuesta de rojo, verde y azul).

Este sistema utiliza filtros que se interfieren en el paso de la luz blanca y se emplean, exclusivamente, los colores secundarios o compuestos: amarillo, magenta y cian. El uso de filtros de colores secundarios posibilita la superposición de filtros. Al superponer un filtro amarillo y uno magenta puros sólo pasa a su través el rojo. El color verde pasa a través de un filtro cian y un filtro amarillo superpuestos y el azul atraviesa la superposición de un filtro magenta y uno cian. Cualquier color del espectro visible puede obtenerse interfiriendo el paso de la luz blanca con filtros de colores secundarios de diferentes gradaciones de densidad.

5. Otras cualidades de los colores

Los colores tienen asociados también otro tipo de valores, algunos de carácter cultural como es el caso del blanco o del negro que en distintas culturas pueden tener significados opuestos (por ejemplo el luto). Pero existen valores de tipo sensorial y perceptivo como la tradicional distinción entre colores *cálidos* y colores *fríos* que provocan en las personas diferentes sensaciones. Los tonos cálidos acercan los objetos mientras que los fríos tienen la particularidad de alejarlos además de provocar una cierta sensación de elevación de la temperatura corporal los primeros respecto a los segundos. Hay, asimismo, convenciones también de tipo cultural que les afectan: unos son considerados alegres, otros provocan sensación de tristeza y abatimiento, etc. En las obras audiovisuales se emplean todos estos valores para crear atmósferas adecuadas y para transmitir sentimientos.

Puesto que los colores pálidos o fríos tienden a distanciarnos es habitual que los realizadores los sitúen generalmente en planos de fondo, como los decorados. Dado que los colores cálidos tienden a llamar más la atención, suelen utilizarse para el vestuario o para cualquier otro elemento que pueda aparecer en primer término.

12.3. La iluminación

La iluminación es el elemento base de todas las técnicas visuales y un elemento indispensable para sugerir la sensación de *tridimensionalidad* de que carecen todos los medios de representación de la realidad sobre dos dimensiones. Con las técnicas de iluminación se persigue un acercamiento a la representación en tres dimensiones. La inexistencia de la tercera dimensión en la reproducción de la imagen, se intenta suplir con las variaciones de perspectiva, tamaño, distancia, realce de forma y textura, etc., que aporta la composición del encuadre y mediante una distribución inteligente y cuidadosa de la luz. Por ello es tan importante el conocimiento de su técnica.

Una parte fundamental del impacto de una imagen se debe a las técnicas de iluminación. La luz es mucho más que la luz que nos permite ver la acción. El reparto entre las zonas claras y oscuras de una imagen es fundamental en la composición de cada plano y además dirige nuestra atención hacia los elementos encuadrados, los gestos y la acción.

Las zonas iluminadas hacen ostensible la acción representada mientras que una sombra o zona deficientemente iluminada puede crear en el espectador sensaciones de suspense u ocultación de detalles clave. Las técnicas de iluminación contribuyen considerablemente al mantenimiento de determinadas estéticas, a la transmisión de sentimientos. Su convencionalidad aporta al espectador información sensible sobre estados de ánimo, preparación y antelación respecto a lo que va a suceder a continuación. Los reflejos y las sombras, sean estas últimas inherentes a la escena misma o proyectadas, contribuyen a crear la sensación global de espacio en una escena.

El manejo y diseño de la iluminación en las producciones audiovisuales tiene que ponerse al servicio de objetivos que en ocasiones pueden introducir elementos contradictorios:

— En primer lugar, la iluminación ha de garantizar la consecución *de la más alta calidad posible de imagen*. En este sentido, las diferencias en la respuesta a la luz existentes entre las tecnologías cinematográficas y las videográficas o televisivas, hacen que los esquemas de trabajo con uno u otro medio sean distintos.

— En todo esquema de iluminación debe buscarse la consecución de una *uniformidad* en el reparto de la luz. Este punto resulta conflictivo en el trabajo de televisión en multicámara. Para entenderlo mejor baste con decir que en el trabajo cinematográfico o cuando se registra vídeo con una sola cámara, es factible iluminar plano a plano consiguiendo, de esta forma, un control casi total sobre la iluminación. Ahora bien, en el trabajo con multicámara, la iluminación de un espacio ha de efectuarse para todas las cámaras que intervienen en la captación. Es entonces muy posible que los emplazamientos de los proyectores de iluminación ideales para alguna de las cámaras puedan resultar catastróficos para otras cámaras obligadas, por la mecánica de la producción y de la grabación en bloques, a intervenir en la toma de imágenes. No queda más remedio, en estos casos, que buscar soluciones de compromiso más o menos satisfactorias para el conjunto de las cámaras del estudio que tienden a «rebajar» el listón de la calidad respecto al tratamiento de iluminación en el trabajo plano a plano.

— Hablando en términos estrictamente *técnicos*, la luz hace posible la toma de imágenes dado que en su ausencia o escasa presencia los elementos captores de imagen no responden. Pero además hay que contemplar las limitaciones que en la reproducción de diferencias de luminosidad (escalas tonales de grises) imponen las cámaras de televisión y los sistemas tradicionales de vídeo, respecto a la mucho más rica reproducción fotográfica o cinematográfica. Estas limitaciones hacen muy necesaria, en televisión, la estrecha colaboración entre el iluminador y los técnicos de imagen que deben determinar, con exactitud, la exposición de la cámara para conseguir la calidad de imagen óptima. El grado de iluminación está directamente relacionado con la nitidez y la profundidad de campo de la imagen obtenida pues de él depende el diafragma de trabajo empleado.

— En general, la iluminación ha de intentar la consecución de un *impacto visual atractivo* para los personajes. Esto es especialmente necesario en los programas de televisión y en la dinámica general de las producciones de cine o vídeo salvo cuando, por exigencias del guión, la iluminación supone un aspecto primordial en la creación de atmósferas sórdidas o desagradables.

— La iluminación debe estar *en consonancia con la ambientación*. En este sentido cabe hablar de coherencia en la iluminación de forma que en ambientes realistas la iluminación parezca natural, que sea adecuada con la hora del día, con la estación del año o con las circunstancias climatológicas. Es evidente que, en interiores, o en la representación de atmósferas especiales (ciencia ficción, fantasía) jugará un papel clave en la transmisión al espectador de las sensaciones producidas por los entornos visuales diseñados.

— La iluminación desempeña un papel principal en el centramiento y dirección de la *atención de los espectadores* hacia los puntos de interés del encuadre ejerciendo una función de jerarquización de los elementos en campo.

— En el proceso de la producción de programas audiovisuales, la iluminación ha de ser minuciosamente diseñada no sólo para conseguir los efectos escenográficos deseados, sino también para *no producir efectos técnicos indeseados* como la aparición de sombras de elementos técnicos o de decorado, defectos en la decoración o en los fondos, reflejos y brillos en las superficies y en las lentes de la cámara, etc.

— Desde un punto de vista *artístico* y *expresivo*, la iluminación influye, como hemos anticipado, en la creación de efectos ambientales. Sugiere atmósferas variadas. Afecta de forma selectiva a los elementos de la escena realzando unos y ocultando o reduciendo otros. La manipulación de las fuentes luminosas hace posible la simulación de situaciones climatológicas distintas o el cambio de estaciones. La alteración de la perspectiva, de las distancias y de la forma, posible con el uso de la iluminación, otorga a estas técnicas una poderosa influencia en la consecución de imágenes con belleza pictórica.

— Como sucede con los decorados, la iluminación cumple una doble función: en el *plano denotativo*, hace posible al espectador la lectura de la gestualidad del actor, de los movimientos, etc., es decir, posibilita el visionado de la imagen. En el *plano connotativo*, la iluminación facilita la evocación de nuevos contenidos y permite la profundización en el sentido último del discurso.

La iluminación es un recurso formal que adjetiva el material escénico de la imagen, enfatizando y distorsionando su aspecto original. Desde el punto de vista del realizador, la iluminación se presenta como un verdadero proceso creativo.

12.4. Luz natural y artificial

La *luz natural*, proveniente del sol, directa o dispersa por las nubes, es muy utilizada en la toma de imágenes, no obstante, su uso puede ser problemático por las razones siguientes:

1) Imprevisibilidad del carácter de la luz solar en cuanto a su cronometración. Un cielo nublado produce una luz difusa y dispersa mientras que el sol, en su cenit, proporcionará una luz muy dura con fuertes contrastes.
2) Rápido cambio de la *temperatura de color* de este tipo de luz en el transcurso del día. Este cambio origina reproducciones cromáticas incorrectas si no se revisa continuamente el balance de blancos de la cámara de vídeo o se efectúan ajustes de filtraje en la cámara de cine.
3) Cambio paulatino de la dirección de la luz, que afecta a la situación de las sombras en objetos inmóviles.
4) Diferencia de la duración de la luz diurna en invierno y en verano.
5) Distinta angulación del sol respecto a la tierra según las estaciones del año.
6) Imposibilidad de adaptación total de la fuente luminosa a las necesidades de iluminación. El control de luces y sombras se hace particularmente difícil lo que obliga a recurrir, a veces, al empleo de paraguas o reflectores que aminoren la relación de contraste entre luces y sombras.
7) Necesidad de utilizar, a menudo, fuentes luminosas de apoyo (luz artificial), con objeto de iluminar o aclarar sombras provocadas por la luz solar o para crear algunos efectos. Entonces se producen algunos problemas de adaptación en la temperatura de color de las diferentes fuentes luminosas que se solventan con el empleo de filtros colocados ante los proyectores luminosos.

La *luz artificial*, tiene como principal dificultad la iluminación de grandes espacios que exigen un enorme potencial eléctrico. Otro problema es el referido a las incompatibilidades que se producen entre diversas fuentes luminosas, si poseen diferentes temperaturas de color. No obstante, el operador de imagen (fotografía, cine y vídeo), suele preferir la utilización de la luz artificial al trabajo exclusivo con luz solar. La luz artificial permite un control más exacto de los parámetros que intervienen en la iluminación de un objeto: potencia lumínica, suavidad o dureza de la luz, control de luces y sombras, direccionalidad del foco luminoso, temperatura de color, filtraje, etc.

12.5. Luz dura y luz suave

En el lenguaje técnico es frecuente oír hablar del término «cantidad de luz» para referirse a la potencia de la fuente luminosa. También se dice «calidad de la luz» para expresar alguna de las características inherentes a los manantiales luminosos. Muchas veces, esta expresión hace referencia a la dureza o suavidad de la luz.

> La luz directa del sol, en un cielo despejado, produce violentas sombras que se traducen en grandes diferencias de contraste entre las zonas más y menos iluminadas. En el extremo opuesto, un cielo nublado dispersa la luz solar proporcionando una iluminación sin sombras. El primer caso corresponde a una *luz dura* mientras que el segundo ejemplifica una iluminación de carácter *suave*.

En la iluminación artificial, la luz dura se obtiene con la utilización de focos muy direccionales asociados a fuentes de iluminación puntuales. Esta luz recorta vigorosamente los perfiles de los objetos y, dado que los rayos luminosos irradiados por este tipo de fuentes siguen una trayectoria paralela, su intensidad decrece exactamente en relación al cuadrado de la distancia respecto al foco productor (este comportamiento de los proyectores de luz puntual se ha dado en denominar *ley del cuadrado inverso*). La iluminación dura plantea inconvenientes tales como un aumento en el contraste de los motivos iluminados pues aparecen fuertes sombras, resalta en exceso la textura de las superficies y ocasiona sombras múltiples cuando se emplean varios focos de las mismas características.

La iluminación artificial con luz suave, se consigue con el empleo de fuentes luminosas de amplia cobertura, también mediante la tamización de la luz proveniente de focos de luz dura o, simplemente, dirigiendo una luz dura a superficies difusoras que al reflejar la luz han cambiado su dureza original por una luz suavizada. Este tipo de iluminación es idóneo para la reproducción de las gradaciones tonales intermedias. Como una de las características de esta iluminación es que no provoca sombras, se emplea como atenuadora de las fuertes sombras originadas por los focos de luz dura. Sus inconvenientes: la dificultad en el recorte de la luz, el escaso realce de las texturas y, con frecuencia, el dar lugar a imágenes planas que suprimen la belleza de la forma. La amplia dispersión de este tipo de iluminación, marca el rápido decrecimiento de su intensidad luminosa con el incremento de la distancia al foco luminoso. A estos proyectores no se les puede aplicar la ley del cuadrado inverso.

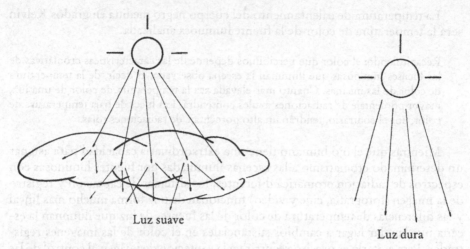

Luz suave

Luz dura

FIGURA 81. *Luz suave y luz dura.*

12.6. Temperatura de color de las fuentes luminosas

Este concepto es fundamental para conseguir una perfecta reproducción cromática y es aplicable a todas las *fuentes luminosas*.

En el lenguaje corriente se acostumbra a hablar de luces frías (predominio de azules y verdes), o de luces cálidas (predominio de rojos). Desde un punto de vista técnico cuando nos referimos a los valores cromáticos que irradian las fuentes luminosas estamos hablando de su *temperatura de color*.

Todos los cuerpos calientes emiten luz siendo la longitud de onda de la radiación emitida más corta cuanto más alta es la temperatura del cuerpo. Para determinar el concepto de temperatura de color de una fuente luminosa nos referiremos a un experimento de laboratorio consistente en calentar un supuesto *cuerpo negro*, capaz de absorber toda la luz que incide sobre su superficie. Se observa que, a una determinada temperatura medida en *grados Kelvin* (tomando los –273 grados centígrados como 0 absoluto), el cuerpo comienza a irradiar luz de color rojizo. Al aumentar la temperatura que se le aplica se aprecia un desplazamiento del color de la luz emitida por el cuerpo, hacia el azul.

De esta experiencia se extrae que, cuanto más alta es la temperatura aplicada al cuerpo, las radiaciones que emite son de menor longitud de onda, más azuladas, y son rojizas, de longitud de onda más larga, cuando la temperatura es inferior. En un estadio más bajo de calentamiento, el cuerpo negro emitirá luz infrarroja, invisible para el ojo humano.

Dado que la emisión de radiaciones por el cuerpo negro, en este experimento de laboratorio, es constante, cuando queramos conocer con exactitud el color de la luz de cualquier fuente luminosa, bastará con saber cuál es la temperatura a la que debe calentarse el cuerpo negro tomado como patrón para que éste emita una radiación de las mismas características cromáticas que la luz analizada.

La temperatura de calentamiento del cuerpo negro medida en grados Kelvin será la temperatura de color de la fuente luminosa analizada.

Recapitulando: el color que percibimos depende de las características cromáticas de las fuentes luminosas que iluminan la escena observada, es decir, de la temperatura de color de las mismas. Cuanto más elevada sea la temperatura de color de una luz, mayor porcentaje de radiaciones azules contendrá. Las luces de baja temperatura de color, por el contrario, tendrán un alto porcentaje de radiaciones rojas.

Mientras que el ojo humano tiene una extraordinaria capacidad para asignar un determinado cromatismo a las escenas iluminadas por fuentes luminosas con espectros de radiación cromática diferentes, los sistemas de captación y registro de la imagen (fotografía, cine y vídeo) funcionan de una forma mucho más lineal y las diferencias de temperatura de color de las fuentes de luz que iluminan la escena pueden dar lugar a cambios sustanciales en el color de las imágenes registradas. Para evitarlo es preciso recurrir en la captación de imagen al control de las fuentes de iluminación y a su corrección o adaptación mediante filtros o con procedimientos electrónicos en las cámaras de vídeo. En cualquier caso, y desde un punto de vista expresivo, no conviene olvidar que la limitación de la cámara puede convertirse también en un elemento expresivo y manipulador de primer orden.

12.7. Iluminación de un sujeto

Las librerías especializadas disponen de amplia literatura sobre sistemas de iluminación para sujetos y objetos. Algunos realizadores buscan esquemas de iluminación que impriman carácter de autor a sus programas. Con frecuencia se opta por la aplicación de esquemas sencillos tomados de la pintura naturalista. Aquí exponemos uno de los sistemas clásicos más empleados. No se especifican angulaciones de los proyectores pues, en última instancia, éstas dependen de las características del sujeto o de la particularidad de las formas a destacar.

La *luz principal* o *luz clave* determina la atmósfera de la escena. Se sitúa de forma que ilumine a la persona u objeto lateralmente para darle relieve al tema.

Es preciso que provenga de un solo foco para no proyectar más de una sombra neta y vigorosa. Esta iluminación determina el diafragma de trabajo y las demás luces no son más que un complemento para un correcto modelado del sujeto u objeto. En el trabajo televisivo suele emplearse una luz clave para cada posición del sujeto.

La *luz secundaria* o *luz de relleno* se coloca, generalmente, en el lado opuesto de la luz clave y su objetivo principal es el de aclarar las fuertes sombras que origina la luz principal.

Suele ser una fuente de luz difusa que disminuye la relación de contraste entre luces y sombras. Se sitúa en un ángulo horizontal de 0 a 30 grados respecto al eje óptico que une el objetivo de la cámara con el personaje.

Para resaltar el efecto de tridimensionalidad se emplea la *luz de contra* o *contraluz* que es un tipo de fuente que ilumina por detrás al sujeto.

Actúa como un elemento rebordeador y separador con respecto al fondo. Con esta luz se manifiesta la transparencia y los contornos.

Es muy frecuente el uso de *luces de fondo* para conseguir el efecto de separación entre el sujeto y el fondo resaltando, así, la sensación de profundidad.

Para ello se emplean focos de luz difusa, cuando el fondo debe de estar perfectamente iluminado, o focos de haz concentrado, cuando interesa una iluminación de fondo parcial. Los *cicloramas* son fondos de decorado, normalmente realizados en tela, que se colocan para servir de fondo neutro o para sugerir la línea del horizonte en un decorado. Para la iluminación de estos cicloramas se utilizan luces difusas, situadas de abajo arriba, combinadas con otras que iluminan de arriba abajo.

Los proyectores de luz clave, relleno y contraluz se sitúan a cierta altura para obtener elevados ángulos de incidencia en el plano vertical. No conviene sobrepasar el ángulo de 45 grados que originaría sombras desagradables en la faz de los sujetos iluminados.

Este esquema clásico de iluminación de tres puntos (si se elimina la luz de fondo) o cuatro se ha adecuado tradicionalmente a la iluminación cinematográfica de *tono alto* o *clave alta*. Se trata de un sistema que tiende a crear un bajo contraste entre las zonas más claras y las más oscuras de la escena con un predominio de luz suave y con sombras muy débilmente marcadas. Ha sido el tipo de iluminación más empleado por directores de fotografía americanos en comedias, filmes de aventuras y en la mayor parte de las producciones dramáticas.

Por el contrario, la iluminación en *tono bajo* o *clave baja* crea diferencias mucho más marcadas de contraste y sombras más oscuras apoyándose, normalmente, en una apreciable dureza de la luz conseguida mediante la atenuación o desaparición de la luz de secundaria o de relleno. Se consigue así un efecto de *claroscuro* con gran diferencia entre las zonas iluminadas y las zonas en sombra en una misma imagen. Esta iluminación ha sido aplicada en general a las escenas misteriosas, sombrías y en el denominado cine negro.

Merece la pena subrayar la ausencia de una reglamentación respecto a los usos y posiciones correctas para los distintos tipos de iluminación. Según las características de las personas u objetos iluminados dispondremos la luz principal con una u otra angulación. A veces, prescindiremos de luces de relleno o, en un tema translúcido, la fuente de luz clave será el contraluz. También es habitual, sobre todo en la televisión, adoptar esquemas en los que un mismo proyector cumpla una doble función sirviendo, al mismo tiempo, como luz principal para un sujeto y luz de contra para otro personaje que se encuentre enfrentado al primero.

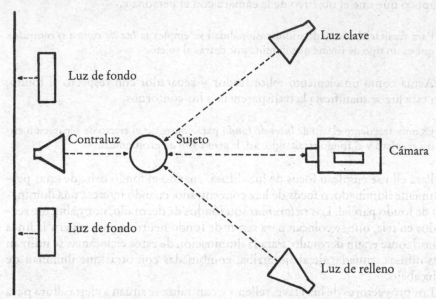

FIGURA 82. *Iluminación de un sujeto.*

12.8. El vestuario, el maquillaje y la caracterización

El vestuario y la caracterización constituyen la apariencia externa y visible del actor. Contribuyen a la definición del personaje y aportan datos sobre su procedencia cultural y social, además de centrarnos (con otros elementos escenográficos) en la época donde sucede la acción.

El vestuario contribuye a realzar la apariencia física del actor, a modificarla o a potenciar los rasgos específicos de su personalidad siendo, además, un poderoso elemento decorativo que se añade a conseguir los efectos realistas de la puesta en escena.

Dado que, en general, se pretende siempre convencer al espectador de la autenticidad de lo mostrado, es preciso mantener una premisa con respecto a los personajes y es que tanto su aspecto físico como su vestuario han de responder de forma natural y arquetípica a la personalidad que se les ha atribuido.

El diseño de vestuario es un trabajo que recae sobre el *figurinista* el cual se encarga de investigar sobre los estilos en archivos, museos y pinacotecas adaptándolos personalmente a su visión personal concertada con el escenógrafo y el realizador.

El vestuario suele estar estrechamente relacionado con el decorado. El director quiere poner de relieve normalmente a las figuras humanas y por ello es frecuente que el decorado proporcione un fondo más o menos neutral, mientras que el vestuario ayuda a destacar a los personajes.

El vestuario o ciertos accesorios del vestuario juegan papeles clave en el cine de géneros. Es inconcebible imaginar un *western* sin los elementos de *atrezzo* propios del estereotipo creado en torno a este género cinematográfico: el revólver, el sombrero, el chaleco de *cowboy*, etc. De la misma forma, todos los grandes cómicos del cine han empleado elementos de *atrezzo* de vestuario definitorios de su personaje: el sombrero hongo y el bastón de Chaplin, los bolsillos de Harpo Marx, las estrechas y ajustadas vestimentas de Laurel y Hardy, etc.

Como el vestido y el peinado, el maquillaje sirve de extraordinaria ayuda en la caracterización externa del personaje adecuando su físico a las exigencias dramáticas del papel interpretado.

Existen dos tipos básicos de utilización del maquillaje en los medios audiovisuales, la *caracterización*, cuando mediante su uso se transforman profundamente los rasgos del actor modificando totalmente su aspecto externo, y el llamado de *fondo*, que sirve para restituir los colores propios de la piel que por efecto de la iluminación ámbar del estudio sufre una alteración que redunda negativamente en la imagen del personaje. Este último tipo de maquillaje contribuye a reducir la excesiva brillantez que los focos del estudio producen en la grasa siempre presente en la piel humana.

El maquillaje también se utiliza en la modalidad correctora al objeto de rectificar o mejorar ciertas imperfecciones del rostro (tapar arrugas, ojeras, ciertos granitos) o para crear algunas imperfecciones, en este caso más relacionado con la idea de caracterización (cicatrices, heridas) que el personaje precisa.

12.9. La interpretación

El actor, como elemento humano de la puesta en escena, transmite sensaciones que conectan con el espectador, provocando un proceso de identificación.

El actor ha interpretado el imaginario colectivo, según los estilos y las épocas, y según la funcionalidad buscada por el director. La interpretación ha ofrecido diferentes tendencias a lo largo de la historia del cine. Desde sus principios se utilizó su potencial identificador, creando personajes que arrastraban al público.

Por ello, muchos guionistas escriben sus obras en función de un determinado actor. En estos casos, se produce una gran identificación entre el actor y personaje, dado que toda la obra se pone a su servicio. Esto hace que el personaje y su caracterización nazcan a partir de las características del actor.

Pero lo más habitual es que la búsqueda del actor se plantee a partir de la existencia del guión y se abra el proceso de *casting*. El *casting* es un período previo a la realización de un filme o de un programa en el que el realizador, asesorado por su equipo, hace pruebas a diferentes personas (sean actores profesionales o no) para determinar aquellos que serán idóneos para la interpretación de su producción.

Es evidente que en la búsqueda de una representación vital es indispensable la caracterización adecuada de los ambientes y, especialmente, de los personajes. El cine ha creado arquetipos de personajes que provienen del teatro y que se han convertido en estándares dramáticos: el héroe, el traidor, la mujer fatal y personajes más anecdóticos como el ama de llaves, el borrachín, la sirvienta, etc., que permiten a los directores ahorrarse la molestia de explicarlos concentrando así la atención sobre los aspectos más importantes del filme.

La actuación cinematográfica o televisiva mantiene diferencias sustanciales respecto a la actuación teatral. En efecto, en el teatro, por más que exista un director de escena que influye en los ensayos y que puede marcar con una extrema meticulosidad la interpretación de cada actor, no puede influir en el actor protagonista cuando éste se encuentra en el escenario y sólo depende de sus recursos y de su poder de persuasión sobre los espectadores. Resulta difícil, por tanto, improvisar un actor de teatro que ha de tener un dominio obligado de los matices, expresiones y emociones de su personaje a lo largo de toda su representación.

En el cine, en cambio, estamos acostumbrados a ver magníficas interpretaciones de actores que, en ocasiones, se acercan por primera vez al arte de la representación. No cabe duda que el trabajo interpretativo cinematográfico es muy diferente al teatral y que, en el cine, la interpretación de los actores recae en gran medida sobre las espaldas del realizador o director que debe dirigir a los actores para aprovechar puntualmente, plano a plano, momento a momento interpretativo, lo mejor del actor.

En esta escala de dificultad interpretativa merece la pena destacar que en el trabajo televisivo con multicámara la exigencia de profesionalidad del actor se sitúa en un término medio entre el cine y el teatro. La forma más común del trabajo con multicámara es la de grabar en la modalidad de bloques, es decir, fragmentos de una cierta duración en los que se divide una obra según las necesidades de escenarios. Por ello, el actor depende de sí mismo y de sus recursos en cada uno de estos fragmentos en los que, generalmente por razones de optimizar el tiempo y los medios humanos y técnicos, se subdividen las obras en televisión.

La interpretación audiovisual introduce elementos diferenciadores respecto a la interpretación teatral. No es lo mismo tener un único punto de vista durante toda la representación, viendo siempre a la misma distancia a unos actores de cuerpo entero, como sucede en el teatro, que convertirse en un espectador privilegiado que puede acercarse o alejarse de la escena según la voluntad del realizador que actúa por criterios expresivos.

El actor de cine tiene que comportarse de forma diferente al actor de teatro. Tiene que ser capaz de adaptarse a las diferentes distancias de la cámara. Cuando se encuentra lejos de la cámara deberá gesticular con cierta exageración o moverse de uno a otro lado para que su actuación sea percibida. Filmado desde lejos el actor puede convertirse en un punto diminuto en la pantalla de tamaño mucho menor a la percepción del actor de teatro desde la última fila. En cambio, cuando la cámara se sitúa a unos centímetros del actor, se apreciará con extrema claridad la simple contracción de un músculo de su cara, podrá revelarse hasta el más mínimo movimiento de sus ojos. El actor de cine o de televisión tendrá que efectuar un esfuerzo, entre la contención y el éxtasis, superior al que tiene que efectuar el actor de teatro. Deberá de considerar continuamente la adaptación de su interpretación a las diferentes distancias de la cámara, dando prioridad a la expresión de los gestos del cuerpo, o de la expresión facial según la distancia considerada.

Otro elemento diferencial entre ambos sistemas interpretativos es la *fotogenia*, concepto aplicable no sólo a los actores sino también a los paisajes, decorados y objetos. Por lo que respecta a los actores ser fotogénico no significa tanto ser bonito ni perfecto ni bello, no se refiere exclusivamente al físico sino a algo mucho más importante, a *saber estar* ante la cámara. Con cierta frecuencia, los directores de fotografía se refieren a actores de los que la cámara se enamora. Este valor intrínseco que poseen algunos actores y que puede ser aprovechado o desaprovechado por los realizadores, es el que puede hacer que determinados personajes secundarios puedan eclipsar por su interpretación y fotogenia a actores muy superiores con papeles principales.

> Para interpretar, el actor cuenta con tres facetas diferenciadas que son la acción, la mímica y la expresión facial, es decir, elementos visuales (apariencia, gestos, expresiones faciales) y sonoros (voz, efectos). En las producciones mudas el actor aporta sólo los elementos visuales aunque también puede darse el caso de aportar únicamente la voz cuando el actor hace de narrador sin que se precise su aparición en pantalla.

Respecto a la acción, poco puede decirse. Se trata únicamente de aquello *que debe hacer el personaje*, los movimientos obligados, sus desplazamientos, las acciones que ejecuta ante la pantalla... En cambio, respecto a la mímica se trata de resolver el *cómo debe hacerlo*, con lo que aparecen múltiples variantes y matices que pueden ser dirigidos por el realizador y que contribuyen decisivamente a definir a un personaje.

Finalmente, la expresión facial del actor es un terreno exclusivo y personal del mismo. Aquí se enmarca la diferencia entre la transmisión o no de credibilidad. La autenticidad de las pasiones, emociones y pensamientos a través de las modulaciones del rostro constituyen la tarea más difícil de un actor con cuya ejecución demuestra su verdadera dimensión y sus facultades interpretativas.

Capítulo 13
MONTAJE Y EDICIÓN

El dominio de las técnicas del montaje o la combinación expresiva del tiempo, el espacio y la idea es uno de los valores esenciales que caracterizan a un director o realizador. La idea de montaje está presente en todo el proceso de creación de la obra audiovisual, desde el guión literario, pasando por el registro, hasta la edición definitiva o montaje propiamente dicho. Desde los primeros tiempos de la cinematografía se ha teorizado sobre las técnicas aplicadas a la construcción secuencial de las obras audiovisuales. Aquí se presenta una visión histórica de algunas de las principales clasificaciones del montaje y una nueva propuesta de clasificación nacida con espíritu integrador.

Por montaje en cine se entiende vulgarmente la operación física de ensamblar recortes escogidos de película cinematográfica para componer el rollo definitivo. Por extensión se asocia este término al de edición en los sistemas de vídeo.

Según esta concepción el montaje constituiría únicamente la fase final de compaginación del mensaje audiovisual.

Si bien el montaje físico de las tomas se realiza necesariamente en la fase final de la creación, el montaje como operación intelectual de selección y combinación de imágenes y sonidos destinados a la construcción del significante, suele planificarse previamente convirtiéndose en guía de las diferentes fases de realización del programa audiovisual para confluir en el objetivo comunicativo final. Por ello, las tomas se realizarán de forma que puedan ser editadas según lo planificado.

El montaje desempeña un papel de enorme trascendencia en el sistema estilístico de un filme. Aunque el montaje no es la única técnica cinematográfica que define el filme, es uno de los elementos más importantes para condicionar la experiencia de los espectadores pues contribuye en gran medida a la organización del filme y al efecto que su observación causará en los espectadores. Baste saber que un largometraje americano contiene, por lo general, entre ochocientos y mil doscientos planos. Sólo por ello, las técnicas de montaje, la combinatoria y el estudio de sus posibilidades constituyen uno de los elementos de primordial conocimiento para los creadores de programas audiovisuales.

Román Gubern define el montaje como «una operación sintagmática realizada a través de un proceso de análisis basado en la fragmentación y selección de espacios (que tienen también una dimensión temporal) y en la fragmentación y selección de tiempos (que tienen también una dimensión espacial) y que, por otro lado, no es otra cosa que una aplicación y una extensión de ciertas condiciones de percepción o de evocación de los estímulos del mundo físico por el hombre».

El montaje, como ordenación relacionante de las imágenes y sonidos prevé el resultado final en compaginación o edición. Sin embargo, el realizador no tiene por qué respetar en la fase de filmación cinematográfica o grabación videográfica, la cronología de la secuencia tal y como está previsto que finalmente resulte montada.

El realizador puede registrar en un mismo día la escena final del filme, una escena o parte del principio del mismo filme u otra escena cualquiera. Dependerá, en cualquier caso, de la planificación que la producción haya diseñado ateniéndose a razones de rentabilidad y eficacia. Podría darse el caso, en el ejemplo anterior, de que esas tres escenas se desarrollasen en el mismo decorado y con los mismos actores, lo que haría factible su registro en continuidad.

Para registrar las escenas de modo que puedan ser lógicamente editadas, el realizador debe efectuar una planificación del montaje definitivo en su guión técnico. Sólo así conocerá con exactitud cómo es la escena anterior y la siguiente y podrá realizar los registros de modo que las tomas puedan ensamblarse manteniendo la continuidad.

El montaje se puede realizar también a partir de tomas no planificadas, obtenidas con urgencia o tomas de archivo. Organizar el montaje a partir de un material dado supone seleccionar y combinar imágenes relacionándolas de forma que configuren el sentido. Esta forma de trabajo es propia de muchos documentales que se confeccionan en gran parte a partir de la recuperación de material de archivo.

La creación a partir de tomas no planificadas es posible debido a la capacidad e incluso a la tendencia del espectador a relacionar imágenes para construir significados, siempre que éstas sean relacionables, es decir, siempre que guarden una coherencia formal y una relación de sentido.

13.1. Montaje y expresividad

El director soviético Kulechov estudió el montaje mediante varios experimentos que se han hecho célebres. Uno de los más conocidos fue citado por el director Pudovkin en una publicación aparecida en 1926.

«Kulechov y yo hemos efectuado una experiencia interesante. Hemos tomado, de viejas películas, un primer plano del actor Mosjukin. Hemos elegido primeros planos estáticos, tranquilos, inexpresivos. Hemos montado estos planos, todos similares, con trozos de filmes, de tres formas diferentes. En la primera, el primer plano del actor era seguido por una vista de un plato de sopa sobre una mesa. Era evidente y cierto que el actor miraba la sopa. En la segunda combinación, la cara se montaba con un ataúd donde había una mujer muerta. En la tercera, el primer plano era seguido por la visión de una niña jugando con un oso de peluche.

»Cuando hemos proyectado las tres combinaciones ante un público no avisado, el resultado ha sido extraordinario. Los espectadores se maravillaron por el arte del actor. Hablaban de su expresión de apetito cuando miraba la sopa, de la profunda pena que sentía cuando miraba a la mujer muerta, de la incipiente sonrisa que expresaban sus labios cuando miraba a la niña. A pesar de todo, sabíamos que en todos los casos el rostro era el mismo.»

Descubierta la facilidad con que el espectador relacionaba campos dispares, Kulechov llevó su experimentación a la creación de situaciones más complejas.

Es clásica la secuencia que montó en 1920 donde combinó magistralmente una serie de tomas realizadas en ciudades diferentes, dando la impresión de una escena continua en un único lugar.

En ella:

1. Una mujer avanza de izquierda a derecha a lo largo de una calle, levanta la mano y saluda.

2. Un hombre avanza de derecha a izquierda, levanta la mano y saluda.
3. Los dos personajes se encuentran y señalan algo.
4. Se ve un gran edificio con una escalinata.
5. Los dos personajes suben la escalinata.

Esta escena no tendría mayor interés si no fuese porque cada toma pertenece a diferentes lugares todos ellos distanciados entre sí, y sin embargo, al ser editadas, configuran *una nueva geografía sugerida* que reconstruye un escenario único en el que se desarrolla la acción en continuidad.

Una situación como la descrita sólo puede ser registrada planificando previamente su montaje. De hecho, la operación de montaje consiste en la selección de las imágenes y el establecimiento del modo en que se combinarán. Todas estas soluciones deben ser reflejadas en el guión, de modo que las tomas se realizarán guiándose por él. Allí ha de reflejarse la dirección de los personajes, sus saludos, el camino que recorren juntos, etc. A partir de ello, será tarea fácil su compaginación y edición física una vez registradas.

El montaje también puede ser hecho *a posteriori*, como observó Kulechov y su compañero Pudovkin.

Según este último: «Si unimos un plano de un actor sonriendo con un primer plano de un revólver apuntando amenazador y a continuación unimos con un tercero del mismo actor aterrorizado, el personaje dará la impresión de cobardía. Invirtiendo el orden de los planos el público pensará que la actitud del actor es heroica».

Si bien el montaje pensado por el autor se manifiesta por primera vez en el guión, y se aplica en el modo de registrar las tomas, la manera exacta en que se van a resolver las transiciones entre planos de edición no se suele establecer con precisión hasta el momento mismo del montaje físico en la edición.

Para la exposición académica, la parte del montaje que se refiere a la idea esencial del mismo se explica en el guión, la que afecta al modo de realizar las tomas se suele tratar como un apartado de «continuidad» en la variación de las posiciones de cámara y de *raccord* en general, mientras que lo que afecta a la selección de los planos de edición y a las transiciones entre dichos planos se explica en el apartado referido a «técnicas de montaje», que se centra en la fase final de compaginación o editaje físico de las tomas.

La historia del montaje se encuentra unida a la evolución del lenguaje audiovisual. El montaje supone la articulación de los fragmentos espaciales filmados, es decir los planos, según un orden y criterio que ha ido cambiando según los estilos, tendencias y desarrollo comprensivo de los espectadores a lo largo del tiempo de existencia de los medios audiovisuales.

13.2. Una perspectiva histórica

Desde las primeras iniciativas soviéticas han sido numerosas las clasificaciones del montaje, muchas de las cuales han sido excesivamente arbitrarias dedicadas, en ocasiones, a agrupar simplemente las diferentes formas de encadenamiento de imágenes, sin rigor ni sistematicidad, contribuyendo, así, a la actual existencia de un cierto caos terminológico que confunde significado y significante, forma e idea, técnica y lenguaje.

En este apartado efectuaremos un recorrido por algunas de las clasificaciones del montaje formuladas por diferentes autores a lo largo de la historia de los medios audiovisuales.

Una de las primeras clasificaciones fue la de Pudovkin, que establecía cinco métodos de montaje: contraste, paralelismo, similitud, sincronismo y tema recurrente o *leitmotiv*.

— El montaje por *contraste* se produce por la comparación, por ejemplo, entre la mísera situación de un individuo hambriento con una imagen de riqueza derrochadora.

— El montaje por *paralelismo* se refiere a la presentación alternativa mediante tomas aisladas de dos tipos de sucesos diferentes.

— El montaje por *similitud* producido por ejemplo por Eisenstein en *La huelga* (Stacka, 1924) cuando interrumpe el ametrallamiento de los obreros con instantáneas del sacrificio de un cordero en el matadero.

— El montaje por *sincronismo* similar al paralelismo pero con la salvedad de que, en este caso, los acontecimientos paralelos están relacionados entre sí y suceden al mismo tiempo.

— El montaje por *tema recurrente* o *leitmotiv* consiste en una acentuación de la idea central mediante la reiteración a base de repetir determinada escena como un estribillo.

Arnheim propone una clasificación de los principios del montaje que reproducimos. A pesar de su validez esta clasificación no ha hecho fortuna quizá por no aportar las pautas que sirvan de guía al creador para resolver los problemas generales que aparecen comúnmente en el tratamiento videográfico, como los relacionados con la reducción o ampliación del tiempo real.

CUADRO 2. *Clasificación del montaje de R. Arnheim.*

1. Principios de cortes		
A) Extensión de la unidad de corte	común se emplea en casos en que las tomas están llenas de acción rápida. Escenas culminantes. Efecto de tumulto. Ritmo rápido).	de extensión variable (ni claramente cortas ni largas). La extensión depende del contenido. No hay efecto rítmico.
1) Bandas largas (todas las tomas que se empalman son relativamente largas. Ritmo apacible).	3) Combinación de bandas largas y cortas: repentinamente aparecen en bandas largas una o más piezas cortas, o viceversa. Ritmo correlativo.	**B) Montaje de escenas enteras**
2) Bandas cortas (...todas son relativamente cortas. Por lo	4) Irregular: serie de bandas	1) En secuencia (una acción se desarrolla sin interrupción hasta el fin, se le agrega la siguiente y así sucesivamente).

CUADRO 2. *Clasificación del montaje de R. Arnheim. (Continuación.)*

2) Entrelazado (las escenas se cortan en partes pequeñas que se intercalan. Continuación alternativa de una y otra escena. Entrecruzamiento).
3) Inserción (de escenas o cuadros separados en una acción continua).

C) **Montaje dentro de una escena determinada**

1) Combinación de tomas largas y primeros planos (por toma larga, que es una expresión relativa, se ha de entender la que pone el contenido de un primer plano en un contexto más amplio).

a) En primer lugar una toma larga y luego uno o más detalles de la misma como primeros planos (es la «concentración» de que habla Timoshenko).
b) Tránsito de un detalle (o varios) a una toma larga que incluye dicho detalle (es la «ampliación» de que habla Timoshenko). Por ejemplo, en el caso de *Bajo la máscara del placer* (Die Freudlose Gasse, 1925) de Pabst: primero la cabeza de la maestra y luego el conjunto del comedor.
c) Tomas largas y primeros planos en sucesión irregular.

2) Sucesión de tomas de detalle (ninguna de las cuales incluye el contenido de las otras). Se trata del «montaje analítico» de que habla Timoshenko. Un acontecimiento completo o una situación pasajera compuestos, única y exclusivamente de fragmentos.

2. **Relaciones temporales**

A) **Sincronismo**

1) De varias escenas enteras

(es la «acción paralela» de Timoshenko y el «sincronismo» de Pudovkin) unidas en secuencia o entrecruzadas. En secuencias que, en general, están empalmadas mediante títulos que les dan continuidad: «En tanto que ocurría en X, y en Y...»
2) De detalles de un escenario de acción en el mismo momento (presentación sucesiva de acontecimientos que tienen lugar al mismo tiempo en el mismo lugar. El hombre está aquí, la mujer está allá, etc.). Es el montaje «analítico» de Timoshenko.

B) **Antes, después**

1) Escenas enteras que se suceden en el tiempo. Pero asimismo escenas insertas de lo que ha ocurrido («recuerdo») o de cosas que ocurrirán en el futuro («visión profética»). El «retorno del tiempo pasado» y la «anticipación del tiempo futuro» de que habla Timoshenko.
2) Sucesión dentro de una escena: Sucesión de detalles que se suceden en el tiempo dentro del conjunto de la acción. Por ejemplo, primera toma: él coge el revólver; segunda toma: ella sale corriendo.

C) **Neutral**

1) Acciones completas que no están conectadas temporalmente, sino tan sólo en lo tocante a contenido. Eisenstein: en el fusilamiento de los obreros por soldados se intercala la matanza de un buey en el matadero. ¿Antes? ¿Después?
2) Tomas aisladas que no tienen vínculo temporal. Poco frecuentes en los filmes narrativos. Pero aparecen, por

ejemplo, en los documentales de Dziga Vertov.
3) Inclusión de tomas aisladas en una escena completa. Por ejemplo, el montaje simbólico. Tomas insertadas sin vinculación temporal con el acontecimiento.

3. **Relaciones espaciales**

A) **el mismo lugar (aunque en tiempo diferente)**

1) En escenas enteras. Alguien vuelve al mismo lugar veinte años después. Las dos escenas se suceden o se entrecruzan.
2) Dentro de una sola escena: tiempo comprimido. Un salto hacia adelante en el tiempo que permite ver en una sucesión ininterrumpida lo que ocurre en el mismo lugar pero en realidad después de un lapso de tiempo. Inutilizable.

B) **El lugar cambiado**

1) Escenas enteras. Sucesión o entrelazamiento de escenas que tienen lugar en diferentes sitios.
2) Dentro de una escena. Diferentes vistas parciales del lugar de acción.
3) Neutral.

4. **Relaciones de tema**

A) **Semejanza**

1) De forma:

a) De un objeto (una colina redonda sucede al vientre redondo de un estudiante).
b) De un movimiento (el balanceo de un columpio en movimiento sucede al balanceo del péndulo de un reloj).

2) De significado:

a) Un solo objeto (es el mon-

CUADRO 2. *Clasificación del montaje de R. Arnheim. (Continuación.)*

taje de Pudovkin: preso que ríe, arroyo, pájaros que se bañan, niño alegre).	miento lento sucede a uno muy rápido).	traste de forma (Timoshenko: los pies de un prisionero enrejado en un calabozo y las piernas de bailarinas en el teatro; o bien, el rico en un sillón, el rebelde en la silla eléctrica).
b) Escena entera (Eisenstein: los obreros caen fusilados, se sacrifica al buey).	2) De significado:	
B) Contraste	*a)* Un solo objeto (un desocupado famélico; el escaparate de una tienda lleno de manjares suculentos).	2) Semejanza de significado y contraste (algo por el estilo se da en *El moderno Sherlock Holmes* [Sherlock Jr., 1924]. El actor ve en la pantalla la enorme imagen de una pareja que se está besando y besa a su amiga en la cabina del operador).
1) De forma:	*b)* Escena entera (en la casa de un rico; en la casa de un pobre).	
a) De un objeto (primero, un hombre muy gordo, y luego uno muy delgado).	**C) Combinación de semejanza y contraste**	
b) De movimiento (un movi-	1) Semejanza de forma y con-	

Se trata, sin embargo, de una correcta estructura que podría haber dado lugar a sólidas construcciones sobre su base pero desarrollos posteriores de otros autores vuelven a perder de vista la columna vertebral apuntada por Arnheim y se cae de nuevo en una caótica enumeración de factores.

Eisenstein propuso una clasificación global y completa de tipos de montaje:

- *Montaje métrico*: basado en la longitud de los fragmentos, según una fórmula equivalente a los compases musicales.
- *Montaje rítmico*: establecido tanto en función de la longitud de los planos como de la composición del encuadre.
- *Montaje tonal*: se trata de un grado superior del montaje rítmico, en el que intervienen, además, componentes tales como el movimiento, el sonido emocional o el tono de cada plano.
- *Montaje armónico*: entendido como un grado evolutivo del montaje tonal. resultado del conflicto entre el tono principal del fragmento y la armonía.
- *Montaje intelectual*: se trata de un montaje de sonidos y armonías de una forma intelectual.

En función de los aspectos dramáticos algunos autores (Romaguera, Riambau y Lorente-Costa) consideran que las relaciones que pueden establecerse entre un plano y el siguiente son de la siguiente naturaleza:

a) *Causales*: cuando un plano es la causa —lógica o simbólica— del siguiente.
b) *Adversativas*: cuando un plano se opone conceptualmente al anterior.
c) De *yuxtaposición*: si no se establece un nexo inmediato pero existe la posibilidad de hacerlo *ex-novo*.
d) *Simultáneas*: si el vínculo se produce por un factor de temporalidad.
e) *Consecutivas*: cuando no existe ningún nexo causal ni narrativo.

Román Gubern, en una reflexión sobre la evolución del montaje cinematográfico, efectúa una primera catalogación genérica y no pormenorizada, según sus propias palabras, donde indica que la yuxtaposición de los planos, en las operaciones de montaje, puede llevarse a cabo según los siguientes parámetros espaciales y temporales:

1. Cambio de escala o de punto de vista del espacio ya representado en el plano precedente.
2. Cambio de lugar o de espacio representado: contiguo, próximo o lejano al del plano precedente.
3. Paso de tiempo en el mismo espacio o lugar: tiempo inmediatamente consecutivo, tiempo posterior (elipsis y *flash-forward*) o tiempo pasado (*flash-back*).
4. Cambio de lugar y de tiempo a la vez, en las modalidades expresadas en 2 y 3.

Posteriormente, Gubern, en el mismo ensayo, efectúa una catalogación en nueve categorías o convenciones cronológicas de las posibilidades existentes en el montaje de representar el factor tiempo en el cine de ficción narrativa, son:

1. Tiempo consecutivo.
2. Tiempo posterior tras un lapso emitido (elipsis).
3. Tiempo simultáneo (fundamento de las acciones paralelas).
4. *Flash-back* (evocación del pasado).
5. *Flash-forward* (anticipación del futuro).
6. Tiempo indeterminado.
7. Movimiento acelerado.
8. Movimiento retardado (ralentí).
9. Inversión del movimiento (retroceso del tiempo).

Finalmente, el mismo autor aplica estas categorías a los cambios espaciales que en el montaje se producen con normalidad haciendo posible las once combinaciones espacio-temporales siguientes:

1. Cambio de espacio mostrando una acción que transcurre consecutivamente a la representada en el plano anterior.
2. Cambio de espacio mostrando una acción que transcurre posteriormente, tras un lapso omitido, a la representada en el plano anterior.
3. Cambio de espacio mostrando una acción que se supone simultánea a la representada en el plano anterior.
4. Cambio de espacio mostrando una acción que se supone anterior a la representada en el plano precedente (*flash-back*).
5. Cambio de espacio mostrando una acción que se supone posterior a la del plano precedente, pero como anticipación del futuro (*flash-forward*).
6. Cambio de espacio mostrando una acción que transcurre en un tiempo indeterminado.

7. Cambio de plano mostrando el mismo espacio que el plano precedente, pero representando una fase posterior de la misma acción (*jump cut*).

8. Cambio de plano mostrando el mismo espacio que el plano precedente, pero representando una acción posterior discontinua (elipsis).

9. Cambio de plano mostrando el mismo espacio que el plano precedente, pero representando una acción pasada (*flash-back*).

10. Cambio de plano mostrando el mismo espacio que el plano precedente, pero representando una acción posterior como anticipación del futuro (*flash-forward*).

11. Cambio de plano mostrando el mismo espacio que el plano precedente, pero representando una acción que acontece en un tiempo indeterminado.

Como consecuencia de esta categorización espacio-temporal, Gubern resume afirmando que «en el cine el espacio es siempre visible, concreto e identificable (incluso en las representaciones de sueños o de pensamientos), mientras que el tiempo es una categoría conceptual y por ello sometido a los fluidos relativismos y convenciones de la narrativa, que lo identifican para el espectador como posterior, anterior, simultáneo, etcétera, según sea su contexto».

Borrás y Colomer establecen tres relaciones básicas entre planos. En sus propias palabras: «La yuxtaposición de dos o más planos puede establecer relaciones de distinto grado, desde la más evidente a la más oscura, desde la más inmediata a la más remota en cuanto a su comprensión y significado».

Estas relaciones son:

a) De *montaje continuo*. Cuando la relación mental que une a los dos planos es de signo totalmente físico. Cuando se trata de una acción, por ejemplo, fragmentada en dos imágenes, de forma que la evidencia es inmediata tanto por la repetición de elementos comunes como porque la acción comenzada en el primer plano continúa en unidad de tiempo-espacio en el segundo plano. Esta relación es estrictamente narrativa.

b) De *montaje discontinuo*. Cuando las dos imágenes, en cuanto a su contenido visual, no tienen ningún punto en común. No existen detalles que se repitan en ambas imágenes. Nada las une en lo físico. Se trata de una relación puramente intelectual en la que el espectador sólo puede intuir y asociar ideas. Existe, normalmente, una ruptura de la unidad espacio-tiempo. Esta relación elíptica tiene un uso también narrativo.

c) De *montaje ideológico*. En este caso tampoco hay relación de continuidad física ni de espacio-tiempo. La relación es intelectual y va más allá de una mera supresión elíptica. El mensaje o la conclusión extraída por el espectador es metafórica y abstracta y sugiere una tercera idea. Esta relación no se utiliza para fines narrativos sino que su valor es expresivo.

Las clasificaciones generales existentes sobre el montaje se centran principalmente en el modo de combinar tomas ya realizadas o partes de ellas en la sala de edición.

Borrás y Colomer efectúan una clasificación del montaje que nos ha servido de base de partida para el desarrollo de una nueva clasificación.

Concediendo prioridad a esta idea y tras la exposición de diferentes teorías y reflexiones sobre el montaje que permiten percatarse de la complejidad de abarcar todos los matices que las técnicas de montaje pueden contener, proponemos una clasificación integradora que tenga en cuenta una buena parte de las referencias relacionadas con el montaje, intentando abarcar más allá de la exclusiva referencia a la fase final de compaginación.

13.3. Clasificación del montaje

Hemos efectuado una clasificación considerando los siguientes aspectos:

— Según el *modo de producción* (forma física de obtención de la articulación significativa de las imágenes).
— Según *la continuidad o discontinuidad temporal* (tratamiento del tiempo audiovisual con respecto al tiempo real o con empleo de elipsis).
— Según *la continuidad o discontinuidad espacial* (tratamiento de las relaciones espaciales entre imágenes).
— Según la *idea o contenido* (formas de articulación creadoras de significado).

CUADRO 3. *Clasificación del montaje.*

Estos aspectos, sin agotar todos los que intervienen en la articulación significativa de imágenes, constituyen un cuerpo sólido y consistente sobre el que desarrollar las técnicas de más común aplicación en la solución de gran parte de los problemas relacionados con el montaje.

Conviene remarcar que en la realización física del montaje se han de considerar todos los factores al unísono. Espacio, tiempo e idea son tratados conjuntamente, por lo que los tipos de montaje que corresponden a cada categoría no pueden tomarse como excluyentes. Es posible, por tanto, que un mismo montaje sea discontinuo respecto al tiempo, con la transición suavizada por una acción paralela; que se produzca una discontinuidad sin relación, respecto al espacio y, en cuanto a la idea, podría ser un montaje de tipo narrativo.

13.4. El montaje según el modo de producción

Respecto al modo de producción distinguimos entre *montaje interno* y *montaje externo*.

Montaje interno es aquel que realiza la asociación entre las imágenes en la propia toma sin recurrir a la edición.

Montaje externo es aquel que recurre a la edición.

1. Montaje interno

El montaje interno puede obtenerse sin movimiento de cámara y con movimiento de cámara o simplemente de óptica.

Entre las posibilidades de obtener montaje interno sin movimiento de cámara tenemos:

— *Por profundidad de campo*. Así, por ejemplo, en *Ciudadano Kane*, de Welles, la madre de Kane trata con un banquero la tutoría de su hijo en presencia de su marido. Al fondo, a través del enmarcado de la ventana, Kane, niño, juega en la nieve con un trineo. Las dos acciones van reclamando alternativamente la atención del espectador en un perfecto montaje interior por profundidad de campo, en que las dos acciones se observan al tiempo con nitidez.

— *Por enfoque retórico*. En una misma vista de cámara, se pasa de un motivo en foco con un segundo motivo desenfocado a desenfocar el primero y enfocar el segundo reclamando la atención sobre él.

— *Por acción o movimiento del personaje en campo*. La simple variación de la zona del cuadro en que se desplaza el personaje, aquello que coge o señala, la dirección de la mirada, etc., marcan un orden de lectura que varía los centros de atención.

— *Por composición*. La propia composición estática de los elementos del encuadre puede organizarse para establecer un orden de lectura dentro del cuadro.

— *Por presencia del fuera de campo*. El fuera de campo puede reclamar la atención del espectador de modos muy diversos: por sombras en el cuadro, imágenes de espejo, por ocultación en cuadro, por voz en *off*, etc.

Las posibilidades narrativas del montaje interior sin movimiento de cámara son enormes. Muchos relatos gráficos son *introdeterminados*, es decir, que resuelven la acción en un cuadro y sin recurrir a la presentación alternada de otro escenario.

El montaje interior posibilita una enorme gama de recursos para la creación en la narrativa audiovisual.

Las posibilidades del montaje interior se amplían cuando añadimos la posibilidad de *movimiento de cámara y de óptica*. Mediante un giro o un desplazamiento se ponen en relación dos o más imágenes. Con un movimiento del *zoom* se aísla un detalle o se descubre su entorno. *La toma secuencia* (o plano secuencia) permite su aplicación extrema al realizar toda la producción mediante montaje interior con desplazamiento de cámara sin cortes. Como ejemplo de esta técnica podemos referirnos al ya clásico filme anteriormente mencionado *La soga*, de Hitchcock.

2. Montaje externo

El montaje externo es aquel que recurre a la edición o unión física de diferentes tomas o partes de éstas.

Existen dos modalidades: la *edición directa con la cámara* y *la edición en célula de posproducción* por inserto o ensamblado y con posibilidad de introducción de todo tipo de efectos. En el caso del cine la célula de postproducción puede ser sustituida por el uso de *la moviola* aunque cada vez más se recurre a procedimientos de montaje basados en la transformación de las imágenes cinematográficas a soporte vídeo o, más recientemente, a soporte digital en almacenamiento sobre disco duro, técnica, esta última, que es progresivamente de uso más frecuente también en las producciones videográficas.

Como caso mixto están las realizaciones de *televisión multicámara* con mesa de mezclas, donde el realizador decide de entre todas las imágenes que ofrecen las distintas fuentes aquellas que pasan a programa en el orden deseado. Es frecuente la división, en este caso, de los registros-edición por bloques de grabación ininterrumpida.

La edición con la cámara sólo se usa para pruebas o en realizaciones de aficionado y es la modalidad de edición en célula la más empleada profesionalmente.

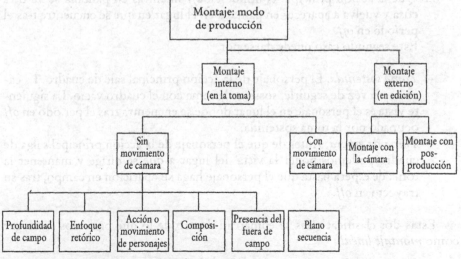

CUADRO 4. *El montaje según el modo de producción.*

13.5. El montaje según la continuidad o discontinuidad temporal

El segundo aspecto a que nos referíamos para la clasificación del montaje era el tratamiento del tiempo.

Consideramos la posibilidad de hacer un *montaje continuo* (la duración del conjunto de las tomas editadas coincide con la duración real de la acción representada y a su vez cada una de ellas respeta la duración real de la acción que recoge), o hacer un *montaje discontinuo* (se comprime el tiempo real mediante el empleo de elipsis o se amplía éste en la representación audiovisual).

En la práctica, el montaje continuo se da en la representación concreta de acciones de corta duración, o marcadas por el diálogo de los personajes, y también en los directos de televisión, donde coincide la duración de los hechos representados con la duración de las imágenes registradas en multicámara dado que no es posible, con este sistema, suprimir tiempos de la acción.

En la producción con montaje externo en célula de edición lo más común es la supresión de tiempos muertos o de todo aquello que no es necesario para la compresión del relato (empleo de elipsis). Sin embargo, el estudio de las modalidades del montaje continuo tiene un inestimable valor teórico ya que es precisamente la aplicación de estas técnicas lo que permitirá dar apariencia de continuidad en el montaje discontinuo, como veremos más adelante.

En el montaje continuo tenemos dos posibilidades:

1. Que la acción representada o parte de ella esté *siempre en pantalla* vista en continuidad en diferente plano o con diferente emplazamiento de cámara (punto de vista).
2. Que la acción principal continúe en *off* mientras en pantalla se ve otra cosa y vuelva a aparecer en pantalla en el lugar en que se encuentre tras el período en *off*.
    Este segundo caso puede darse por:

— *Toma sostenida*. El personaje de la acción principal sale de cuadro. La cámara, en vez de seguirle, sostiene la toma con el cuadro vacío. La siguiente vista es el personaje en el lugar donde se encuentra tras el período en *off* ocupado por la toma sostenida.

— *Toma de espera*. Antes de que el personaje de la acción principal salga de cuadro podemos poner la vista del lugar a que se dirige y mantener la toma de espera hasta que el personaje haga su aparición en campo, tras su trayecto en *off*.

Estas dos clasificaciones se enmarcan dentro de lo que podemos catalogar como *montaje lineal*.

—Pero si en vez de sostener la toma o hacer una de espera intercalamos una acción que transcurre en el mismo escenario para volver al personaje de la acción principal tras el período en *off*, estamos aplicando lo que se llama *montaje por acciones yuxtapuestas*. Sirva como ejemplo la siguiente secuencia de imágenes:

1. Vista de una novia que comienza a ponerse el velo.
2. Vista de su amiga, que la observa.
3. Vista de la novia que continúa acabando de ponerse el velo.

—Si la acción que intercalamos se está desarrollando al mismo tiempo en otro lugar en vez de en el mismo escenario, el montaje sería de acciones paralelas. Así:

1. Vista de la novia que, en su casa, comienza a ponerse el velo.
2. Vista del novio que, en otro lugar, se está colocando la corbata ante el espejo.
3. Vista de la novia en el momento de la operación en que se encuentre tras su estancia en *off*.

Tanto las acciones yuxtapuestas como las paralelas pertenecen a una categoría más general del montaje que se llama *montaje alternado*. El recurso sería equivalente si en lugar de acciones la toma insertada fuese de objetos o motivos. Así:

1. Vista de un hombre que se está vistiendo una chaqueta.
2. Vista de una maleta sobre la cama.
3. Vista del hombre que termina de arreglarse las solapas.

Dentro del montaje continuo hemos señalado también que *la acción podía estar siempre presente*, vista desde diversos ángulos y en diferentes planos, es decir, con variaciones de encuadre.

Este tipo de montaje es el que mayores problemas da en la edición para evitar fallos de continuidad, pero también tiene la ventaja de que en ningún momento distrae de la acción principal.

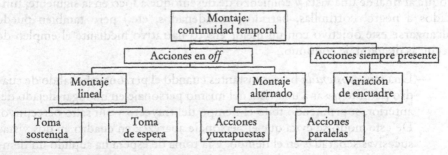

CUADRO 5. *El montaje según la continuidad temporal.*

El *montaje discontinuo,* es aquel mediante el cual podemos suprimir tiempos de la acción. Nos referimos a ejemplos tales como ver a un señor que comienza a subir una escalera y en la siguiente vista ya está arriba, o una persona que está escribiendo una carta y en la siguiente vista alguien la está leyendo en otro lugar.

El montaje discontinuo realiza elipsis de tiempo y esto lo puede hacer de *forma evidente* (elipsis evidentes) para el espectador de manera que tenga conciencia del tiempo suprimido, o de *forma oculta* (elipsis ocultas), procurando que el espectador no se aperciba del tiempo escamoteado.

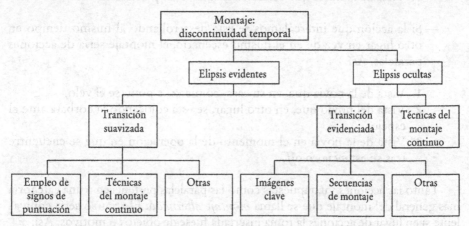

CUADRO 6. *El montaje según la discontinuidad temporal.*

Dentro de las elipsis evidentes es posible suavizar la transición (hacer que, a pesar de suprimir tiempo de la acción, el paso a la imagen siguiente sea suave y fluido sin brusquedades perceptivas) o también *se puede evidenciar intencionalmente* la transición, sin disimular la brusquedad del paso.

1. Elipsis con transición suavizada

Normalmente se persigue hacer la transición suave, con sensación de continuidad, y esto se consigue mediante el empleo de signos de puntuación (desenfoque al final de una vista y comienzo de desenfoque a foco en la siguiente, fundidos a negro, cortinillas, barridos, encadenados, etc.) pero también puede alcanzarse este objetivo con un mejor efecto narrativo mediante el empleo de técnicas de montaje continuo.

— Una *toma sostenida* breves instantes cuando el personaje ha salido de cuadro permite pasar a una vista del mismo personaje en un lugar alejado del anterior, suprimiendo todo el tiempo del trayecto y sin salto perceptivo. De este modo se evita que el personaje aparezca en cuadro en dos vistas sucesivas separadas en el tiempo, y la toma de espera ha suplido un tiempo mucho mayor que el que se sostiene en cuadro.

—Una *toma de espera* de breves instantes en el lugar donde va a llegar el personaje sustituye también el tiempo enormemente mayor del trayecto realmente recorrido.

—Una *acción yuxtapuesta* intercalada en la acción principal permite pasar sin salto a un momento muy posterior de ésta. Así, por ejemplo:

1. Vista de la novia que se está poniendo el vestido.
2. Vista de la amiga que la observa.
3. Vista de la novia que ya ha terminado de ponerse el vestido.

La *acción paralela* tiene el mismo mecanismo que la yuxtapuesta, pero al estar en otro escenario no tiene los problemas de continuidad que la yuxtapuesta plantea respecto a la posición de la cámara, al mantenimiento del *raccord*, etc. Así:

1. Vista de la novia que se pone el velo.
2. Vista del novio arreglándose ante el espejo.
3. Vista de la novia que sale de su casa.

La *acción siempre presente* es imposible de mantener realmente efectuando elipsis temporales pero puede simularse su efecto. Por ejemplo:

1. Vista del novio que se abrocha el primer botón de la chaqueta. A continuación inicia el movimiento de la mano para dirigirse al siguiente botón.
2. Vista del mismo movimiento (en apariencia) que acaba efectivamente en un botón pero se abre campo y vemos que no es el segundo, sino el último y que todos los demás están ya abrochados.

En la *ocultación de las elipsis* se utilizan exactamente las mismas técnicas pero cuidando que la vista posterior no dé pistas ni llame la atención sobre el paso del tiempo.

En ocasiones no se pretende suprimir el tiempo real sino ampliarlo. Es el caso típico de la carrera de caballos en la que, cuando faltan escasamente diez metros para la llegada, se van intercalando vistas de los protagonistas expectantes que se abrazan o que reflejan máxima tensión, de modo que se pasa de la vista de los caballos a la de ellos y viceversa, alargando considerablemente el tiempo real de la llegada.

De esta forma se consigue estirar el clímax en el momento más emocionante. Lo cierto es que el aprovechamiento magistral de esta técnica se da en muy pocos casos. El alargamiento artificial de la acción creadora de tensión no debe superar determinado umbral por encima del cual se cae en el absurdo o en el ridículo.

2. Elipsis con transición evidenciada

Como se ha apuntado con anterioridad, en muchas ocasiones no se procura suavizar la transición, sino hacerla patente. Se trata de la *elipsis con transición evidenciada* como cuando se pasa a un escenario diferente después de una escena no relacionada con la siguiente. En este caso, se suele buscar precisamente la incoherencia, la total ausencia de relaciones de semejanza con la escena anterior para que el espectador no asocie los dos escenarios y no construya hipótesis erróneas sobre la continuación de la primera escena. Por ejemplo, si una escena acaba en que unos contrabandistas se hacen a la mar en una barca y queremos pasar a una escena no relacionada donde los personajes protagonistas charlan en su casita de verano, sería conveniente que la casita de verano no deje ver el mar porque si fuera así el espectador podría suponer que los contrabandistas han desembarcado en ese lugar.

Es común la transición evidenciada en el llamado *montaje por imágenes clave*, técnica típica del cómic en que la acción se presenta mediante flashes expresivos que la sintetizan. Sirva como ejemplo:

1. Vista de una flecha ardiendo que se clava en el pecho de un soldado.
2. Vista de un hacha india rompiendo una puerta.
3. Vista de una mujer que es arrastrada por los cabellos.
4. Vista de una nube de polvo de los indios que se alejan.

Otro tipo de montaje que suele evidenciar la transición es la *secuencia de montaje* que muestra mediante una breve sucesión de imágenes el paso de un largo período de tiempo. Es el caso de unos protagonistas músicos que se dirigen en tren a la localidad donde van a actuar. Sobre esta imagen se superponen planas de noticias de periódicos que muestran su éxito en actuaciones en diferentes ciudades. De esta manera se resume su carrera triunfal en unos pocos segundos.

13.6. El montaje según el tratamiento del espacio

Otro de nuestros grandes bloques para clasificar el montaje toma como objeto el tratamiento de la continuidad o discontinuidad espacial. Hemos considerado cuatro posibilidades:

1. *Continuo.* Permanencia del escenario o paso al inmediatamente contiguo.
2. *Elipsis con continuidad.* Pasamos de un espacio a una parte de él (la continuidad es básica para el mantenimiento de la conciencia geográfica del espectador).
3. *Elipsis con discontinuidad y relación.* Pasamos mediante elipsis de parte o todo el recorrido a un espacio diferente pero perfectamente ubicable respecto al anterior.

4. *Elipsis con discontinuidad y sin relación.* El nuevo espacio no se puede situar respecto al anterior. En este caso normalmente conviene resaltar la incoherencia entre las dos imágenes (ausencia de relación formal).

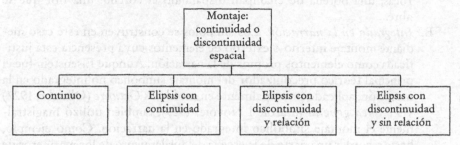

CUADRO 7. *El montaje según el tratamiento del espacio.*

13.7. El montaje según la idea o contenido

El último gran apartado que hemos considerado es el que toma como referencia la idea o significado, no ya como enumeración o descripción de elementos o situaciones sino como interpretación. Se trata de construir significados simbólicos o ideológicos mediante la articulación de imágenes cuya relación sugiere un significado conceptual.

Según la idea o contenido el montaje puede ser:

1. *Narrativo.* El montaje se pone al servicio de la diégesis o progresión del relato, presentando la evolución temporal de los hechos.
2. *Descriptivo.* El montaje favorece la contemplación, se detiene o explora los motivos con intención de describir su aspecto físico.
3. *Expresivo.* El montaje, mediante ritmo interno o externo, resalta componentes expresivas de la acción por encima de consideraciones de progresión temporal o descriptivas (muchos montajes por imágenes claves suelen responder a esta idea).
4. *Simbólico.* El montaje de intención simbólica, también llamado *ideológico*, hace uso de símbolos, metáforas, eufemismos, etc., para que el espectador realice asociaciones y extraiga valores de tipo conceptual.

Existen dos posibilidades de este tipo de montaje:

A. *No integrado en la narración.* Las imágenes provocadoras del simbolismo se incluyen con ese único objeto sin que tengan otro lugar como elementos de la narración. Recordemos el caso de las ovejas que preceden y se sobreimpresionan sobre los obreros apelotonados entrando en la fábrica en el filme de Chaplin *Tiempos modernos* (Modern Times, 1935). Este tipo de símbolos ha sido empleado en producciones de propaganda política para incluir las valoraciones del autor de forma explícita. También han aparecido en tiempos de censura en forma de eufemismos para representar, por ejemplo, el acto sexual. Así las olas rompiendo contra las rocas; una botella de champán disparando el corcho; una flor que se abre...

B. *Integrado en la narración*. Los símbolos se construyen en este caso mediante montaje interno o externo de elementos cuya presencia está justificada como elementos propios de la narración. Aunque Eisenstein fue el principal teórico preconizador del montaje simbólico no integrado en la narración, aplicado principalmente en sus filmes *Octubre* (Oktiabr, 1927) y *La línea general* (Staroie i Novoie, 1929), también utilizó magistralmente el montaje simbólico integrado en la narración. Como ejemplo, baste recordar una parte de la escena del fusilamiento de los marineros de *El acorazado Potemkin* (Bronenosets Potiomkin, 1925), efectuada en montaje alternado donde la cámara pasa del militar acariciando el sable al sacerdote golpeando rítmicamente su mano con el crucifijo, de este al pelotón de fusilamiento y, finalmente, a las víctimas.

Actualmente, el simbolismo es más sutil y, a excepción del género cómico, se aplica normalmente el montaje simbólico integrado en la narración. El montaje simbólico clásico, no integrado en la narración, prácticamente ha dejado de usarse.

CUADRO 8. *El montaje según la idea o contenido.*

Capítulo 14

LA BANDA SONORA

De la misma forma que la aparición del color contribuyó al realismo del cine, antes, la incorporación de la banda sonora, significó un salto expresivo de primer orden que contribuyó al desarrollo y madurez de la cinematografía. Desde una perspectiva actual, la banda sonora (palabra, música, efectos sonoros y ambientales y silencio) cumple una función de complementariedad respecto a las imágenes. La esencia del audiovisual impone el equilibrio entre sonido e imagen para construir mensajes comprensibles. El poder evocador de la música, la concreción de la palabra que marca el sentido exacto del discurso, el realismo que aportan los ruidos de ambiente, el dramatismo del silencio... constituyen recursos expresivos que, como convenciones, deben ser usados con eficacia y profesionalidad por los constructores de mensajes audiovisuales.

Con la incorporación del sonido a la imagen, el cine experimentó un gran salto expresivo. El sonoro complementa, integra y potencia la imagen visual y contribuye al realismo. Además, en el nivel narrativo, posibilita un importante ahorro de planos y de rodeos visuales que la imagen muda tendría que utilizar para comunicar conceptos y situaciones. El mundo que nos envuelve es sonoro y, por tanto, el uso del sonido evita recurrir en exceso a la convención. Así se consigue una simplificación en la expresividad.

Por otra parte, dado que se acepta que el sonido es un elemento incuestionable de la obra audiovisual, no tiene ningún sentido la valoración comparativa de este recurso con la imagen. Su relación no es de subordinación ni de singularidad sino de complementariedad, lo que hace posible la creación de un todo unificado que ha de plantearse desde el momento del inicio del guión.

No obstante, en ocasiones, el complemento sonoro puede ser considerado por el realizador como una simple ayuda a la imagen. De hecho, muchos autores consideran que en los medios audiovisuales la imagen tiene un peso específico mayor. Pero también se puede dar el argumento contrario en el caso, por ejemplo, del *videoclip*. Es muy difícil que en cualquier filme o programa no existan momentos expresivos en los que el sonido sea absolutamente determinante.

En la planificación ordinaria, el sonido nunca debe ser sustitutorio de la imagen sino que debe acompañarla e integrarla. A menudo se abusa de la componente sonora cuando se recurre a la palabra para decir lo que no se llega a comunicar con la imagen. En estos casos, la obra audiovisual podría quedar reducida a literatura, anulando su valor cinematográfico.

Así como podemos detener la imagen y proceder al estudio plano a plano de un filme o programa, no es posible parar la película y congelar un instante de sonido. En general, el papel y la esencia de la banda sonora se hace más difícil de explicar que el montaje de planos. El sonido puede conseguir efectos muy importantes desde el punto de vista expresivo y perceptivo y aun así pasar inadvertido. Para estudiar y comprender el papel del sonido en los medios audiovisuales es preciso dedicar mucho tiempo a la escucha de filmes.

Desde los orígenes, el sonido ha acompañado al cine y, especialmente con su desarrollo a partir de la aparición del cine sonoro (integrando imagen y sonido en la misma película), se ha convertido en un recurso imprescindible que no puede separarse del fuerte impacto que provoca en el espectador y que ha creado un distinto modo de percepción.

La banda sonora condiciona activamente la forma en que percibimos e interpretamos la imagen. Imágenes iguales pueden interpretarse de forma distinta si cambiamos la banda sonora. Un ejercicio propio de cualquier escuela de aprendizaje de medios audiovisuales es el de mantener una misma secuencia de imágenes cambiando la banda sonora para alterar sustancialmente el sentido original de una obra fílmica o videográfica.

14.1. Aportaciones del sonido

El sonido puede encauzar nuestra atención de forma específica dentro de la imagen, dirigiendo la lectura de los puntos de interés: nos indica lo que debemos mirar.

La pista sonora de algún elemento visual puede anticipar ese elemento y dirigir hacia él nuestra atención. La banda sonora puede aclarar hechos de la imagen, contradecirlos o hacerlos ambiguos. En cualquier caso, la banda sonora puede y debe entablar siempre una relación activa con la banda de imagen.

Con la introducción del cine sonoro, la infinidad de posibilidades visuales se unió a la infinidad de hechos acústicos.

En una perspectiva de desarrollo histórico de la cinematografía, Román Gubern recoge, a modo de inventario, las aportaciones esenciales que dimanaban de la incorporación del sonido, con exclusión de la música, que ya existía en el cine mudo en forma de orquestas de acompañamiento durante la proyección en sala. Estas novedades eran:

1. El sonido facilitaba la continuidad y la fluidez narrativas, al eliminar los rótulos escritos intercalados.
2. Permitía una gran economía de planos, al poder representar elementos ausentes del encuadre por su sonido en *off*, sin necesidad de visualizarlos.
3. Desplazaba el protagonismo del plano, pieza de montaje clave y base del ritmo en los sintagmas mudos, hacia el protagonismo de la escena, definida por una mayor cohesión espacio-temporal y por una continuidad más sólida, sostenida por la actuación y diálogos de los actores, así como por los movimientos de cámara para seguirlos (origen del plano secuencia sonoro).
4. Permitía la introducción de un narrador oral (en primera o en tercera persona) mediante su voz en *off*.
5. Aportaba una valoración dramática del silencio, que era propiamente inexistente cuando el cine era mudo.
6. Introducía el rico universo acústico de los ruidos, no sólo en función mimética, sino también dramática y expresiva.

14.2. Del cine mudo al cine sonoro

Todavía se mantiene en algunos círculos la consideración de que el cine dejó de ser auténtico cine cuando apareció el sonoro. Lo que fue cierto en los primeros momentos, cuando se utilizaban simplemente las novedades del invento sin que los códigos expresivos se hubieran desarrollado, dejó de tener justificación cuando los creadores comenzaron a sedimentar la pura novedad técnica y empezaron a demostrar la utilidad expresiva y creativa de las técnicas sonoras aplicadas a la imagen.

En un sentido opuesto, existe una opinión que considera el cine mudo como un mal menor previo a la aparición del sonoro en el año 1927. Los hechos, no obstante y con una perspectiva histórica, desdicen la idea de que el invento del sonoro apareció treinta años después de la aparición del cine porque el desarrollo de la técnica no lo permitiera con anterioridad. Edison ya había ensayado la posibilidad de sonorizar las imágenes. Se apunta también el hecho de que determinadas empresas como la Western Electric y la AEG adquirieron las patentes y las escondieron durante muchos años.

> Se apuntan razones de orden económico para el mantenimiento industrial de las producciones mudas frente a las sonoras durante tantos años. La producción sonora implicaba cuantiosas inversiones económicas, cambios en los sistemas de grabación, adaptación de los proyectores y de las salas de exhibición, aumento en los costos de producción que encarecían un espectáculo que no sentía la necesidad de arriesgar con innovaciones. Si a esto se une el éxito de las salas, que se llenaban de espectadores, la conclusión es simplemente que el sonoro no apareció antes porque, desde un punto de vista industrial, quizá no era necesario.

Aunque existían los procedimientos técnicos de grabación y de reproducción del sonido, para que se produjese la implantación generalizada se necesitaba dar el paso de los primitivos discos sincronizados a la incorporación de una banda de sonido al lado de la película cinematográfica. Sólo así podía considerarse una realidad la existencia de la banda sonora integradora de las voces, ruidos y música.

Durante los primeros años del sonoro continuaron haciéndose brillantes e interesantes filmes mudos aunque progresivamente, y tras los primeros años de búsqueda y consolidación de un lenguaje ya audiovisual, la técnica del sonoro se impuso con rotundidad en la producción cinematográfica mundial.

Algunos autores aseguran que el cine sonoro nació también motivado por la competencia comercial de la radio que, progresivamente, arrebataba espectadores a las salas de exhibición. Algunos estudios demuestran el progresivo aumento de audiencia de la radio junto a un incremento mucho más débil de la asistencia a las salas durante el período 1922-1930. Esta diferencia se hacía especialmente evidente con la coincidencia de retransmisiones de finales deportivas, programas radiofónicos de gran éxito e incluso con las noches invernales o lluviosas.

14.3. Fundamentos básicos del sonido

El sonido no es otra cosa que la sensación producida en el oído por las variaciones de presión generadas por un movimiento vibratorio que se transmiten a través de medios elásticos. Dentro de ciertos límites, estas variaciones pueden ser percibidas por el oído humano.

Para que se produzca un sonido es preciso que exista un choque o una compresión que haga vibrar las moléculas de forma que esta vibración se transmita a las moléculas vecinas, las cuales, sucesivamente, propagarán la vibración, es decir, el sonido. Según la potencia y la frecuencia de la vibración, el oído humano experimentará una u otra sensación sonora.

El sonido tiene tres atributos fundamentales: intensidad o nivel, tono y timbre.

La *intensidad* da idea de la cantidad de energía acústica que contiene un sonido. Las vibraciones de amplitud mayor producen mayores presiones y depresiones sobre la membrana timpánica del oído, de ahí que la sensación sonora sea de mayor intensidad.

La intensidad sonora se mide en decibelios. Podemos definir el decibelio como una relación logarítmica entre dos magnitudes homogéneas.

En relación con la intensidad sonora conviene aclarar dos conceptos: el primero de ellos es el *umbral de audición* que es el mínimo de intensidad necesaria para que el sonido sea percibido por el oído humano. Este valor varía según la frecuencia del sonido y su valor se sitúa en 0 decibelios. El segundo concepto es el de *umbral de intensidad dolorosa* que hace referencia a la potencia a partir de la que el sonido produce en el oído una sensación de dolor. Su persistencia puede producir audiotraumas de carácter irreversible. Su valor medio se sitúa en torno a los 130 decibelios y puede variar en función de la frecuencia de la onda sonora.

La intensidad permite clasificar los sonidos en fuertes y débiles.

Desde un punto de vista expresivo, el sonido audiovisual manipula constantemente el volumen sonoro. Así es normal un plano general de una feria de atracciones con ruidos estrepitosos cuyo nivel desciende cuando dos personajes protagonistas se encuentran y comienzan una conversación. También se juega con el contraste entre sonidos fuertes, voces, etc., y débiles, para diferenciar, por ejemplo, el carácter de unos personajes o una situación narrativa concreta.

La intensidad o nivel sonoro está relacionada, en su empleo audiovisual, con la distancia percibida, de forma que cuanto mayor sea la intensidad del sonido más cerca nos parezca que está la fuente productora del mismo. El *plano sonoro* tiene que ver con la gradación del nivel del sonido percibido y en este sentido podemos hablar de primer plano sonoro, plano sonoro en segundo término, etc., de forma similar a la escala de planos de imagen. Los diálogos de un personaje en primer plano tendrán más *presencia* que si se encuentra en plano general. Se trata de crear una correspondencia entre el tamaño del plano y la distancia sugerida por la voz. Pero existen muchas transgresiones de esta norma y es habitual presentar un gran plano general de unos personajes con su diálogo en primer término, tal y como si se encontraran a muy corta distancia de la cámara. Se trata de una subversión de la proporcionalidad entre el plano físico de la imagen y el plano sonoro rompiendo lo que podríamos denominar el grado de iconicidad sonora. Por otro lado, y en relación con el uso expresivo del nivel sonoro, podemos referirnos a los bruscos y extremados cambios de volumen (llamados cambios de *dinámica*) que pueden impresionar al espectador siempre y cuando la acción o la narración los justifique.

El *tono* es la cualidad de los sonidos que permite su distinción entre agudos y graves. Está determinado por la frecuencia.

La gama de frecuencias audibles se extiende entre los 16-20 hertzios, hasta los 20.000 hertzios comprendiendo los registros *graves, medios y agudos*, es decir, los tonos. Fuera de estas frecuencias (infrasonidos o ultrasonidos), no hay reacción auditiva humana.

La gama completa de sonidos se compone de algo más de diez octavas, entendiéndose por *octava* a un intervalo en el que las frecuencias fundamentales están en la relación 2:1.

Existen algunos instrumentos musicales, como el diapasón, que pueden producir tonos puros aunque la mayoría de los sonidos existentes son «tonos complejos» o series de diferentes frecuencias. Gracias al tono podemos diferenciar los distintos sonidos de la banda sonora de un filme. Por él diferenciamos la música de los ruidos sonoros ambientales o de la palabra.

El *timbre* es la característica del sonido que hace que, por ejemplo, los instrumentos musicales que interpretan una misma nota (una misma frecuencia), produzcan diferente impresión en el oído.

El timbre está determinado por el número e intensidad de los *armónicos* que acompañan a un sonido fundamental y es peculiar para cada fuente sonora. Los armónicos de una frecuencia fundamental son las ondas que acompañan a esa frecuencia y son siempre múltiplos de la fundamental; en el caso de que no lo fueran, los sonidos serían ruidos (vibraciones aperiódicas).

No existe sonido puro, desprovisto de armónicos. Todos los sonidos van acompañados de estos armónicos que son los que dan características diferentes a los sonidos emitidos por las distintas fuentes sonoras.

El timbre permite distinguir dos sonidos de la misma intensidad y tono y es un parámetro indispensable para distinguir la textura o «tacto» de un sonido.

Como componentes fundamentales del sonido cinematográfico, intensidad o nivel, tono y timbre interactúan para definir toda la textura sonora de una película.

14.4. Dimensiones del sonido

El sonido tiene también unas dimensiones derivadas del modo en que se relaciona con otros elementos del filme o programa. Según Bordwell y Thompson, el sonido ocupa una duración temporal, por tanto tiene un *ritmo*. Tiene también una determinada *fidelidad* según cómo se relaciona con la fuente visualmente percibida. Puede transmitir sensaciones que reflejen las condiciones *espaciales* en que se producen y, finalmente, posee una dimensión *temporal* por cuanto el sonido se relaciona con elementos visuales que tienen lugar en un tiempo determinado. Veremos a continuación con mayor detenimiento estas características dimensionales del sonido.

> El *ritmo* es un rasgo muy complejo del sonido e implica la existencia de un *compás*, de un *tempo* y de un sistema de *acentos* o compases más fuertes y más débiles.

Es en la música cinematográfica donde estas características pueden apreciarse con la mayor naturalidad dado que se trata de rasgos compositivos básicos. No obstante, los diálogos o los mismos efectos sonoros tienen también cualidades rítmicas distintivas.

Los usos rítmicos del sonido son inseparables del ritmo propio del montaje y, en la mayoría de las ocasiones, lo que se pretende es una cooperación entre los ritmos del montaje, los movimientos en el interior de las imágenes y el ritmo del sonido para construir un discurso audiovisual de máxima coordinación entre todos sus componentes básicos.

Aunque esta cooperación suele ser habitual, también puede darse el caso contrario, es decir, la búsqueda de una disparidad entre los ritmos del sonido, el montaje y la imagen. El ritmo del sonido puede establecerse a «contratiempo» de la imagen o incluso a lo que podríamos denominar «contrarritmo». Una opción muy empleada en el montaje de diálogos consiste en montar las escenas dialogadas de forma que vayan contra los ritmos visuales de una conversación natural. De esta forma podemos enfatizar, por ejemplo, la atención del personaje que escucha pudiendo contribuir, así, a la consecución de una mayor suavidad en los cambios de plano.

> Bordwell y Thompson consideran que la *fidelidad* del sonido no se refiere a la calidad de la grabación sino al grado en que el sonido es fiel a la fuente que le imaginamos.

Exponen el ejemplo de una película en la que viésemos a un perro ladrando y se oyera el sonido de un ladrido. En ese caso, el sonido sería fiel a su fuente. En cambio si la imagen del perro ladrando estuviera acompañada de un gato maullando, se produciría una disparidad entre la imagen y el sonido, una falta de fidelidad.

En los medios audiovisuales la fidelidad no es más que una cuestión de expectativas. El sonido del perro ladrando no tiene por qué ser el mismo del perro que aparece en la imagen. En otro orden de cosas, atribuimos verosimilitud a muchos sonidos que jamás hemos oído en la vida real como por ejemplo una pistola de rayos láser.

El cine cómico y los dibujos animados utilizan en muchas ocasiones la infidelidad del sonido para provocar efectos divertidos. En manos de un buen creativo la fidelidad o infidelidad del sonido puede ser una herramienta extraordinariamente sugerente.

Dado que el sonido procede siempre de una fuente posee una dimensión *espacial*. Si la fuente de un sonido es un personaje o un objeto perteneciente al espacio de la historia de la película, lo llamamos *sonido diegético*. Las voces de los personajes, los sonidos que crean los objetos de la historia o la música interpretada por instrumentos que aparecen en la historia son, todos ellos, sonidos diegéticos.

La música que se añade para realzar la acción de una película es el tipo más común de sonido *no diegético*. Este sonido procede de una fuente externa al espacio de la historia.

También es no diegético el narrador omnisciente, la voz incorpórea que nos proporciona información pero no pertenece a ningún personaje de la película.

Para Bordwell y Thompson, como sucede con la fidelidad, la distinción entre sonido diegético y no diegético no depende de la fuente real del sonido en el proceso de producción. Más bien depende de nuestra comprensión de las convenciones de la visión cinematográfica. Sabemos que determinados sonidos proceden del mundo de la historia, mientras que otros proceden del exterior del espacio de los hechos de la historia. Estas convenciones son tan comunes que normalmente no tenemos que pensar acerca del sonido que estamos oyendo.

El sonido diegético puede ser en *pantalla* o en *off* dependiendo de si la fuente está dentro o fuera de campo.

El sonido en *off*, como la imagen, puede sugerir un espacio que se extiende más allá de la acción visible.

También es sonido diegético cuando se utiliza el sonido para representar lo que está pensando un personaje. Oímos su voz aunque sus labios no se muevan.

El uso del sonido para penetrar en la mente de un personaje es tan común que necesitamos distinguir entre sonido diegético *externo* e *interno*. El sonido diegético externo es el que nosotros, como espectadores, consideramos que tiene una fuente física en la escena. El sonido diegético interno es el que proviene de «dentro» de la mente de un personaje; es subjetivo (los sonidos no diegético y diegético interno se denominan a menudo *sonidos over,* porque no proceden del espacio real de la escena).

Una característica del sonido diegético es la posibilidad de sugerir la *perspectiva sonora*. Se trata de la sensación de distancia espacial y localización análoga a las pistas para la profundidad visual y el volumen que conseguimos con la perspectiva visual. Un sonido fuerte tiende a parecer cercano, uno suave, distante.

Con la estereofonía podemos crear perspectiva sonora. Pasamos de izquierda a derecha o de derecha a izquierda de la pantalla. Las personas miran a un lado u otro de donde procede o va a proceder un sonido, etc.

La dimensión *temporal* del sonido permite al cineasta representar el tiempo de distintos modos ya que el tiempo que la banda sonora representa puede ser el mismo o no que el que la imagen representa.

El sonido puede ser *sincrónico* o *asincrónico*.

Cuando un sonido está sincronizado con la imagen, lo oímos al mismo tiempo que vemos la fuente sonora que lo produce. El diálogo entre los personajes normalmente está sincronizado para que los labios de los actores se muevan al mismo tiempo que oímos las palabras.

Pero el sonido puede ser asincrónico, a veces por un error en la proyección o en el trabajo de laboratorio, aunque algunos realizadores utilizan este efecto con fines expresivos, o simplemente para acentuar la comicidad de determinadas secuencias.

Bordwell y Thompson describen en la siguiente tabla las relaciones temporales y espaciales posibles entre la imagen y el sonido:

RELACIONES TEMPORALES DEL SONIDO EN EL CINE

Relación temporal	Espacio de la fuente	
	Diegético (espacio de la historia)	No diegético (espacio de la no historia)
1. No simultáneo: sonido *anterior* en la historia que en la imagen.	*Flashback* sonoro; *flashforward* de la imagen; solapado de sonido.	Sonido señalado como pasado sobre la imagen (por ejemplo, sonido de un discurso de John F. Kennedy sobre imágenes de Estados Unidos de hoy).
2. Sonido *simultáneo* en la historia y en la imagen.	*Externo*; diálogos, efectos, música. *Interno*: pensamientos del personaje que se oyen.	Sonido señalado como simultáneo con las imágenes sobre la imagen (por ejemplo, un narrador describiendo los hechos en tiempo presente).
3. No simultáneo: sonido *posterior* en la historia que en la imagen.	*Flashforward* sonoro; *flashback* de imagen con sonido que continúa en el presente; el personaje narra hechos anteriores; solapado de sonido.	Sonido señalado como posterior sobre la imagen (por ejemplo, el narrador que recuerda de *El cuarto mandamiento*).

14.5. Componentes de la banda sonora

La banda sonora de un filme o programa audiovisual se puede componer por uno o por varios de los siguientes elementos sonoros:

1. La *palabra,* en forma de comentario o en forma de voces o diálogos sincronizados.
2. La *música.*
3. Los *efectos sonoros y ambientales.*
4. Consideramos, también, por su valor expresivo, el *silencio.*

14.6. La palabra

Es, para muchos, el recurso sonoro por excelencia. Cuando en 1927 surgió el cine sonoro con *El cantor de jazz* (The Jazz Singer, 1927), muchos cineastas lo rechazaron convencidos de que con la palabra se acabaría el arte de contar historias con imágenes. En un principio así fue. Las primeras películas sonoras abusaron de la novedad que suponía la introducción de este recurso y se convirtieron en verdaderos tormentos de charlatanería. Eisenstein definía su posición con esta rotundidad: «Estoy en contra de las películas habladas, que creo una forma transitoria y una falsa forma».

El cine mudo, tras treinta años de existencia, tenía unas normas magníficamente definidas. El lenguaje exclusivo con la imagen se había desarrollado hasta el punto de sustituir con eficacia la necesidad del acompañamiento sonoro en muchas situaciones. Con la llegada del sonoro, los intérpretes protestaban porque en muchas ocasiones su imagen no se correspondía con la tonalidad de su voz. Algunos directores como Chaplin se opusieron visceralmente hasta finales de la década de los treinta. La producción sonora complicaba técnicamente sobremanera las formas de filmación (el sonido era en directo y era preciso acondicionar acústicamente las cámaras para que no produjesen ruido, restando posibilidades de movimiento de cámara). La política de patentes en los aparatos de grabación imposibilitaba, por su elevado precio, la producción a empresas de escaso presupuesto. Se ponía fin a la internacionalización del cine que, salvo en el cambio de títulos escritos, tenía un lenguaje universal. Las nuevas técnicas, no obstante, se impusieron con rapidez y encontraron su papel y su equilibrio. Por su propia naturaleza, imagen y sonido estaban condenados a entenderse.

La presencia del sonoro comportó, dado que la música había acompañado al cine desde sus inicios, la presencia de la palabra (frente al arte de la pantomima y la gesticulación propios del cine mudo). El uso más frecuente de este recurso es el diálogo articulado por la presencia de unos intérpretes que interactúan, las más de las veces, dialogando. Existen, por supuesto, otras aplicaciones sonoras como el comentario o «voz en *off*», discurso en tercera persona y sin presencia del narrador en la imagen que se emplea con profusión en documentales o filmes de ficción y también cuando en estos últimos un personaje monologa o reconstruye su trayectoria anterior en forma de *flash-back*. La palabra está también presente en forma de canción o, con un protagonismo absoluto, en los filmes del género «musical» donde el argumento avanza gracias a la letra de los temas interpretados.

La palabra es un elemento privilegiado de la imagen audiovisual por su gran poder significativo. En general, se considera que en el discurso audiovisual bien construido no deberá primar ningún elemento por encima de otro, sino concurrir por un juego de interrelaciones en la significación del filme o programa.

1. El comentario

Llamado también «voz en *off*», es una expresión verbal que explica lo que la imagen no puede aclarar por sí misma al espectador. Se trata de un complemento eficaz del relato visual aunque siempre tiene que ser este último quien desarrolle la historia.

La voz en *off* de origen exterior al cuadro de la imagen es un elemento de tremenda fuerza dramática ya que, de la misma forma que sucede en el fuera de campo o espacio en *off*, puede promover en el espectador el factor de la fantasía y su proyección en el campo visual.

El comentario puede venir de un narrador impersonal (utilizado especialmente en las producciones documentales) o de un narrador más literario capaz de dar un determinado sentido a sus palabras con el uso de inflexiones, modulaciones, tono y timbre específicos.

En los documentales, al igual que en los productos de ficción, la palabra no debe constituir nunca un elemento de redundancia sistemática respecto a lo que muestra la imagen. Ello supondría minusvalorar las posibilidades comunicativas de la imagen y del sonido pudiendo llegar a provocar sensación de tedio en el espectador.

Se considera que los atributos principales del comentario son:

a) Proporcionar datos o informaciones que ayuden a hacer más comprensible el desarrollo del filme.
b) Conseguir un clima conveniente para introducir o culminar una temática.
c) Guiar la atención del público para enseñarle aquello que interesa destacar.
d) Servir como recurso de transición entre diferentes aspectos temáticos del relato fílmico.

Los géneros informativos de cine y televisión recurren generalmente a la voz en *off* de un locutor o del propio periodista que presenta la información. En estos casos, el sonido directo goza de gran credibilidad y veracidad para el espectador.

Muchos filmes y programas disponen del soporte de un narrador para ampliar conceptos informativos o para orientar al espectador sobre temas difíciles de exponer con la presentación exclusiva de imágenes. En general, en estos casos, el texto del comentario se prepara esquemáticamente en la fase de construcción del guión y después, en el montaje, se realiza el ajuste con el fin de sincronizarlo con la exposición visual.

El texto de la voz en *off* tiene que ser «hablado» y no «escrito». Se ha de componer pensando que será escuchado y ha de tener en consideración los condicionantes que impone el medio utilizado. Así, será aconsejable que emplee frases cortas y de construcción sencilla; que no haya terminología retórica; que la exposición sea concisa e ilustrativa; que el texto mantenga una perfecta relación con la imagen; que existan pausas que permitan la intercalación de otros sonidos o del silencio; que concentre la atención del espectador, etc.

La mayor parte de estas recomendaciones están basadas en las normas de sobriedad y corrección propias del buen gusto. Pero la efectividad del comentario dependerá fundamentalmente de la profesionalidad del narrador y de su adaptación al sentido del filme o programa. El narrador deberá identificarse con el tema para poder imprimir un sentido de convicción a sus palabras. Las características del tema tratado aconsejarán la elección de un estilo más juvenil, más serio, más impersonal, más o menos autoritario o convincente, etc.

Se hace evidente, por tanto, la dificultad de improvisar narradores lo que con relativa frecuencia se acostumbra a hacer en el campo amateur con sus consecuentes desencantadores resultados.

2. Las voces y los diálogos sincronizados

La acción y el diálogo son los pilares más importantes del guión. Por eso, en general, el diálogo es un componente principal de la banda sonora. La línea narrativa de la mayoría de los filmes se apoya en el diálogo o en manifestaciones verbales sincronizadas. Claro que estos elementos incluidos en la banda de sonido no se extienden siempre a lo largo de todo el filme, pero añaden realismo y riqueza a la obra cinematográfica y aseguran una variación continua de la banda sonora.

Gutiérrez Espada señala dos misiones principales para el diálogo: por una parte, *completa la acción,* añadiendo más a la imagen o preparando la acción futura para su mejor comprensión, por otra, explica el personaje, *lo caracteriza.* El diálogo audiovisual puede ser bueno, aunque no añada nada a la acción de la imagen, si contribuye a caracterizar al personaje.

Los diálogos tienen que poseer determinadas características para ser efectivos y cumplir su misión. Exponemos, seguidamente, algunas:

a) Han de escribirse y construirse de forma que contribuyan a perfilar y dibujar temática y psicológicamente a los personajes.

b) Han de ser visualizadores, explicando, perfectamente, aquello que no se aprecia con claridad o que no se puede ver de ninguna manera.

c) Han de supeditarse siempre a la imagen.

d) La palabra nunca debe repetir la acción. Sería una redundancia inadmisible.

e) Tienen que ser siempre esenciales y tienen que poseer acción.

f) Serán más cinematográficos cuanto más se ajusten a la acción.

g) No deben dar toda la información al espectador. Son más sugestivos si son sugerentes.

h) En general, no deben ser literarios, sino cinematográficos.

Margarita Schmidt distingue dos aspectos fundamentales en el estudio de los diálogos:

- Los *diálogos de comportamiento*. Aquellos que de forma directa expresan los personajes en una determinada situación. Surgen de la propia acción y no manifiestan pensamientos, valores y posturas ideológicas de forma explícita aunque la acción y las palabras definan al espectador las características de los personajes.
- El *diálogo de escena*. Informa sobre los pensamientos, los sentimientos e intenciones del protagonista. Es el diálogo típicamente teatral. En el lenguaje audiovisual será válido cuando, como en el caso anterior, surja de la propia acción. Por ejemplo, una discusión, un sermón o un discurso de un político. Si no es así, resulta totalmente artificioso e inadecuado.

14.7. El sincronismo labial y el doblaje

Los diálogos y las voces sincronizadas plantean el problema de mantener un perfecto *sincronismo labial* de forma que exista una correspondencia visual entre el movimiento de los labios de la persona que habla y la duración de su discurso.

Este problema no existe cuando se utiliza la técnica del *sonido directo*. Pero en un elevado número de filmes, en directo se recoge tan sólo un *sonido de referencia* que sirve exclusivamente para la postsincronización posterior que se realizará en la sala de doblaje. Es en este recinto, una vez se dispone del filme o programa videográfico ya montado, donde se procede al *doblaje* del filme.

El sonido directo conlleva algunas dificultades. Es imposible eliminar los ruidos o voces parásitos (cláxones, truenos, aviones), tampoco pueden graduarse los volúmenes respectivos de las diferentes fuentes de sonido que en ocasiones se «empastan» o resultan inaudibles; presenta también el problema de la colocación de los micrófonos que deben prepararse de manera que no obstaculicen el registro de imágenes, lo que no siempre es tarea fácil. Además, los micrófonos no deben registrar el zumbido del viento en exteriores, etc.

El sonido doblado o *postsincronizado* resta espontaneidad a la dicción aunque lo que se pierde en espontaneidad se gana en control de la parte verbal de la interpretación y en la calidad técnica del registro. Este tipo de sonido permite una mayor creatividad. Pueden trabajarse separadamente las distintas bandas con mayor independencia, limpieza y recursos de los que permite la grabación directa. El doblaje puede corregirse, modificarse, hasta la consecución de lo que el director desea.

Normalmente, el actor que habla en una película es el mismo que vemos en pantalla, pero, por distintas razones, no siempre es así. A veces, se contrata a un actor extranjero por su físico, por su forma de interpretar o por las exigencias contractuales de una coproducción. En esos casos sólo quedan dos opciones: o se adapta el papel a las características idiomáticas del actor o se le dobla la voz con la de un actor del país.

Tanto en este caso como cuando se procede a la realización de doblaje entendido como traducción de un filme o programa a otra lengua, es fundamental conseguir un perfecto sincronismo labial, proceso lento y difícil apoyado, progresivamente, por nuevos sistemas técnicos que facilitan la consecución de esta sincronización.

Uno de los grandes peligros del doblaje es que pueda ser utilizado por cualquier tipo de *censura* para alterar los diálogos y cambiar, así, el sentido del filme original.

Existen múltiples ejemplos en la historia del cine en que, por razones morales o políticas se ha cambiado el sentido de determinadas frases o fragmentos que, en el peor de los casos, han convertido en incomprensible la esencia del relato. No obstante, aun sin problemas de censura, no es fácil respetar el original en un doblaje. Todos los traductores conocen las dificultades para encontrar la palabra exacta para traspasar ciertos términos de una a otra lengua. En los medios audiovisuales el problema se agrava por la necesidad de mantener el sincronismo labial de forma que se produzca un perfecto *encaje*, pero, además, se suma la dificultad de respetar los ritmos, acentos y entonaciones del original lo que, como es obvio, no siempre se consigue.

La libertad en el montaje que poseía el cine mudo ha estado condicionada desde la aparición de las escenas dialogadas. En el momento en que existen personajes que hablan y que son vistos por el espectador, se hace preciso estructurar una planificación que respete la sincronía necesaria entre lo que se ve y lo que se escucha. Así, el montador ve limitada su libertad para empalmar allí donde más le conviene.

El montador recibe, las más de las veces, un material en bruto que debe estructurar decidiendo la duración de las pausas y si el silencio debe establecerse sobre la imagen de quien acaba de hablar o sobre la imagen de quien va a hacerlo. Las pausas entre frase y frase, y su duración constituyen uno de los principales caballos de batalla que marcan la existencia de un mayor o menor grado de dinamismo del diálogo.

Ver siempre y en todo momento en pantalla a los personajes que hablan puede resultar monótono. Para evitarlo se recurre a un procedimiento que en EE. UU. se denomina *sound flow*. Esta técnica consiste en montar un diálogo, o parte del mismo, sobre una imagen que no corresponde a quien la pronuncia.

Este recurso se emplea, en ocasiones, para adelantarse a una nueva secuencia de forma que mientras contemplamos el final de una secuencia ya escuchamos la voz del personaje que interviene en la siguiente. De forma inversa, la voz de un intérprete se prolonga, a veces, hasta el primer plano de la posterior secuencia.

La técnica del *sound flow* también se aplica a personajes que conversan entre sí. De esta forma, el final de un parlamento lo escuchamos sobre la imagen del interlocutor favoreciendo, así, la fluidez de su réplica. En determinadas circunstancias puede ser más interesante captar la reacción del que escucha que mantener el plano de imagen sobre la persona que habla.

En ciertas producciones, especialmente en la grabación/filmación de música y canciones, se utiliza la técnica del *playback*, método de registro de características opuestas al doblaje. La técnica consiste en grabar primero, en las mejores condiciones acústicas, la música y la canción. Más tarde, en el rodaje, esta grabación sonora se reproduce en el plató para que los artistas consigan, con la técnica del mimo, el sincronismo labial con el tema emitido.

El uso de esta técnica permite conseguir una mejora de la calidad del sonido, pues elimina problemas de control acústico. También libera, en cierta medida, al personaje al concederle la máxima libertad de movimientos.

El *playback* permite conservar la pureza y fluidez sonora, aunque los registros de imagen se efectúen en lugares plagados de ruidos parásitos o inaccesibles.

14.8. La música

La música es un extraordinario medio para ser asociado a la imagen fílmica o videográfica, pues presenta atributos muy variados que contribuyen a la apreciación de la obra para el espectador. Ayuda a la identificación con la trama ya que es un excelente vehículo para la creación de climas convenientes. Su intervención da fluidez al desarrollo de los acontecimientos, y su combinación con el narrador constituye una forma clásica para ayudar a expresar un comentario. Es muy eficaz como recurso para exponer situaciones sin explicación verbal, para introducir o culminar una exposición y para puntuar una acción o para marcar una transición.

La música ha sido, desde los inicios del cine sonoro, la parte más arbitraria de la banda sonora. Cuando no se integra en la narración, ya sea interpretada en vivo por personajes o escuchada por medio de un aparato reproductor de sonido, su grado de arbitrariedad, en el sentido de libertad de uso no unívoco respecto a las imágenes, es total.

1. Música diegética y no diegética

La música, en el discurso audiovisual, puede surgir desde la misma acción. Esta música, llamada *diegética* o *narrativa*, surge de la propia escena y tiene, en principio, un carácter realista cumpliendo, como tal, la función de recrear el entorno de los personajes profundizando en su personalidad.

Esta música es la procedente de fuentes sonoras presentes o latentes en la pantalla, así cuando un personaje pone en funcionamiento una cadena musical, conecta un sintonizador de radio, o cuando un intérprete u orquesta en pantalla ejecuta una pieza o un tema musical. Algunos autores consideran que este tipo de música quizá sería más acertado incluirla en el apartado de efectos sonoros.

La música diegética puede emplearse también como recurso dramático, así cuando se usa como una antelación de acontecimientos e incluso como *leitmotiv* musical del discurso. En estas utilizaciones, estará más justificada desde dentro de la propia ficción que si se empleara música no diegética.

La música diegética puede cumplir una función de contrapunto dramático, estableciendo pequeños quiebros en el relato. Puede suponer un complemento extraordinariamente eficaz en los momentos en que se hace necesaria una cierta interrupción dramática para romper la tensión, para desplazarla hacia otros nudos dramáticos o para encaminarla hacia la resolución del tema.

Para Margarita Schmidt, en la capacidad de la música para motivar estados de ánimo se encuentra su peligro y sus grandes posibilidades estéticas. Por ello, la música diegética, al tener que surgir del propio desarrollo de la acción, limita las posibilidades de manipular asociaciones imagen-sonido con sensaciones de tipo inconsciente o efectista. El espectador mantiene un control mayor al producirse el efecto por una causa determinada y ante su mirada.

La música diegética requiere de los creadores del discurso un mayor esfuerzo creativo pues debe de adaptarse a las necesidades concretas de cada relato. Por esta razón es frecuente que se encuentre menos estereotipada o codificada como ocurre en los estereotipos musicales de los melodramas o en la creación de suspense, por ejemplo.

> La música *no diegética* es la que no surge motivada desde dentro de la acción. Es la que se inserta en la banda sonora con objeto de conseguir unos determinados efectos estéticos o funcionales.

Como sucede con la música diegética, la música no diegética puede ser utilizada de forma coherente con las imágenes como un contrapunto para conferir a la escena una más profunda significación. Pero el empleo de música no diegética es más sencillo para esta finalidad que la utilización de música diegética ya que no es preciso que cumpla el requisito, muchas veces difícil, de surgir de la propia acción. Por otro lado, la solución de usar música no diegética tendrá siempre un carácter menos realista que en el caso de la utilización de música diegética.

La música no diegética, también llamada *música en off* se ha convertido en un elemento insustituible que forma parte integrante de la carga expresiva de cualquier filme o programa. Es una convención, dado que en la vida real no existe este contrapunto en nuestras acciones. Por otra parte, es inseparable de la historia del cine pues antes de la aparición del cine sonoro, desde los inicios, ya se empleaba como acompañamiento de la proyección cinematográfica merced al concurso de un pianista o de una orquesta.

Margarita Schmidt señala algunas de las funciones que puede cumplir la música no diegética. Sin ánimos de exhaustividad señala las siguientes:

1. La función de *refuerzo* se efectúa, con frecuencia, asociando a la imagen una melodía o, en su caso, un *leitmotiv* que, en forma de paráfrasis, relacione los sentimientos evocados por la música con el tema representado en la imagen visual. La técnica del *leitmotiv* actúa creando esquemas musicales en los que el oyente puede reconocer figuras, sentimientos y sím-

bolos y el factor empleado en esta técnica es la repetición de un motivo en diferentes situaciones del desarrollo dramático creando, así, una asociación entre el motivo musical y una determinada situación.

La *melodía* es una composición apropiada para acompañar el desarrollo de las imágenes. Por su sencillez hace posible adivinar los acordes que se concatenerán sucesivamente. De esta manera, la melodía se hace fácilmente reconocible por el espectador que puede percibir, sin sorpresa ni dificultad, el tipo de clave emocional en que llega el discurso (melancolía, alegría, amor, etc.).

La función de refuerzo puede estar también dirigida hacia la creación de atmósferas o de ambientes históricos en paralelo con otros elementos como la iluminación y el vestuario.

2. La música encuentra también una función de enlace entre diferentes planos o secuencias. Puede ser enlace de dos acciones o nudos dramáticos, aportando una tensión emocional a los intermedios descriptivos. O, en otra línea, unir significativamente imágenes del recuerdo o premoniciones con la acción o sucesos del presente. Con esta función de enlace, la música contribuye a homogeneizar el contenido de planos distintos.

2. El poder evocador de la música

En general, la banda musical de las producciones audiovisuales tiene dos fuentes de origen: la *composición* concebida por un filme concreto o la *selección y montaje de registros de archivo*.

En los medios audiovisuales se ha introducido todo tipo de música clásica y moderna, con resultados sorprendentes. La música ha salido también beneficiada de esta colaboración. Las bandas sonoras de numerosos filmes han constituido éxitos por sí mismas y se comercializan al margen de las producciones audiovisuales para las que han sido construidas.

La música en los medios audiovisuales no se puede valorar sin considerar la dialéctica que se establece con el silencio, la tensión o expectativa que generan sus apariciones y desapariciones, la interrelación con los restantes elementos de la banda sonora, ruidos y palabras a las que precede, sigue o se sobrepone. En última instancia, cobra su verdadero sentido en la imbricación con la narración mostrada en la banda de imágenes. En cualquier caso —con la excepción de los videoclips y de los programas musicales—, la banda de música debe estar muy ligada a la imagen, sirviendo como complemento de ésta.

No obstante, ya en 1944, el compositor Hanns Eisler y el filósofo T. W. Adorno, analizando la relación entre cine y música, se refirieron a la abusiva subordinación a la imagen que tenía la música, así como al uso excesivamente tipificado, codificado y tópico que con demasiada frecuencia se hacía de la misma como medio para llenar lagunas de guión, montaje o interpretación; como ilustración de estados de ánimo de los personajes o como forma de marcar el tono de determinadas situaciones, trivializando el intento propio del romanticismo de llegar a un «lenguaje universal de las emociones»; como utilización acrítica de motivos populares del país o época donde transcurre la acción y, por último, como recurso reiterado de identificación de determinadas situaciones con composiciones preexistentes.

Afortunadamente, la evolución de los medios audiovisuales ha llegado a un punto de equilibrio entre el componente visual y sonoro que haría que los autores citados no se expresasen, probablemente, con la misma rotundidad. No obstante, su reflexión sigue siendo válida como recordatorio de lo que no debe hacerse en la relación imagen/sonido.

Los medios audiovisuales se sirven de la capacidad que tiene cualquier espectador, sin necesidad de ser un melómano, para distinguir diferentes clases de música, la de concierto de la popular, la clásica de la moderna, la folklórica de la ligera, etc., e incluso del poder de identificación de la localización, el continente, la cultura y el país de origen. Con esta cultura primaria el espectador identifica unos arquetipos que el cine ha utilizado para acompañar a la imagen potenciándola y ambientándola.

Cuando se prepara la banda sonora de una producción audiovisual, en el propio guión, el compositor o adaptador musical marca aquellos pasajes donde la música tiene un papel importante y selecciona el estilo de música más adecuado: pastoral, dramático, misterioso, suspense, mecánico, etc. En este sentido, Hitchcock afirmaba: «Cuando acabo el montaje de un filme, dicto siempre a una secretaria un verdadero guión de efectos sonoros. Visionamos el filme y voy dictando todo lo que quiero escuchar».

3. Técnicas de acompañamiento musical

La elaboración de un acompañamiento musical puede variar mucho según los casos, pero depende de una serie de técnicas que se utilizan en la concepción o adaptación musical para reforzar una obra fílmica o videográfica. Souto indica algunas de estas técnicas generales que recomienda no tomarse estrictamente.

1. Las producciones audiovisuales suelen ser introducidas con un efecto musical que prepara mentalmente al público para la temática que se expondrá. A menudo, esta música de presentación consiste en una serie de acordes de apertura o en el prólogo del tema que después se desarrollará.
2. El epílogo de un filme se refuerza también con efectos musicales que dan la tónica de culminación de un relato. La imagen por sí misma no siempre puede transmitir la sensación de que finaliza una historia.
3. Los mejores efectos de la música en el cine se alcanzan mediante una banda musical de acción intermitente y entrelazada con otras bandas de sonido. Los temas deben ofrecer variaciones en notas o instrumentos y los ritmos han de ser adecuados a las imágenes que complementan.

4. La introducción o la repetición de un tema puede partir de una semejanza con la banda de efectos sonoros o de un vocalista sincronizado. Así, un efecto de percusión mecánica puede introducir una marcha sincopada, y un silbido o tarareo puede ser el preludio para indicar un nuevo tema musical.

5. El acompañamiento musical no está subordinado al plano de la imagen, sino a aquello que la imagen contiene. Puede, por tanto, acompañar cualquier combinación de planos siempre que éstos mantengan una unidad visual. Las transiciones de la música, como las de la imagen, se hacen por encadenamiento de temas, fundidos, o combinación con otros efectos sonoros.

14.9. Los efectos sonoros y ambientales

El ruido, los efectos sonoros y ambientales, contribuyen a la sensación de realismo tanto como la voz humana. El universo de pequeños sonidos que acompañan la vida cotidiana puede estar presente en un filme para conseguir transmitir una máxima sensación de realidad.

Un filme *de acción* sin estos elementos perdería gran parte de su significado. Los ruidos subrayan la acción y evocan imágenes. Poseen un valor expresivo propio que se añade al de la imagen y la palabra. En ocasiones sirven para efectuar transiciones imposibles de conseguir visualmente.

Como punto de partida puede afirmarse que en la búsqueda de un realismo audiovisual en consonancia con la vida ordinaria, todos y cada uno de los ruidos ambientales que existen en la realidad deberían quedar recogidos en la banda sonora de un filme o programa. Pero lo cierto es que hay ruidos que nos pasan completamente desapercibidos porque nuestra atención se dirige en una dirección distinta, otros ruidos pueden ser percibidos pero no les prestamos atención con lo que pasan a un segundo plano cercano a su inexistencia perceptiva. Existen, finalmente, algunos que captan nuestro interés de tal forma que pueden ser determinantes consiguiendo excluir a los demás.

En las primeras filmaciones sonoras cinematográficas existía la costumbre de grabar casi todos los ruidos que el micrófono pudiera captar. Lo curioso es que el esfuerzo por reproducir directamente la realidad daba, curiosamente, una sensación de irrealidad pues no se producía lo que podríamos denominar una *discriminación inteligente*. La conclusión es que los sonidos, como las imágenes, deben ser elegidos.

Por tanto, merecerá la pena distinguir entre lo que Borrás y Colomer denominan *realismo objetivo integral* que recoge aquellas reproducciones sonoras estrictamente físicas y el *realismo subjetivo de un oyente determinado* que se corresponde con reproducciones sonoras del tipo psicológico.

Pero como la narrativa audiovisual se apoya tanto en muestras objetivas como subjetivas, la construcción de la banda sonora de un filme o programa hará uso de ambos niveles recogiendo, objetiva o subjetivamente la realidad sonora según como decida el realizador. Aplicado al lugar que ocupan los ruidos y sonidos ambientales en la banda sonora, ello significa que a veces efectuaremos una reproducción total o parcial de los ruidos según hacia dónde queramos dirigir la sugestión auditiva del espectador.

> La banda de ruidos y efectos sonoros puede manipularse a voluntad del director, incluyendo o eliminando sonidos, subiendo el nivel natural de los mismos, o rebajando voluntariamente su nivel según las exigencias expresivas de la producción.

Por otro lado, es preciso considerar el hecho de que la banda de ruidos y efectos sonoros puede recoger dos tipos de fuentes sonoras: aquellas físicamente constatables, es decir, que se encuentran presentes en pantalla de forma ostensible y las que pueden considerarse latentes, ruidos que provienen del fuera de campo o espacio *off*.

También es relativamente habitual la utilización de ruidos que no tienen nada que ver con la imagen que aparece en pantalla al objeto de provocar determinadas reacciones en el espectador. La banda sonora del filme *El exorcista* (The Exorcist, 1972) incluía, en ciertas escenas, un zumbido de abejas que no se correspondía en absoluto con la acción. Este zumbido servía, no obstante, para suscitar una instintiva reacción de inquietud en el público espectador.

Desde los comienzos del cine sonoro, la posibilidad de que pudieran escucharse toda clase de *ruidos* ha servido de base para el desarrollo de los diferentes géneros cinematográficos. Es difícil imaginarse, por ejemplo, el cine de gángsters sin el complejo mundo sonoro que lo acompaña: sonidos de pistola, sirenas de policía, ambiente de locales nocturnos, persecuciones de coches, etc. Rápidamente se descubrió el recurso de utilizar el sonido como sustituto de acciones desarrolladas fuera de campo. La cámara puede mostrar el principio de una discusión y alejarse seguidamente mientras se oye el estruendo armado por el desarrollo de una pelea. El sonido de un disparo nos informa sobre un asesinato que acaba de cometerse, etc.

El ruido como sugeridor de atmósferas, ambientes y *decorados sonoros*, capaz de imprimir a las producciones estilos propios y diferenciados, es un recurso cuyo papel se está revalorizando continuamente. Estas atmósferas auditivas son cada vez más significativas y la tecnología ha venido a facilitar su creación. La reducción de ruido no deseado que se consigue con la generalización del *sistema Dolby* ha hecho posible trabajar con frecuencias más bajas sin afectar a las altas con lo que se ha conseguido introducir una extrema precisión de matices que antes de su aparición estaban fuera del alcance de los sistemas cinematográficos y videográficos.

> La separación de pistas permite también introducir el efecto de direccionalidad del sonido. El personaje situado a la izquierda emite su sonido desde la parte izquierda de la pantalla y si se sitúa a la derecha del encuadre, de allí proviene su voz. Se consiguen, así, atmósferas auditivas que pueden llegar a ser espectacularmente envolventes.

Expresivamente, la valoración del peso que los efectos sonoros ambientales deben tener, proporciona numerosas posibilidades creativas ya que, a veces, se buscará el reflejo de la «realidad» de la fuente sonora productora del ruido; en otras, el enriquecimiento de un ambiente determinado; en ocasiones se tratará de demostrar que el ruido ambiente, por ejemplo, se superpone sobre una conversación que quedará interrumpida para el espectador. En suma, el realizador dispone de la posibilidad de establecer equilibrios o desequilibrios sonoros en la construcción de la banda de sonidos puestos al servicio del avance de la narrativa y del control de las emociones del espectador.

Los efectos de sonido ambiental en una producción cumplen mejor su cometido cuando su presencia no es constante a lo largo del filme o programa. Esta aparición y desaparición continua, alternada con las otras bandas de sonido, despierta el interés en el espectador, pues se traduce en una renovación constante de las aportaciones del sonido.

Tal como sucede en el montaje de las imágenes, la compaginación del sonido requiere la adopción del método de contraste para conseguir el máximo rendimiento. El contraste sonoro se puede conseguir por una oposición de volúmenes, por diferencias tonales, por cambios de compás o contrapuntos de diferente tipo. Los sonidos ambientales permiten, incluso, añadir nuevos recursos como la oposición de planos sonoros.

Con frecuencia, los sonidos ambientales no son directamente registrados de la fuente productora. En gran parte de los casos, muchos de los efectos sonoros se alcanzan por medios artificiales o se recurre a obtenerlos de colecciones de discos con una gama interminable de efectos o de archivos particulares propios de los laboratorios de sonido. Ruidos de motores, relojes, campanadas, rugidos, vidrios rotos, tempestades marinas, gritos de multitudes, timbres, pasos, etc., se encuentran registrados en archivos sonoros y constituyen un material apto para, en el proceso de construcción de la banda sonora, armarla creativa e imaginativamente. Los archivos sonoros permiten ampliar extraordinariamente las perspectivas de cualquier campo: realista o no realista.

Ciertos efectos sonoros requieren, con frecuencia, la existencia de un perfecto sincronismo con la imagen. Es el caso de una puerta que se abre, una persona caminando sobre un pavimento ruidoso, el galopar de unos caballos, etc. Para situar estos sonidos sincronizados se procede de forma similar al doblaje, es decir, simultáneamente a la proyección de un trozo (take) de película, un técnico especialista de sonido reproduce, generalmente con medios mecánicos, los efectos precisos en el momento que se corresponde.

Algunas producciones de largometraje emplean un elevado número de bandas para incorporar todos los efectos sonoros necesarios. Así es posible controlar el tono y el volumen de cada sonido para obtener una gran limpieza en el resultado final. Tanto en el cine de cortometraje como en muchas producciones videográficas de más bajo presupuesto ha de reducirse el número de bandas restando una cierta calidad al producto final.

14.10. El silencio

El silencio forma parte de la columna sonora, bien como pausa obligada que se establece entre diálogos, ruidos y músicas, bien como recurso expresivo propio. Cuando se emplea en este último sentido, el guionista ha de señalarlo expresamente en el guión. Si el silencio se introduce bruscamente añade dramatismo, expectativa, interés a la imagen. Los silencios han de justificarse por exigencias de la naturalidad en el desarrollo de la historia, o porque se introducen como un elemento narrativo y temático.

Los filmes o programas construyen un contexto habitualmente sonoro y por ello, la ausencia de sonidos, o las pausas, contribuyen a condicionar determinadas situaciones, muchas veces de angustia con una gran eficacia dramática cuando se emplea con corrección.

El silencio es un recurso sonoro normalmente mal explotado. Muchos realizadores parecen temerlo y es habitual encontrarnos con bandas sonoras, especialmente en los campos industrial y documental, en los que en ningún momento se hace uso de este recurso expresivo.

El director de cine francés Robert Bresson, gran defensor de este elemento sonoro afirma: «Lo más hermoso es el silencio, aunque no un silencio cualquiera. Para que tenga intensidad, el silencio debe ser preparado cuidadosamente...».

En esta misma línea de considerar al sonido como un recurso sonoro de gran valía V. F. Perkins dice: «Sólo con el color como fuente disponible podemos considerar el uso de la fotografía en blanco y negro como el resultado de una decisión artística consciente. Sólo en el cine sonoro puede utilizar el director el silencio para conseguir un efecto dramático».

La polución sonora de nuestro entorno nos ha acostumbrado tanto a la percepción del ruido que la utilización del silencio (sobre todo si es prolongado) constituye un recurso expresivo provocativo e inquietante.

Se puede decir con seguridad que, en muchas ocasiones, el silencio es más expresivo que la palabra y de una eficacia mayor que el mismo soporte musical.

14.11. La combinación del sonido

La banda sonora, como sabemos, está compuesta de *palabra, música, efectos sonoros* y, por ausencia de sonido, *silencio*, aunque a veces un sonido puede traspasar categorías. Los directores y realizadores han jugado siempre con estas ambigüedades en la construcción de bandas sonoras para sus producciones. De hecho, aunque normalmente no somos tan conscientes de las manipulaciones de la banda sonora, ésta requiere tanto control y elección como la imagen.

El montaje y construcción de la banda sonora es muy similar al montaje de imágenes. En el proceso constructivo se eligen los fragmentos sonoros más adecuados e incluso se introducen fragmentos sonoros no procedentes de la grabación. De la misma forma que existe la manipulación óptica, química y electrónica de la imagen existe, también, la manipulación de los sonidos para alterar sus características acústicas, pasarlos a primer plano, reducirlos a niveles inferiores, sobreponerlos con otros sonidos, etc.

De lo que se trata es de guiar la atención del espectador, o sea, clarificar y simplificar la banda sonora para que destaque el material importante. En general, el proceso es: el diálogo, el transmisor de la información de la historia, se graba y se reproduce por lo general con el fin de que tenga la máxima claridad. Las frases importantes no tendrán que competir con la música o con el ruido de fondo. Los efectos sonoros son, normalmente, menos importantes. Proporcionan la sensación global de un entorno realista y apenas se advierten; sin embargo, si se omitieran, el silencio sería molesto. La música está subordinada al diálogo, entrando durante las pausas en los diálogos o efectos.

Por supuesto que esta jerarquía es perfectamente alterable. En las secuencias de acción, los efectos sonoros son fundamentales, como la música es protagonista en las secuencias de bailes, en las secuencias de transición o en los momentos cargados de emoción mientras dialogan los personajes.

En la creación de una banda sonora, el director o realizador debe seleccionar sonidos que desempeñarán una función concreta proporcionando, mediante su selección y combinación, un entorno sonoro más claro y simple que el de la vida «real». No olvidemos que nuestra percepción elige, entre los múltiples sonidos que nos envuelven, aquellos que en un momento concreto son más útiles.

El micrófono capta todo el sonido que su capacidad o características técnicas le permiten y no discrimina, no es selectivo como nuestro sistema perceptivo. Todas las posibilidades técnicas propias de un estudio de postproducción de sonido, los blindajes de la cámara que absorben el sonido del motor, los micrófonos direccionales y con protección, la ingeniería de sonido y el montaje, los archivos de sonido, las inmensas capacidades de los programas informáticos de postproducción sonora se ponen al servicio de los creadores para que puedan elegir con exactitud aquellos sonidos que requiere la banda sonora. En muy escasas oportunidades se colocará un micrófono en una escena para captar el sonido ambiente ya que difícilmente será lo suficientemente selectivo para captar lo más significativo de la escena.

El sonido se utiliza con profusión, de forma no realista, para dirigir nuestra atención a lo que es narrativa o visualmente importante.

La banda sonora no hay que considerarla como un grupo de diferentes unidades sonoras, sino como una corriente continuada de información auditiva.

Una banda musical bien construida puede crear, desarrollar y asociar motivos que forman parte del sistema formal global de la película.

El ritmo, la melodía, la armonía y la instrumentación de la música pueden influir mucho en la respuesta emocional del espectador.

Cuando se dispone de las tres bandas de sonido preparadas y sincronizadas, se procede a realizar el proceso de mezcla, trabajo que se desarrolla en un estudio de grabación y que consiste en la combinación de las diferentes bandas de sonido en una sola que será la definitiva que incorporará el filme o programa.

En el proceso de mezcla hay una primera fase que consiste en la unificación de las múltiples bandas que, en una producción de nivel profesional, componen cada una de las bandas claves (palabra, música y efectos). Ya nos hemos referido a que ciertas bandas con sonidos complejos, como la de efectos sonoros especiales, se componen de muchas grabaciones independientes que han de mezclarse entre sí para conseguir los efectos de combinación de volumen, efectos de eco o filtrado, etc. Se componen así tres *bandas máster* (palabra, música y efectos) de los sonidos fundamentales que ya permiten iniciar el proceso específico de mezcla para la consecución de una única banda de sonido.

En las películas dobladas no sólo hay que reconstruir los diálogos, sino que deben reconstruirse también todos los ruidos, sincrónicos o no, que acompañan a las imágenes, es decir, pasos, aperturas de puertas, ambiente ciudadano, ruido de tráfico y de conversaciones, etc. Si la producción tiene pretensiones de ser vendida a otros países con diferentes lenguas que tendrán la necesidad de doblar la voz, la banda de efectos sonoros y la de música se mezclan en una sola, separada de la voz. Es la llamada *banda internacional de sonido o banda de E & M*, de habitual realización en la mayoría de las producciones. Es frecuente que en muchas producciones cinematográficas antiguas no se conserve esta banda lo que obliga, en el procedimiento de doblaje, a reconstruir por completo toda la banda sonora con lo que ello significa de alteración de la estructura general del filme.

Capítulo 15
EL GUIÓN

El guión es, a la vez, un punto de partida y un punto de llegada. Para el director o realizador que recibe el encargo de adaptar un guión literario y darle una solución audiovisual, el guión literario es el origen y el guión técnico su destino. Para el guionista, la construcción de un guión literario es el resultado de un esfuerzo creativo que, con frecuencia, deja en manos del director o realizador para que éstos materialicen su proyecto y lo transformen en otro proyecto nuevo y a veces difícilmente reconocible. Para los técnicos, el guión técnico es la referencia obligada de trabajo, significa aquello que deben conseguir. En la perspectiva de nuestra publicación, el guión es la consolidación de los capítulos anteriores, la prueba de fuego de los conocimientos adquiridos. Lo situamos en el final, como punto de llegada, pero también podríamos haberlo situado al principio, como punto de partida, y los resultados posiblemente no se habrían alterado.

El guión literario es la narración ordenada de la historia que se desarrollará en el futuro filme o programa. Incluye la acción y los diálogos pero sin ninguna indicación técnica. Se plantea en forma escrita y contiene las imágenes en potencia y la expresión de la totalidad de la idea, así como las situaciones pormenorizadas, los personajes y los detalles ambientales. Aunque su denominación hace referencia a la literatura, el lenguaje que se ha de emplear ha de ser visual, cinematográfico y no literario.

Es la primera etapa concreta en la concepción de un filme o programa y sirve para organizarlo sobre un papel, sin constituir, por sí mismo, una obra literaria, ya que la esencia audiovisual hace que la estructura de un filme o programa sea específica y muy diferente de la que se plantearía en otros modos de expresión.

Alonso y Matilla creen que antes de hacer un guión literario es preciso decidir sobre:

— QUÉ se contará. El tema que se abordará y la idea o ideas que sobre este argumento queremos plasmar en el filme o programa. Es imprescindible tener muy claro lo que se quiere decir.
— QUIÉNES serán los personajes. Los protagonistas, los secundarios y la forma en que serán definidos dramáticamente. Sus características físicas y psicológicas.
— CÓMO se tratará el filme. Qué géneros utilizaremos. De qué manera contaremos la historia teniendo en cuenta todos los elementos que intervienen en el lenguaje cinematográfico.
— CUÁNDO. En qué época se desarrolla la historia. Podemos contar una historia en el tiempo actual o bien en el futuro o en el pasado.

A partir de la disposición de un guión literario, trabajo que desarrolla generalmente el guionista (aunque, en ocasiones, el guionista es también el realizador o el director), se produce su adaptación a guión técnico, el cual recoge las indicaciones técnicas necesarias para la realización efectiva de la producción.

Pero la realización de un guión literario pasa por diferentes fases desde la idea original que marca su punto de partida.

15.1. Los géneros

La definición de género plantea dificultades, especialmente si nos referimos a géneros de diferentes medios de comunicación. No obstante, pueden establecerse ciertos parámetros que nos permitan la clasificación de los programas audiovisuales dentro de lo que se acostumbra a denominar como género.

Por género podemos entender todos aquellos programas o tipos de programas que tienen similitudes estilísticas o temáticas. En el terreno audiovisual, hasta hace relativamente poco tiempo, cuando se hablaba de género la referencia era casi exclusivamente cinematográfica. Es mucho más sencillo establecer una diferenciación en el cine que en otros medios audiovisuales. Por otro lado, y dado que estamos tratando del guión literario, centraremos nuestra atención especialmente en las obras de ficción dramática cinematográfica o televisiva.

Se está básicamente de acuerdo en el nacimiento de los géneros cinematográficos como respuesta a la necesidad de una industria, la americana, abocada a producir filmes en grandes cantidades. Los mejores momentos históricos del cine en Estados Unidos coinciden con el inicio y esplendor de una serie de filmes de características parecidas que posteriormente se agruparon y clasificaron en géneros.

La clasificación de los filmes en géneros viene determinada por su temática. De todas formas, es preciso añadir que los límites no son siempre precisos y en ocasiones es difícil adscribir un filme a un género que haya tomado elementos de diferentes tipos de géneros.

Podríamos aceptar como válida una tipología de géneros en el terreno cinematográfico que contemple los que trataremos a continuación.

1. Géneros cinematográficos

El western

Este género nos coloca en el origen de una cultura de acción, en lo que puede considerarse una epopeya moderna que al mismo tiempo es contemporánea de nuestra civilización.

Los grandes núcleos temáticos de este género hacen referencia al nomadismo y a la territorialidad, al viaje en busca de la tierra prometida, al asentamiento de colonos y a luchas entre granjeros y ganaderos. En general, hacen uso de algunas dualidades contrapuestas en lo que respecta a temas (civilización contra barbarie), personajes (ciudadanos y pioneros contra indios y forajidos) y localizaciones (territorio colonizado contra territorio salvaje).

El cine negro

Es un género afectado principalmente por la lucha del bien sobre el mal. Normalmente, las fuerzas del orden, que suelen ser policías y también detectives, luchan contra gángsters y mafiosos. Este género tuvo su época dorada en los años cuarenta y cincuenta, localizándose los filmes en Chicago en la lucha entre policías y mafiosos. Muchos tienen como base guiones de escritores de novelas negras como Dashiell Hammet, Raymond Chandler e incluso Graham Greene. El cine negro es una evolución del cine de gángsters e introduce respecto a este último novedades relativas a que los perfiles entre buenos y malos no están tan claramente marcados.

El thriller

Se considera un descendiente del cine negro. Toma algunos de sus rasgos pero los desarrolla de diferente forma. Aquí la intriga psicológica domina en su desarrollo aunque el esquema narrativo es similar al del cine negro.

En este género los personajes no presentan una clara caracterización entre buenos y malos sino que promueven la confusión entre los protagonistas y su papel en la narración fílmica. La trama es similar a la del cine negro pero dando primacía al hecho psicológico respecto a la violencia.

El cine de terror/cine fantástico

Su referencia dominante es la creación de angustia en el espectador. Cabe efectuar la distinción entre el cine de terror en el que diferentes tipos de monstruos son los protagonistas y el cine fantástico donde se produce un terror de un tipo más psicológico dominado por la aparición de fuerzas paranormales, posesiones diabólicas, etc. En esta clasificación se incluye todo tipo de variantes en relación especialmente a historias que alteran la realidad cotidiana.

El cine cómico

Fue en la época del cine mudo cuando este género alcanzó su máximo esplendor con cómicos tan reconocidos como Harold Lloyd, Buster Keaton o Charlie Chaplin. El objetivo de estos filmes es provocar la risa del espectador incluso parodiando situaciones que, en otros contextos, podrían ser dramáticas. En la actualidad, este género se inscribe más en las comedias de situación aunque con claras referencias en autores especialistas como los Monty Python o Mel Brooks.

El cine bélico

En su origen, este género narraba las hazañas bélicas realizadas normalmente por los vencedores de los conflictos y conflagraciones que han sacudido nuestro siglo. No es de extrañar, pues, su contenido propagandístico sobre todo en su época dorada, tras la Segunda Guerra Mundial. Con posterioridad, la guerra de Vietnam y otros conflictos bélicos se han convertido en motivo para la realización de numerosos filmes del género. Afortunadamente existe una tendencia a realizar filmes del género con un fuerte contenido crítico que los hace ser más realistas y objetivos.

Las comedias y melodramas

Una historia normal y corriente puede desarrollarse en situaciones que pueden hacer que el filme se decante hacia uno u otro género. Hablamos de comedia cuando el desarrollo es gracioso, con situaciones cómicas y final feliz. Hablamos de melodrama cuando todo les sale mal a los protagonistas y el final es triste y sin posibilidades de mejora.

El cine musical

La música se convierte en el elemento principal del argumento. En este género todo gira en torno a este arte. Existen diferentes tipologías de filmes musicales, desde aquellos que están centrados en el montaje de un concierto o de un espectáculo hasta los que desarrollan sus diálogos y su acción continuamente en forma musicalizada. La época dorada de este género fueron los años treinta y cuarenta aunque en los sesenta y setenta se asistió a una revitalización de este tipo de filmes.

El documental

Se trata de un género eminentemente informativo o cultural de muy variada temática: científica, médica, histórica, literaria, etc. En general les impulsa un afán divulgativo y formativo.

2. Los géneros en la televisión

La clasificación en géneros no se aplica por igual en el cine que en la televisión. Las características diferenciales y específicas de estos medios hacen inaplicable la subdivisión establecida en el cine. No obstante, a la televisión también se le puede aplicar la definición de género y todos aquellos programas que siguen unas ciertas características se pueden agrupar bajo este epígrafe. Estas especificidades pueden ser tanto temáticas como formales o expresivas.

Muchos son los criterios que pueden emplearse en la clasificación de productos audiovisuales: la consideración de productos únicos o seriados, su estructura, su contenido y también su cadencia de repetición. A falta de una nomenclatura normalizada distintos autores han propuesto variadas clasificaciones. Aquí, no obstante, nos hemos basado en la que propone la Unión Europea de Radiodifusión (UER).

1. *Educativos*

EDUCACIÓN DE ADULTOS. Espacios destinados a la alfabetización y a los ámbitos propios de la enseñanza primaria y secundaria.

ESCOLARES Y PREESCOLARES. Refuerzo o sustitución de la enseñanza que se lleva a cabo en centros de preescolar, primaria y secundaria, adaptados a las edades relacionadas con estos ciclos educativos.

UNIVERSITARIOS Y POSTUNIVERSITARIOS. Actúan en el terreno de la educación superior.

2. *Grupos específicos*

NIÑOS Y ADOLESCENTES. Espacios de entretenimiento dirigidos a los más jóvenes. Acostumbran a contener diferentes secciones o subprogramas. Son franjas en las que se incluyen dibujos animados, concursos que conjugan formación con entretenimiento, series adecuadas a estas edades, etc. Suelen ser programas del tipo contenedor, unidos, muchas veces, por un conductor introductor.

ETNIAS E INMIGRANTES. De interés para franjas específicas de la población para el mantenimiento de su identidad cultural y/o su integración en otras sociedades.

3. *Religiosos*

SERVICIOS. Transmisiones de servicios religiosos de carácter periódico como servicio público para ciudadanos impedidos para su asistencia a los lugares de culto.

CONFESIONALES. Espacios religiosos de claro contenido confesional en los que se aportan reflexiones y debates desde el seno de las diferentes religiones predominantes y existentes en cada país.

4. *Deportivos*

NOTICIAS. Informativos convencionales centrados en el mundo del deporte.

MAGAZINES. Programas tipo revista que desarrollan diferentes temas y en los que a veces se introducen emisiones parciales de deportes. Acostumbran a presentar entrevistas con los protagonistas de los acontecimientos y a incluir también reportajes.

ACONTECIMIENTOS. Transmisiones en directo de pruebas deportivas de competición individual o por equipos.

5. *Noticias*

TELEDIARIOS. Programas de información general que incluyen habitualmente todos los temas que pueden constituir «noticia», con independencia de su género, intención o ámbito de interés predominante. Con frecuencia introducen espacios de comentario y de opinión.

RESÚMENES SEMANALES. Selección de las noticias más destacadas ocurridas a lo largo de la semana.

ESPECIALES INFORMATIVOS. Espacios informativos no periódicos que se centran con exclusividad en la cobertura de un acontecimiento noticioso de extremo interés. Cuentan, frecuentemente, con el trabajo en directo, realización de entrevistas, reportajes preparados con anterioridad, etc.

DEBATES INFORMATIVOS. Diferentes personas opinan sobre un tema que modera un presentador.

6. *Divulgativos y de actualidad*

ACTUALIDAD. Programas cuyo interés predominante es el de aportar mayor cantidad de información al telespectador sobre la vida, personas y acontecimientos noticiosos del momento.

Parlamento. Acercamiento y resumen de la actividad parlamentaria y de sus protagonistas.

Magazines. Programas tipo revista donde se tratan aspectos de actualidad informativa en un sentido general, con distintos géneros y estructura abierta.

Reportajes. Atienden a una temática concreta e intentan profundizar en ella para documentar al telespectador.

CIENCIAS, CULTURA Y HUMANIDADES. Programas cuyo objeto es el de estimular la curiosidad científica, artística o intelectual con la pretensión de enriquecer los conocimientos de la audiencia en estas esferas, sin un sentido didáctico. En ocasiones adoptan la estructura de documental.

OCIO Y CONSUMO. Su objetivo es, generalmente, el de aportar ideas, soluciones y estímulos para ocupar mejor el tiempo libre y para mejorar en todos los ámbitos la calidad de vida de los ciudadanos.

7. *Dramáticos*

SERIES. Productos de ficción con continuidad agrupados por capítulos que adoptan modalidades diferentes como las «series de fórmula», las «series de continuación» o las «miniseries». Aunque muchas veces su soporte es cinematográfico, se conciben y realizan para su exhibición exclusiva por televisión. Adoptan, normalmente, la estructura de trece capítulos o múltiplos de esta cifra, para adaptarse a los trimestres de programación por emisiones semanales.

FOLLETINES. También llamados «culebrones». Suelen ser series de ficción con elevadísimo número de capítulos, de enredo, lacrimosas y sentimentales, de gran simplicidad psicológica. En ellas, la emoción crece, alcanzando un clímax al final de cada capítulo.

OBRAS ÚNICAS. Telefilmes de ficción creados expresamente para ser difundidos a través de la televisión. Su diferencia principal con los largometrajes es que su planificación es televisiva, con un ritmo más ágil y con composición adaptada a las dimensiones de pantalla pequeña.

LARGOMETRAJES. Filmes de ficción, de duración convencional, realizados para su exhibición prioritaria en las salas de exhibición cinematográfica.

CORTOMETRAJES. Filmes de corta duración.

8. *Musicales*

ÓPERAS, OPERETAS, ZARZUELAS Y MÚSICA CLÁSICA. Transmisiones de espectáculos propios de estas modalidades musicales.

BALLET Y DANZA. Transmisiones de este tipo de espectáculos.

MÚSICA LIGERA. Transmisiones en las que son frecuentes los concursos musicales o programas dedicados en exclusiva a un cantante o grupo musical. Mención aparte merece el videoclip que ya es un género característico de los programas musicales.

JAZZ. Transmisiones de conciertos o de espectáculos musicales.

FOLKLORE. Programas específicamente dedicados a los bailes, músicas y canciones pertenecientes a la tradición de diferentes culturas.

9. *Variedades*

JUEGOS Y CONCURSOS. Predomina en estos espacios el carácter lúdico de su realización. En los concursos se ponen dificultades de todo tipo que el concursante debe superar.

EMISIONES CON INVITADOS, *TALK-SHOWS*. Programa o actuación con entrevistas, charlas, conversaciones telefónicas, llevadas a cabo por el presentador y complementado por otras atracciones.

ESPECTÁCULOS, VARIEDADES Y PROGRAMAS SATÍRICOS. Programas de entretenimiento que contienen distintas secciones dirigidas, muchas veces, por un presentador estrella. Incluyen actuaciones musicales, entrevistas, concursos y, en ocasiones, la participación del público del plató.

10. *Otros programas*

TAURINOS. Programas centrados exclusivamente en este fenómeno.

Festejos. Transmisiones de corridas de toros.

Revistas. Espacios de información general sobre el mundo taurino guiados por un presentador.

LOTERÍAS. Transmisión periódica de los sorteos que efectúan las entidades de juegos y apuestas.

DERECHO DE RÉPLICA. Programas en los que se facilita la expresión a personas o entidades que creen haber sido tratadas parcial o injustamente por la emisora.

AVANCES DE PROGRAMACIÓN. Servicios de promoción de la propia cadena consistentes en la emisión de información sobre los programas que van a emitirse en las próximas horas, días o semanas.

PROMOCIONES DE PROGRAMAS. Espacios publicitarios centrados en la promoción exclusiva de programas de la emisora.

11. *Publicidad*

ORDINARIA. Los *spots* o anuncios publicitarios que se intercalan entre los programas, generalmente en bloques. Su duración oscila entre veinte y treinta segundos. Los denominados «publirreportajes» tienen mayor duración.

PASES PUBLICITARIOS PROFESIONALES. Recopilación de *spots* dirigidos a profesionales de los medios. Suelen emitirse en horas no coincidentes con la programación diaria.

12. *Cartas de ajuste y transiciones*

CARTAS. Ocupan su espacio en la emisión de cualquier ente televisivo. Su función es testimonial para asociar el canal elegido con la emisora a que corresponde. Cumplen también una función técnica al permitir la sintonización de emisoras en horas de no emisión, e incluso para ajustar los controles de brillo, contraste y color de los receptores domésticos.

TRANSICIONES. Breves espacios audiovisuales que sirven para llenar los «negros» o momentos de paso de uno a otro programa. En ellos se concentra un esfuerzo importante en la definición de la identidad corporativa que define y diferencia a las distintas emisoras de televisión.

Tras este repaso no exhaustivo de los diferentes productos que componen los géneros cinematográficos y la programación general de las cadenas de televisión, no podemos perder de vista que existen otros ámbitos de actuación de la industria audiovisual que nunca se ven ni en las salas de exhibición cinematográfica ni tampoco en la programación de las cadenas de televisión y para los cuales es preciso también crear un guión previo a su realización efectiva. Nos referimos a otras modalidades audiovisuales que tienen un peso específico importante y en franca expansión en el conjunto de la producción audiovisual. Así el vídeo industrial que se integra en una política global de comunicación e imagen en las empresas e instituciones (vídeo institucional), las producciones didácticas o educativas que se inscriben en el ámbito de la enseñanza convencional, pero también en el mundo industrial como ayuda a la mejora de la capacitación profesional empresarial, las producciones documentales o del tipo reportaje que se venden como unidades independientes o en relación con la distribución de revistas gráficas o publicaciones, el vídeo de ceremonias con amplia y creciente difusión entre los usos sociales del presente, el vídeo de animación social con fines de dinamizar la vida ciudadana y cultural de diferentes segmentos de la sociedad, el vídeo científico como soporte a la investigación y a la profundización de técnicas y procesos, el vídeo interactivo que conjuga imágenes y sonidos con tecnologías propias del videodisco y de la informática, los sistemas multimedia aplicados a la formación, entretenimiento, información y presentación de productos, etc.

Se trata, en definitiva, de comprender que cada filme, cada programa, cada formato y cada fin comunicativo requiere seguir unos pasos en su proceso de creación que, independientemente de su variedad son, en muchos casos, coincidentes. No obstante, en la creación del guión literario que expondremos seguidamente, nos centraremos casi con exclusividad en el proceso seguido para los filmes o programas de ficción.

15.2. Las fuentes

Una producción puede surgir de fuentes muy diversas lo que plantea el tema de las ideas y de las posibles crisis de ideas. El guionista francés Michel Audiard ha asegurado que nadie puede hablar de crisis de temas, solamente es preciso ir a una biblioteca.

Un filme o un programa puede nacer de forma insospechada (hay muchos ejemplos tales como los sueños de Buñuel), o de la lectura de diarios, que son una fuente inagotable de temas. La historia recogida en estudios, documentos y crónicas ofrece también una buena cantidad de ideas. Las biografías o fragmentos de la vida de diferentes personas; la reconstrucción de hechos históricos; la literatura; el teatro; el mismo cine en los *remakes* y versiones de obras famosas, etc., y por descontado, la imaginación del guionista que es la fuente principal de donde se obtienen las ideas.

Todas estas fuentes son la base de infinidad de argumentos y sirven para la elaboración de las diferentes tramas argumentales.

Los guiones pueden ser *originales* o *adaptados*.

Un *guión original* es aquel que se desarrolla sobre una idea salida únicamente de la imaginación del autor o que, aunque haya sido desarrollado sobre una idea de otro, presente un desarrollo original de la trama, escenarios, situaciones y personajes.

El *guión adaptado* se desarrolla a partir de una obra ya realizada. En este caso existen distintos grados de adaptación de obras literarias: el *adaptado* que sigue con la mayor fidelidad posible la obra original; el *basado* en una obra literaria, que mantiene la historia pero reduce situaciones y personajes; el *inspirado* en una determinada obra, que toma como punto de partida una situación, un personaje, una anécdota, y desarrolla una nueva estructura; el *recreado*, donde la fidelidad a la obra es mínima y el guionista trabaja libremente con la trama original efectuando todo tipo de cambios; finalmente, la denominada *adaptación libre* que sigue el hilo de la historia, el tiempo, los personajes y las situaciones creando una nueva estructura, enfatizando determinado elemento dramático de la obra original.

Como puede apreciarse, en la adaptación de obras literarias se producen resultados que pueden llevar a la comparación del producto resultante con la obra original. Conviene distinguir claramente entre obra literaria y obra audiovisual porque se trata, obviamente, de productos con códigos y lenguajes completamente diferentes que no deberían llevarnos a efectuar comparaciones que no tuvieran presente las diferencias expresivas tan radicalmente distintas de uno y otro medio.

Por otro lado, en la industria de la producción audiovisual, los productores suelen mostrar confianza en las obras literarias bien porque hayan demostrado un éxito entre el público lector y también porque, en general, el escritor, realiza un gran esfuerzo de construcción argumental que dota de coherencia interna y estructura a la obra literaria facilitando su adaptación a las pantallas.

15.3. La estructura del relato

Un análisis de un buen número de filmes que se han efectuado a lo largo de la historia de los medios audiovisuales nos lleva a apreciar que en casi todos ellos, aparecen unas constantes que se repiten. Entre estas constantes destacaremos aquellas que afectan a la estructura del relato.

La división clásica del relato en tres partes: *planteamiento, nudo* o *desarrollo* y *desenlace*, está muy aceptada en el mundo occidental y es respetada de un modo u otro por la inmensa mayoría de los relatos audiovisuales.

Aunque no siempre el orden de colocación de estas tres partes sea del todo lineal, y pueda comenzarse por el final y reconstruir, después, la historia, lo más probable es que al final del relato las tres partes puedan ser compuestas por el espectador en su orden lógico que ayudará a comprender la historia como una narración lineal.

Planteamiento

El planteamiento presenta al personaje o personajes principales en un contexto mediante situaciones concretas. Estas situaciones, o un suceso (detonante) ponen en marcha el relato. Se trata de algo que afecta al personaje: tiene una misión que cumplir o tiene un problema, deseo o necesidad que le obliga a actuar.

Puede ocurrir que el *detonante* marque claramente la línea de acción del relato, es decir, que el espectador sepa ya de qué va a ir el filme y qué es lo que busca el personaje, pero suele suceder que de improviso surja u ocurra algo que dé un giro a los acontecimientos o que los acentúe (*punto de inflexión, nudo de la trama* o *punto de giro*) y que sumerja al protagonista en un lío inesperado que será el que marque la auténtica línea de acción de la historia (*trama* o *línea de acción principal*).

Desarrollo o nudo

El suceso o circunstancia que ha servido de *punto de inflexión* nos introduce en el segundo acto, en el que el personaje intenta conseguir su objetivo por todos los medios, y se encuentra siempre envuelto en un *conflicto*, con algo o alguien, que se interpone en su camino.

En su lucha se encuentra con un suceso o prueba (*segundo punto de inflexión*) que acelera los acontecimientos y nos introduce de lleno en el tercer acto.

Este suceso tuerce el camino del personaje o agrava la situación ya existente y le sumerge en situaciones complicadas (*crisis*) hasta un punto de máxima tensión (*clímax*) que nos hace dudar de la consecución de su meta.

Desenlace

El *clímax* o momento de máxima tensión ha de llevar rápidamente a la resolución de la historia en la que, de una u otra manera, concluye la trama.

Esta estructura que apuntamos se da en la mayor parte de los relatos. Las historias tienen planteamiento, desarrollo y desenlace, pero no sólo las historias, sino todas y cada una de sus secuencias, y es precisamente este hecho el que define una parte del relato como secuencia.

1. Trama y subtrama

La forma narrativa que adoptan la mayoría de las producciones de ficción audiovisual da lugar a una trama que podemos denominar *principal* y que se ajusta a la estructura de planteamiento, desarrollo y desenlace apuntada.

Pero en las historias cinematográficas existen otras tramas secundarias (*subtramas*) que contribuyen a vehicular el tema cumpliendo la función de hacer avanzar (dando interés y emoción) a la trama principal, y aportando dimensión y volumen al personaje, permitiendo su transformación.

En principio, las subtramas carecen de sentido si su desarrollo no influye, de manera determinante, en la evolución de la trama principal.

La subtrama debe crear nuevos problemas al protagonista y agudizar el conflicto principal. En algún momento ha de quedar patente su influencia sobre el desarrollo de la trama principal. Si no fuera así podría perderse la unidad de la historia y nos distraería de la línea de acción principal.

Normalmente, los largometrajes no suelen tener más de tres subtramas. Este número se adapta a su estructura y permite su desarrollo sin alargar ni complicar en exceso la trama principal.

2. Tratamiento del tema, verismo y credibilidad

Partiendo de una idea, de unas situaciones y de unos personajes iguales, es decir, partiendo de una misma historia, se pueden conseguir diferentes versiones de un filme según el enfoque.

Variando el tratamiento dado al tema podemos enfatizar una idea mediante la comedia, la farsa, el drama, la sátira, o una determinada combinación de diferentes estilos. Un diferente enfoque (suspense, cómico...) aplicado a una misma idea no modifica en absoluto esta idea central. Provoca, simplemente, un diferente ángulo de observación en el espectador.

El guionista debe escoger el tratamiento que potencie más su historia, consciente de que afectará a las situaciones que se verán modificadas con distintos matices según uno u otro tratamiento.

Por otro lado, todo filme tiene que ser «verista», es decir, lógico y convincente. Debe formar un todo homogéneo que obligue al espectador a aceptar lo que sucede en la pantalla de forma que lo considere posible.

Verismo no significa exactamente realismo. De lo que se trata es que el espectador acepte el punto de partida, entrando, así, en el juego.

La obra tiene que ser también comprensible, tiene que ser comprendida. Es decir, debe tener características de inteligibilidad aunque no siempre para todo tipo de público.

15.4. Los personajes

Todos los relatos versan siempre sobre la historia de alguien o de algo. La narración tiene siempre uno o varios protagonistas.

Existe una necesidad narrativa del protagonista: la narración o la historia surge de la sucesión de los episodios y de las situaciones. Todo episodio es, siempre, una acción, y toda acción exige la existencia de alguien que la realice, que sea sujeto de la acción: un personaje, un protagonista, que no significa necesariamente «persona».

En una historia de ficción aparecen, generalmente, tres tipos de personajes.

— *Los protagonistas*. Pueden ser protagonistas o antagonistas y sobre ellos recae la acción principal. Han de ser perfectamente definidos. A menudo, en la pugna entre protagonistas y antagonistas se encuentra la tesis del guión.

— *Los principales*. Son aquellos que tienen un papel importante en la obra pero no esencial para el desarrollo de la misma y pueden ser sustituidos por otros con relativa facilidad.

— *Los secundarios*. Son actores que tienen un papel de cierta relevancia en el reparto. Existen por necesidades de la acción y sus papeles son complementarios de los protagonistas y principales, a los que están subordinados. Tienen valor sólo como piezas del argumento. No es preciso que estén muy definidos y no han de distraer la atención del espectador.

Estos últimos personajes son ambientales y sirven para caracterizar determinadas situaciones sociales, culturales o históricas. Con su caracterización y su comportamiento se consigue situar la acción dentro de un tiempo y un espacio.

Pero existen otras denominaciones sobre los personajes establecidas por la función que adoptan en la obra audiovisual.

— *Personaje principal de interés romántico.* En casi todas las historias existe otro personaje principal, así llamado, que da lugar a una historia de amor que se desarrolla en una subtrama relacionada con la trama principal y que, en muchas ocasiones, gana protagonismo sobre la teórica línea de acción o trama principal.
— *Personaje confidente.* Es un tipo de personaje muy utilizado a quien el protagonista manifiesta sus pensamientos y en su relación con él revela aspectos de su carácter. Las escenas con el *confidente* permiten expresar mediante *secuencias dramáticas* pensamientos y sentimientos del protagonista que, de otro modo, quedarían sin revelar o aparecerían torpemente en monólogos o en voz en *off* de narrador o protagonista.
— *Personaje catalizador.* Son personajes provocadores de sucesos que impulsan la acción y mueven a actuar al protagonista. Suelen ser los que provocan los *puntos de inflexión* en la estructura de la trama.
— *Personaje de masa o peso.* Aquellos que crean la ambientación, que contextualizan al protagonista o le dan relieve.

Existen, por supuesto, más categorías según la función de los personajes entre las que podríamos referirnos a los de contraste, al personaje *divertido*, a los considerados de *equilibrio*, etc.

Todos los personajes actúan, de uno u otro modo, como ayudantes u oponentes del protagonista y todos han de cumplir una función en la trama, contribuyendo al desarrollo de la historia narrada.

Dada la importancia de los actores protagonistas introducimos las características que para Gutiérrez Espada debe cumplir este personaje:

a) El protagonista condiciona cada parte y la totalidad del filme de forma que cualquier detalle narrativo depende de él directa o indirectamente.
b) El protagonista evoluciona narrativa y psicológicamente.
c) El protagonista también hace que las demás personas dependan directamente o indirectamente de él. Tienen razón de ser por su existencia. En muchos casos un personaje aparece esporádicamente solo por la necesidad de relación del protagonista.

d) Sin el protagonista el filme no existiría como un todo narrativo. La relación entre protagonista e historia es tan fuerte como inseparable.

La caracterización de los personajes es el elemento decisivo que permite la universalidad del lenguaje del cine. Contribuye a la comprensión generalizada del mensaje. La caracterización de los personajes exige talento por parte del guionista, un profundo conocimiento de la vida y de la literatura, la observación de los caracteres y la posesión perfecta de la técnica, así como perspicacia y conocimiento de la psicología.

Kulechov afirmó que en el estudio de todo personaje se ha de considerar:

a) Su carácter.
b) La finalidad e intención.
c) La dirección y sucesión de las acciones y la línea de su conducta dentro de la obra total.

Los personajes encarnados por actores transmiten información y expresión a través de su *presencia, situación, acción* y *diálogo*.

Presencia

Respecto a su *presencia*, el personaje es una imagen en pantalla, una imagen significante, que transmite información y expresión con su sola presencia física. El personaje tiene una imagen *indicial* dada por sus características físicas permanentes que, cuando menos, no varían durante la situación comunicativa: el personaje es gordo o flaco, alto o bajo, su nariz es grande o pequeña, etc.

Los rasgos indiciales o particularidades anatómicas de los individuos pueden dar lugar a diferentes significados expresivos según las distintas clasificaciones de la tipología humana que extrapolan personalidad y temperamento en función de las particularidades anatómicas. Además, influyen de forma determinante en la valoración que del personaje hace el espectador. Le podrá parecer agradable o desagradable, podrá especular sobre su origen social, su carácter, su capacidad física o intelectual.

También intervienen los elementos *artifactuales*. La imagen del personaje está construida con complementos y puede ser modificada en cualquier momento: el personaje viste una u otra ropa, se peina de una forma concreta, fuma cigarrillos o puros, lleva sombrero, látigo o estrella de *sheriff* que le identifican...

La vestimenta, los utensilios y otros elementos artifactuales son recursos que permiten a la persona ser parte activa en la creación de su aspecto externo y de los elementos que le rodean y que, al igual que los gestos, son transmisores de significados expresivos y, especialmente en los medios audiovisuales, de significados convencionales.

Situación

El personaje está situado en un escenario concreto, en un ambiente determinado y con otros acompañantes.

El decorado y el ambiente añaden información sobre el personaje así como sus posturas y posiciones y su disposición en relación con otros personajes que le identifican.

La *proxemia* estudia el espacio personal alrededor del personaje en las diversas situaciones comunicativas.

El filme de Chaplin *El gran dictador* (The Great Dictator, 1941) ilustra de forma magistral la aplicación cinematográfica de las reglas de la proxemia: cuando, en la parodia entre Hitler y Mussolini, el alemán va a recibir al italiano en su despacho, el asesor de Hitler dispone el escenario y le alecciona para que esté siempre en una posición de dominio respecto a Mussolini. El resultado es una secuencia cómica antológica.

El decorado y la ambientación han de ser consideradas por el guionista pero sin entrar en las técnicas de representación —punto de vista (plano y ángulo de cámara), composición, iluminación, etc.— que tendrán que ser decididas por el director o realizador tras el estudio del guión.

Acción y diálogos

La acción del personaje no sólo se expresa mediante la actuación física, sus gestos y sus movimientos corporales. La acción puede ser:

— *Interna.* Pensamientos y sentimientos de los personajes que pueden estar cargados de intensidad y acción dramática.
— *Externa.* Actuación física del personaje (gesto y movimiento).
— *Lateral.* Lo que sucede en el entorno donde se desarrolla la acción del personaje.
— *Latente.* La acción latente se desarrolla en *off*, es decir, no se ve en pantalla pero el espectador es consciente de que se está desarrollando mientras ve otra escena diferente.

Aunque volveremos a referirnos con mayor extensión a los diálogos, efectuaremos alguna observación sobre el modo en que la palabra identifica, individualiza y personaliza y expresa el estado de ánimo del personaje.

Lo que el personaje dice puede ser inteligente, ingenioso, banal o incluso estúpido. Los pensamientos expresados mediante el diálogo caracterizan a un personaje de forma determinante.

El modo en que construye el discurso, las palabras que emplea, orientan sobre su nivel cultural y grupo social al que pertenece.

El acento, volumen y demás aspectos acústicos del habla clasifican al personaje en un *idiolecto* (subcultura) y sus variaciones durante la interacción con otros personajes muestran su estado de ánimo y expresan sus características psicológicas (timidez, decisión, serenidad, etc.).

15.5. Los diálogos

Para la creación del personaje es trascendental su manera de hablar, qué y cómo dice las cosas, cómo las manifiesta mediante el diálogo.

El diálogo audiovisual es diferente al que establecemos las personas en la vida cotidiana. El diálogo cinematográfico o televisivo va al grano, es directo y claro y expresa exclusivamente lo que interesa al desarrollo de la historia que se cuenta.

El mejor diálogo es aquel que contiene exclusivamente información que interesa a los personajes y al espectador, considerando que es sólo una parte del mensaje, ya que la imagen también aporta información y debe evitarse la redundancia.

En el estudio de la banda sonora ya hemos insistido sobre el tema pero, en relación con la construcción del guión literario, anotaremos simplemente algunas de sus características más significativas. Los diálogos se utilizan fundamentalmente para:

a) *La eliminación de presencias muertas.* Eliminación de titubeos, redundancias y elementos accidentales y no trascendentales.

b) *La introducción de la sinécdoque y la metonimia.* Figuras retóricas clásicas: la sinécdoque consiste en emplear una parte para significar el todo, y la metonimia en emplear una cosa para significar una contigua o asociada. Fundamentalmente consiste en jugar con el *sobreentendido.*

c) *Focalizar.* Debe entenderse como el punto de vista en que se sitúa al espectador ante una determinada información. Con este recurso el guionista puede hacer que el personaje revele pensamientos, mienta a otros personajes pero no al espectador o mienta o engañe al espectador.

d) *Emplearlos como voz en off.* De narrador o de personaje.

e) *Recurrir a la imaginación del espectador cuando no son escuchados.* Cuando no podemos oír lo que hablan los personajes en pantalla y que, por tanto, sólo podemos imaginar por el propio desarrollo de la acción.

f) *Explicar o justificar el avance de la acción.* Integrándose en la acción dramática contribuye a su avance.

g) *Organizar la estructura dramática.* Marcando el orden en que aparece la información.

h) *Crear ritmo.* El énfasis, la velocidad de los diálogos contribuyen a crear un ritmo que se puede entroncar directamente con el ritmo de la acción.

i) *Introducir un contrapunto.* Entendido como contrapunto o elemento opuesto a la imagen que vemos en pantalla.

j) *Comprimir el tiempo.* Sustituyendo información visual o uniendo mediante una idea común diferentes escenas visuales.

k) *Favorecer la transición.* Mediante el diálogo podemos enlazar unas escenas con otras de forma fluida.

15.6. La idea

Marca el punto de partida de un guión y se encuentra al principio y en la finalización de la obra de tal forma que se puede afirmar que tanto el propio guión como la realización no son más que instrumentos para su plasmación.

La idea dirige toda la estructura del filme o programa y ha de asegurar la existencia de una base sólida. Desde su nacimiento ha de poseer atributos que hagan posible su realización en el lenguaje específico audiovisual.

Pero la idea que importa, denominada indistintamente *idea base*, *idea núcleo* o *idea central* no es, por definición, aquello que nos lleva a escribir el guión ni por supuesto lo primero que se le ocurre al guionista.

La idea núcleo es lo que queremos expresar con el relato, el porqué final de la historia.

Es procedente hablar de dos tipos de ideas. La que hace referencia al drama (historia) y la que se refiere al tema (tesis).

La *idea dramática* es la más fácil de describir, puesto que contiene unos personajes a los que sucede algo concreto.

La *idea temática* suele ser menos concreta y, en ocasiones, resulta difícil de verbalizar. Precisamente a esta «idea» se suelen referir los autores cuando hablan de «idea núcleo», «idea central» o, simplemente, «idea».

Dado que resulta difícil expresar de forma taxativa el alcance y contenido de la «idea» aunque todos los guionistas están de acuerdo en su trascendencia, recogeremos la opinión de diferentes y reconocidos autores.

Aldo Monelli aboga por una idea «concreta», «resultado de la aplicación de una idea abstracta a un caso de la vida». Por ejemplo:

— La infidelidad del hombre con una mujer para quien él lo es todo en la vida.

— El amor irrealizable por culpa de una fuerza mayor que los protagonistas no pueden evitar.

— La cenicienta; la muchacha de condición humilde y de alma generosa que salta a una clase superior por el amor que ha inspirado.

— El cambio de manera de ser que el dinero produce en la gente.

— La trampa que se oculta en el fondo de casi todos los buenos negocios.

Las «ideas» de Monelli se acercan más a verdaderas proposiciones temáticas (tesis) que pueden actualizarse en relatos concretos.

Para Linda Seeger, la «idea subyacente», «asunto» o «tema», debe reflejar experiencias y deseos universales.

— El triunfo del desvalido.
— La venganza.
— El triunfo del espíritu humano.
— La integridad.

Linda Seeger ejemplifica también otro tipo de ideas que denomina «ideas principales»:

— Un chico extraterrestre llega a la Tierra.
— Un grupo de hombres a la caza de un tiburón asesino.

A partir de estas «ideas principales» recomienda «clarificar el tema», es decir, reflexionar sobre qué es lo que realmente se quiere decir. Por ejemplo, en el caso de «hombres a la caza de un tiburón asesino», el autor podría querer expresar:

— Intereses turísticos triunfan por encima de la seguridad de la gente.
— La lucha del hombre contra la bestia.
— La justificación de la actuación animal en contraposición a la arbitrariedad y sinrazón de la actuación humana.

Linda Seeger propone someter a un test el tema una vez clarificado: «¿Puedo enunciar el tema en una sola línea? ¿Está mi historia al servicio del tema y el tema al servicio de mi historia? ¿He sido capaz de abandonar un tema menor si entra en conflicto con el tema principal de la historia? (…), etc.».

Podemos deducir que Linda Seeger entiende por idea principal la que hace referencia a la historia (idea dramática) a la que asocia un tema o contenido de fondo (idea temática).

Taddei, preconiza que, básicamente, hay tres clases de ideas:

— La *idea narrativa*, cuando se quiere contar alguna cosa sin interpretar lo que sucede. Se trata de obras eminentemente expositivas.
— La *idea temática*, cuando el tema es el punto de vista desde el que se considera la trama o narración que se nos cuenta.
— La *idea poética* o *estética*, cuando la sucesión de imágenes se hace de forma tal que prevalece siempre el interés estético sobre los contenidos y bloques narrativos.

Está claro que, en general, las obras audiovisuales combinan todos los tipos de ideas aquí expuestas. Siguiendo la clasificación de Taddei, en la práctica es usual arrancar de una idea narrativa o de una determinada historia que se desarrolla en función de un determinado tema, o bien se arranca de un tema al cual se le proporciona un vehículo narrativo. La aportación estética contribuye, en cualquier obra, a mejorar la calidad del producto final.

Interesa subrayar que, sin una idea motriz, no se puede realizar un filme ni un programa audiovisual.

1. Anécdota e idea dramática

La anécdota es un hecho o suceso real o ficticio que llama la atención del guionista y que, si se prevé factible su conversión en un argumento o historia, da lugar a una idea dramática.

Ya nos hemos referido con anterioridad al origen de las ideas, es decir, a las fuentes, que pueden ser muy diversas.

La anécdota, en sí misma, puede convertirse ya en una idea dramática, si posee una estructura dramática completa con planteamiento, desarrollo y desenlace, o puede ser sólo el germen de una idea dramática, si su estructura no es tan completa.

A partir de la anécdota podremos disponer de una idea dramática que ocuparía el nivel de la *denotación* en el mensaje, es decir, de una descripción objetiva de los acontecimientos estructurados de manera muy simple en la forma convencional de planteamiento, desarrollo y desenlace. La información se ofrece, en este estadio, de forma explícita y bastaría una simple lectura para su comprensión.

2. Idea temática o idea núcleo

A partir de la idea dramática ha de elaborarse lo que denominamos *idea temática* o *idea núcleo* que puede traducirse como la *tesis* de la historia. Este concepto implica la existencia de un campo *connotativo* del mensaje o estadio superior de interpretación donde ya entran dosis más altas de tratamiento subjetivo.

Todo filme ha de versar sobre una idea única aunque en su desarrollo puedan incluirse múltiples aspectos de esa idea.

Las situaciones de crisis y clímax han de revelar con claridad la idea fundamental o idea núcleo.

Durante la crisis, el conflicto se manifiesta en toda su magnitud superando al protagonista, el cual muestra claramente sus actitudes y necesidades según sus acciones y reacciones.

El clímax es la reacción final, es el momento culminante de superación del conflicto donde se toma la decisión trascendental que, en sí misma o en la resolución a la que conduce, es una sentencia final que resume la idea temática del filme.

En el clímax de *Casablanca* (Casablanca, 1941) Rick mata al alemán para que Ilsa y Víctor puedan huir «renunciando al amor por sentimientos nobles». La idea temática del filme sería la contraposición «egoísmo y ausencia de sentimientos *versus* entrega y sacrificio por personas y/o ideales».

La idea temática no resultaría eficaz si sólo se manifestase al final del filme o en la resolución a modo de moraleja final. De hecho, la unidad de idea debe guiar la historia impregnando todo el guión de principio a fin.

No siempre resulta sencillo expresar en palabras la idea temática del guión. No obstante es esencial esta plasmación para el guionista que debe tener muy claro lo que su historia ha de transmitir porque sin esta aclaración lo más probable es que el guión se disperse, carezca de unidad y navegue sin rumbo ni orientación y sin posibilidad de distinción clara entre lo esencial y lo accesorio.

Resulta conveniente introducir una cierta reflexión en la relación existente entre idea dramática e idea temática puesto que si el tema (idea temática) está desligado de una historia interesante, o se dispersa en diversidad de historias, pierde toda fuerza dramática y, con ello, la capacidad de interesar al público en general, mientras que un filme sin tema puede funcionar por la dinámica e interés inherentes a la acción dramática misma.

De este modo, resulta que filmes de acción vacíos de contenido temático, atraen muchas veces al público y llenan las salas, mientras otros filmes de gran profundidad temática se convierten en verdaderos fracasos de taquilla. Insistimos en que para que un relato funcione puede ser suficiente que exista acción dramática. Es decir, una anécdota con estructura completa donde unos personajes se enfrentan a la superación de un conflicto que entraña dificultades y riesgos de importancia.

Si esta acción dramática vehicula, además, un mensaje de fondo, una idea temática, añadiremos volumen y profundidad, una segunda lectura para espíritus más cultos y exigentes.

El acierto está en conseguir que la idea dramática sirva a la idea temática y a la inversa, sin interferirse ni competir, sino apoyándose mutuamente e imbricándose en una unidad dramática y temática.

Ninguna historia puede ser una mera disculpa para tratar un tema, del mismo modo que un tema no debe superponerse a una buena historia. Tema e historia deben fundirse y confundirse en el desarrollo natural de las acciones.

3. Conflicto e intriga básica

Una de las bases principales del funcionamiento de un guión es que se identifique claramente lo que algunos han llamado «sangre del drama»: el *conflicto*.

> El conflicto es una lucha de intereses o de objetivos, un enfrentamiento entre contrarios. En el relato siempre ha de haber un conflicto.

Los conflictos pueden ser de orden muy variado y generalmente se trata de *conflictos de relación* bien sea con uno mismo o interiores, con otros personajes, con ideas, con Dios, etc.

Lo fundamental es que todo conflicto lleva inherente el germen de una *intriga* básica.

> En el contexto narrativo, podemos definir la intriga como «el encadenamiento de los sucesos que forman el nudo de la acción en un drama». Dicho de otro modo, la intriga hace referencia a las situaciones, acciones y reacciones de unos personajes envueltos en un conflicto, por la consecución de una meta.

La intriga básica puede expresarse mediante el *enredo* y mediante la naturaleza del problema suscitado por el conflicto.

La existencia de la intriga apareja el planteamiento de preguntas tales como: ¿Conseguirá el protagonista su objetivo? ¿Superará las pruebas? ¿Cómo lo hará?

En muchas ocasiones el público conoce la respuesta a las preguntas aunque el desarrollo de la trama ponga el énfasis en la dificultad para que el protagonista alcance su meta.

La fuerza de la intriga depende, entre otras cosas, de la intensidad del conflicto y del modo en que se desarrolla la propia intriga.

El desarrollo de la intriga puede ser valorado en términos de:

— Interés (motivación).
— Emoción.
— Peligro-riesgo.
— Suspense-sorpresa.
— Ingenio (en el diálogo y en el desarrollo de la acción).
— Imprevisibilidad y coherencia.
— Espectacularidad.
— Estructura dramática.
— Etc.

15.7. Estructura o *story line*

Una vez definido el conflicto y planteada la intriga, resulta sencillo realizar una *story line*, es decir, dar estructura a la idea dramática o anécdota, dotándola de planteamiento, desarrollo o nudo y desenlace.

Para ello basta contar con los personajes principales, el conflicto y la línea de acción principal (trama principal) y el desenlace de la historia.

A modo de ejemplo, si tenemos un joven vaquero que regresa a la tierra de sus padres, un malvado jugador de naipes dueño del *saloon* y una maestra bonita y «decente», resultará fácil prever un conflicto, imaginar la trama (intriga) y construir una *story line*.

Una *story line* o estructura básica puede ser origen de múltiples relatos diferentes y algunas de ellas están en el origen de decenas de filmes.

Una *story line* de *Casablanca* de Michael Curtiz podría ser:

— *Planteamiento*. Un personaje que fue héroe de la Resistencia desencantado de la vida por el abandono de su amada, convertido en antihéroe «duro», vive en Casablanca donde tiene un bar.
— *Desarrollo o nudo*. Su amada aparece en Casablanca casada con un héroe de la Resistencia.
— *Conflicto*. Renace el amor entre ellos. Ella está casada con un hombre admirable.
— *Desenlace*. El personaje renuncia a su amada llevado por nobles sentimientos.

Woody Allen, en *Sueños de seductor* (Play it Again, Sam, 1972), homenajeando a *Casablanca*, recoge la esencia de su *story line* y realiza un relato cómico, absolutamente diferente, donde el protagonista renuncia finalmente a la mujer de su amigo despidiéndola con las mismas palabras con que Bogart lo hacía en *Casablanca*.

Esta característica de la estructura o *story line* como posible generadora de multitud de relatos diferentes es especialmente reconocible en las series de televisión de personaje fijo, y en determinados relatos humorísticos que mantienen los mismos personajes a lo largo de los años, especialmente en series humorísticas propias del *cómic*.

15.8. La sinopsis argumental

La *sinopsis argumental* es un resumen de entre tres y diez páginas, en el que se cuenta la historia.

Además de añadir mayor concreción y detalle a los personajes principales, el conflicto, la línea de acción principal y el desenlace, explica también las tramas o líneas de acción secundaria y los puntos de acción dramática más importantes.

Si bien la *story line* puede servir de estructura a muchos relatos distintos, en la sinopsis, el grado de concreción es tal que identifica ya a un solo relato.

Debe contener suficiente información sobre los personajes, la acción y la estructura como para poder valorar las posibilidades del argumento.

En ocasiones cumple la función de avance en la venta del guión a un productor, antes de abordar la siguiente fase de tratamiento.

Renato May define el argumento como una ulterior precisión narrativa de la idea a la luz del tema. De hecho, la idea recibe en el argumento la primera concreción en un relato que liga, progresivamente, los elementos esenciales con sus caracteres y situaciones.

Es el relato, ya más amplio, de los hechos dramáticos y de las situaciones por las cuales pasan unos personajes definidos, que se mueven en unas acotadas coordenadas espacio-temporales donde se plantea un conflicto y su solución. En muchas ocasiones el argumento surge antes que la idea cinematográfica o bien la sigue, pero, en cualquier caso se ha de subordinar siempre a la idea.

Aunque hay diferentes teorías a propósito del argumento, centradas fundamentalmente, sobre su rigidez en la construcción del guión literario, podemos reservar este término al desarrollo narrativo y temático de la idea.

Gutiérrez Espada considera que el argumento se ha de redactar en tiempo presente narrado por el guionista como si él mismo fuese un espectador imaginario ante una proyección imaginaria. Se trata de un primer esbozo de los hechos esenciales y de los personajes principales de la narración, que ha de ser narrado cinematográficamente, es decir, en lenguaje fílmico.

En la sinopsis argumental se narra la historia haciendo un esfuerzo de síntesis. Es un trabajo arduo, pues se trata de narrar una historia ya concreta y precisa de forma breve y sucinta. Es una narración completa (aunque no detallada) donde sintéticamente se cuenta toda la obra. Será mejor cuanto más suscite la visualización de lo que se ha escrito.

A continuación, incluimos una sinopsis completa.

La gran ilusión (La grande illusion, 1937)

Argumento y guión: Jean Renoir y Charles Spaak
Director: Jean Renoir

En el curso de una operación de reconocimiento durante la Primera Guerra Mundial, el avión francés pilotado por el teniente Maréchal y en el que va el capitán de Estado Mayor De Boildieu, es abatido y hechos prisioneros sus ilesos tripulantes, a los que el jefe de la escuadrilla enemiga, capitán Von Rauffenstein, acoge cortésmente y obsequia antes de su traslado a un campo de concentración. En éste, Maréchal y De Boildieu hacen amistad con Rosenthal, hijo de un banquero judío; con un actor de teatro, un ingeniero y un profesor de enseñanza media. Como a todos les acucia el deseo de fugarse, el ingeniero estudia el trazado de una galería subterránea, que inmediatamente empiezan a hacer. La caída de Douamont, importante punto estratégico francés, llena de orgullo a los jefes del campo. Con la colaboración del actor, Maréchal organiza una representación teatral, a la que invita al comandante enemigo y a sus oficiales. De pronto, Maréchal interrumpe el espectáculo para anunciar que sus compatriotas han recuperado Douamont e inicia el canto de *La Marsellesa*, que todos los franceses secundan con entusiasmo. Los alemanes se indignan y el comandante ordena que lleven a Maréchal a una celda de castigo, en la que permanece incomunicado mientras sus compañeros prosiguen la construcción de la galería. Pero cuando el comandante da por terminado el castigo de Maréchal y el grupo de prisioneros se dispone a huir por el pasadizo recién abierto, bruscamente llega la orden de traslado a otro campo, del que De Boildieu y Maréchal pasan a una fortaleza en la que encuentran a Rosenthal. El comandante de la fortaleza es Von Rauffenstein, al que las numerosas heridas en combate, que le obligan a llevar constantemente un aparato ortopédico, dejaron inútil para el servicio activo. Rosenthal comunica a sus amigos que tiene un plan minucioso para trasponer los recios muros de la fortaleza y llegar hasta Suiza, desde donde podrán volver a Francia. Rauffenstein, frío y autoritario respecto a los demás prisioneros, distingue a De Boildieu con especiales atenciones. Una noche le confiesa el motivo de esa diferencia de trato: tanto De Boildieu como él mismo son aristócratas y eligieron voluntariamente, en tiempos de paz, la carrera de las armas. Estas dos circunstancias, a su juicio, les unen por encima de los demás. Un acto de rebeldía en la sección que ocupan los prisioneros rusos produce un momento de desorganización en la guardia de la fortaleza. De Boildieu idea provocar una situación análoga para que, aprovechando la confusión, puedan huir Maréchal y Rosenthal. El plan se cumple exactamente, pero De Boildieu, se niega a marchar: la confianza que en él ha puesto su colega alemán le impide cometer un acto que considera como desleal a su dignidad y a su carrera. Y mientras los soldados alemanes le persiguen por la terraza creyendo que es él quien trata de escaparse, Maréchal y Rosenthal logran salir del recinto. Rauffenstein intima a De Boildieu para que se entregue y ante su negativa dispara contra él, hiriéndole mortalmente. En su huida, Rosenthal se produce una lesión en un tobillo, que les obliga, a él y a Maréchal, a esconderse en una granja. La dueña, Lotta, una bella mujer, que vive sólo con su hijita, pues su marido y sus hermanos murieron en la guerra, descubre a los intrusos, pero se apiada de ellos y decide ayudarles. Entre Maréchal y la granjera surge el amor, que no dura mucho, ya que, en cuanto Rosenthal se siente capaz de proseguir la marcha, han de abandonar el refugio. Y cuando en su penosísima caminata por la nieve cruzan la frontera y se sienten seguros en Suiza, Maréchal no tiene otra ilusión que el próximo final de la guerra para volver en busca de la bella alemana.

La sinopsis argumental nos sirve para valorar la estructura del relato, pero no define a los personajes en profundidad, por ello suele acompañarse de una descripción de los personajes y su papel en la historia.

15.9. El tratamiento

Una vez analizada la sinopsis, descritos los personajes en sus aspectos físicos, sociales, psíquicos y emocionales y conocida la evolución que experimentarán en el relato, nos encontramos en condiciones de redactar el *tratamiento*.

La idea-núcleo nos condiciona la acción y la obliga a tomar una determinada estructura. Podemos saber «qué es lo que queremos decir» y hasta «cómo queremos decirlo», pero nos falta «qué mostrar para decirlo». La respuesta es «la acción narrativa» y para crearla precisaremos crear «situaciones».

Las situaciones son la columna vertebral de la obra audiovisual de ficción. Crean la dramatización de la historia y es a partir de las mismas de donde surgen los *personajes* y el *tratamiento* del filme.

El resultado de las diferentes acciones de los personajes protagonistas es lo que define la idea central dado que acción e idea son indivisibles. Al planificar la acción y al crear situaciones ha de tenerse presente que éstas deben recrear la idea que queremos comunicar porque la idea se desarrolla en la acción.

La acción de la narración progresa y se desarrolla temporal y espacialmente y, por tanto, puede producirse a lo largo de los tres tiempos narrativos fundamentales: presente, pasado y futuro. Desde el punto de vista narrativo y del espectador es evidente que la acción tiende en todo momento hacia el futuro.

La experiencia demuestra que los filmes saturados de acción han tenido casi siempre un éxito indiscutible. Por esto, la acción debe estar siempre presente en el guión pero sólo es válida cuando está indisolublemente unida al argumento.

Frecuentemente es la experiencia quien dicta cómo debe ser la acción, así el «final feliz», el «triunfo del bien sobre el mal», etc. Eugene Vale afirma que «la construcción dramática nos ha enseñado que todos los acontecimientos suceden basados en un intrincado sistema de leyes y proporciones interconectadas. La violación de estas leyes y proporciones puede ser muy difícil de reconocer. Por esto el productor medio desconfía de las propuestas originales. Se siente seguro con la novela ya publicada o con la obra teatral ya representada en las cuales el escritor trabajó necesariamente muchos meses».

En el *tratamiento* concretamos en escenas y situaciones cada una de las partes de la estructura mediante la acotación del escenario donde transcurre la acción y la descripción de la acción, aunque sin establecer los diálogos definitivos.

De este modo, el relato se expresa ya totalmente desarrollado en escenas y secuencias, de modo que el lector puede hacerse una idea completa de todo lo que va a suceder.

Como ejemplo de *tratamiento* podemos ver un guión de la serie *Quico el progre*, comedia de situación emitida por Televisió de Catalunya y del que son autores los guionistas Aurelio Romero, José Luis Martín, Mercè Sarrias y Raquel Ballabriga.

Quico es un personaje perdedor, trabaja de creativo en una empresa de publicidad, está divorciado y vive en un piso con su hija, que le respeta poco, y su suegra, que no le respeta en absoluto.

En el episodio que utilizamos para reconstruir un hipotético tratamiento las cosas van a salirle bien a Quico por primera vez.

— Va a crear una campaña magnífica.
— Va a ligar con una señora estupenda.

La sinopsis resumida de la historia podría ser la siguiente:

Quico se ve envuelto en una apuesta con su hija en la que se compromete a ligar ante el escepticismo de ésta y el «choteo» de la suegra.

Por otra parte, en la oficina se acepta una propuesta de campaña hecha por Quico que hay que mantener en secreto para evitar que la robe la competencia.

En un cursillo relacionado con publicidad, Quico conoce a una «señora estupenda» la cual, con la excusa de estudiar juntos se lo lleva a la cama, ante la estupefacción de la hija y la suegra que no dan crédito a lo que ven.

Quico, satisfechísimo, llega a su oficina y recibe la noticia de que les han robado la campaña y que su ligue era nada menos que una creativa de la competencia.

Para realizar el tratamiento que desarrolle este esquema argumental puede emplearse el *método de las tarjetas*. En una primera fase se anota un escenario en cada tarjeta, se especifica quién participa en la escena y en qué ha de contribuir ésta al desarrollo del argumento.

Comencemos por el desarrollo del primer acto.

En la comedia de situación el planteamiento debe desarrollarse rápidamente. El quién y el qué de la historia debe plantearse en la primera o la segunda escena.

¿Cómo comenzar la historia?

En esta comedia de situación hay dos escenarios fijos, el piso de Quico y la oficina. En uno de estos escenarios habrá de desarrollarse la acción. Como la apuesta la hace con su hija, lo lógico es que la escena se desarrolle en el piso.

¿Cómo hacer surgir la apuesta?

INTERIOR DÍA APARTAMENTO QUICO
«Preparar excusa para apuesta»

Reprimenda de Quico a su hija por haber suspendido un examen.

Quico le echa en cara que no estudia y sólo piensa en ligar.

Podría hacerse surgir la apuesta en esa misma escena pero conviene hacer intervenir a todos los personajes fijos. Si la suegra entra y participa en la discusión se aumenta el conflicto y además contribuye a que la apuesta surja de un modo más intenso y creíble. Puede hacerse mediante una secuencia dramática.

INTERIOR DÍA APARTAMENTO QUICO
«Hacer surgir la apuesta»

Entra Filo (la suegra), se pone de parte de la niña y provoca a Quico diciéndole que él sí que es incapaz de ligar.

Surge la apuesta: si él liga la hija se compromete a estudiar.

El planteamiento estará concluido en estas dos escenas, sin cambiar de escenario.

En el tratamiento han de desarrollarse literariamente estas escenas, de modo que se explique completamente su contenido, aunque sin terminar de perfilar los diálogos.

Sabemos ya quién participa en la escena, dónde se desarrolla y qué se quiere explicar con ella.

---

1. INTERIOR DÍA APARTAMENTO QUICO

Quico, enérgico, reprende a su hija por suspender la asignatura preferida de ésta: «Evolución de las formas».

Quico añade lo caros que son los estudios de diseño que su hija ha escogido, en vez de otras carreras «baratitas» como Filosofía, y le echa en cara que si ella se pagase los estudios sería otra cosa pero como siempre ha tenido todo solucionado...

Diana (la hija) le responde con cinismo que ella no ha pasado la adolescencia de su padre «llena de privaciones» y continúa refiriéndose a la dictadura franquista para «ayudar» a su padre a terminar el sermón.

Diana se sienta y pone la tele. Quico se desespera.

Quico no entiende cómo su hija pudo suspender «Evolución de las formas» y ella explica que su sugerencia fue demasiado innovadora: un taburete-cenicero.

Al profesor no le pareció adecuado que la gente se quemase el trasero.

2. INTERIOR DÍA APARTAMENTO QUICO

Entra Filo cargada con bolsas de la compra y saluda. Diana responde al saludo, pero Quico le dice un rápido «Hola» y continúa dirigiéndose a Diana mientras le dice que su problema es que en vez de estudiar sólo piensa en ligar, que sólo podría aprobar una asignatura que fuese «Evolución de los enredos amorosos».

Filo aprovecha para meterse con su yerno, como es su costumbre, y le dice que esa asignatura él no la aprobaría nunca.

Quico responde atacándola con un comentario ácido.

Filo no desaprovecha la ocasión y continúa pinchando. Le dice que no aprobaría ni por un milagro.

Quico dice que el milagro sería que su hija aprobase el curso.

Filo continúa. Dice que ése sería un milagro de segunda, que el milagro de verdad sería que Quico ligase.

Diana responde que el que ella apruebe es cuestión de tiempo. Filo añade que en cambio él con el tiempo olvidará definitivamente el significado del verbo ligar.

Diana lanza una apuesta: «Cuando tú ligues yo sacaré sobresaliente».

Quico le responde que con lo que le cuestan los estudios de diseño no le queda a él dinero para ligar.

Diana insiste en la apuesta. Si Quico liga ella se compromete a obtener un sobresaliente. Filo remata la apuesta diciendo que ella además creerá en los milagros.

En la tele comienza el programa de *Los novios* y Filo y Diana se aprestan a verlo.

Quico, desesperado, las increpa por abandonar el tema del suspenso para ver un estúpido programa.

Filo le contesta que a él le convendría participar en el concurso porque en él ligan hombres que no se han comido un rosco en la vida.

Quico hace un gesto de desdén pero, de reojo, se queda mirando el programa.

En estas dos escenas, expresadas en forma de tratamiento, ya sabemos qué pasa exactamente, cómo y a quién le pasa.

En este caso se ha comenzado por el detonante. La historia ya existe desde el comienzo: hay un conflicto entre padre e hija y un problema para solucionar, que la hija estudie y apruebe.

La segunda introduce el punto de inflexión, la apuesta. Ahora la cuestión no es si la hija aprobará, sino si Quico será capaz de ligar.

Con el tratamiento resulta sencillo imaginarse el transcurso de la historia y valorarla en términos de estructura, personajes y acción.

Este paso es previo y fundamental antes de embarcarse en los diálogos. Ahora ya se sabe a qué obedecen los diálogos y a qué objetivo deben servir.

La especificación detallada de acción y diálogo se expresa en el guión literario.

15.10. El guión literario

Antes de iniciar el *guión literario* el tratamiento debe ser analizado en detalle. La presentación en fichas permite reorganizar las escenas, cambiarlas o incluir otras nuevas. En esta fase deben efectuarse todas las revisiones que sean precisas para asegurarse el funcionamiento de la historia, de su fluidez y coherencia interna, de su estructura, de la precisión de su información, etc.

En el guión literario se concreta el tratamiento, se expresan de forma definitiva todas las situaciones, acciones y diálogos y con él el guionista concluye su trabajo que será continuado por el director o realizador contando, con frecuencia, con su ayuda y colaboración.

Normalmente, la presentación del guión se efectúa a partir de una clasificación en *escenas* y/o *secuencias*, donde se detalla su contenido. Las escenas describen acciones que suceden en un lugar y en un tiempo determinados y que sirven de pauta en la fase de producción dado que normalmente estas escenas suelen disponer de una misma iluminación, decoración, *atrezzo*, vestuario, etc. Una sucesión de escenas acaba constituyendo una secuencia cuando continúan una misma acción y disponen en sí mismas de una estructura argumental que implica la existencia de un planteamiento, un desarrollo y un desenlace dentro de la estructura general del filme.

Los guionistas autores del guión de *Quico el progre*, trasladaron las dos escenas anteriormente comentadas en su etapa de tratamiento, a guión literario tal y como transcribimos a continuación (el ejemplo ha sido traducido del catalán y formateado).

EXT. FACHADA EDIFICIO QUICO — NOCHE

                         QUICO
            (Off)
            … ¡Y además de suspender
            Estructuras, Historia del Diseño,
            Interiores y Dibujo I, ni siquiera
            apruebas tu asignatura preferida:
            Evolución de las Formas!

INT. COMEDOR QUICO — NOCHE

                         DIANA
            (Aguantando el sermón)
            Papá, no empieces…

                         QUICO
            (Como si no la oyese
            continúa abroncándola)
            Si como mínimo estudiases
            filosofía, que es una carrera barata,
            pero no, la señorita tiene que
            estudiar diseño, ¡Que me cuesta un
            dineral! Y del material ni te cuento:
            ¡Que si una carpeta impermeable de la
            medida de una sábana, que si un
            rotring del 0,225…!

                         DIANA
            Ya sabes que son para hacer cosas…

                         QUICO
            ¡Claro, para no tener que estudiar
            eres capaz de cualquier cosa.
            Si te pagases los estudios como nos
            tocó a nosotros, sabrías qué es
            estudiar de verdad, pero como lo
            tenéis todo solucionado…!

                         DIANA
            (Cansada)
            ¡Claro, papá! ¡Si yo hubiese pasado
            tu adolescencia llena de privaciones!

                         QUICO
            (Sorprendido)
            ¿Y a qué viene esto ahora?

                         DIANA
            ¡Ah! ¿Es que ahora no tocaba
            aquello de la negra noche de la
            dictadura franquista? Sólo
            quería ayudarte a acabar el sermón.
            (Se sienta en el
            sofá y enciende la tele)

QUICO
(Se desespera)
¡Si eres capaz de hacer una lámpara
con la forma de un megáfono, no
entiendo cómo puedes suspender una
asignatura llamada Evolución de las
Formas!

DIANA
Es que en el examen hice una
sugerencia...
(Con orgullo de
incomprendida)
demasiado innovadora.

QUICO
No te inventes excusas. ¡Lo único
que me falta que me digas es que
el profesor te tiene manía! ¿Qué
sugerencia?

DIANA
Pues, un taburete-cenicero.

QUICO
¿Y por qué no le gustó?

DIANA
Dijo que era poco elaborado, y
que la gente se quemaría el culo.

Entra la señora Filo, viene cargada con cosas y se para ante la puerta para guardar las llaves en el
bolso.

FILO
Hola.

DIANA
Hola, abuela.

QUICO
Hola.
(Dirigiéndose a
Diana)
Mira, ¿sabes cuál es tu problema?
El problema es que últimamente te
dedicas sólo a ligar. De hecho,
estudias tan poco que sólo podrías
aprobar Evolución de los Enredos
Amorosos.

FILO
(A Quico)
¡Eso sí que no lo aprobarías nunca!
Mejor dicho ¡ni siquiera te podrías
presentar al examen!

QUICO
(Se lamenta)
¡Mira, ya ha llegado la víbora del
Ensanche!

FILO
Sería un milagro.
(Deja las bolsas
sobre la mesa)

QUICO
El milagro será que esta niña
(señalando a
Diana)
apruebe el curso.

FILO
Eso sería un milagro de segunda,
lo que sería sobrenatural es que
tú ligaras.

DIANA
Claro, papá, yo todavía tengo
posibilidades de aprobar, sólo es
cuestión de tiempo.

FILO
Es una cuestión de tiempo que ella
apruebe el curso, y también lo es
que olvides definitivamente lo que
es ligar.

QUICO
(A Diana)
¿Cómo piensas aprobar? ¿Piensas
crear una línea de vestuario
antiinflamable para utilizar
los taburetes?

DIANA
Pues no es mala idea.

QUICO
Ni se te ocurra hacer la
competencia a Miquelanxo y a tu
madre. Con dos modistas en la
familia ya tenemos bastante.

FILO
¿Preferirías que se dedicase a la
publicidad como tú? De esta forma
podría hacer anuncios de perfumes
irresistiblemente seductores, que tú
no has conseguido nunca que funcionen.

QUICO
(Enfadado)
No cambiemos de tema. Hablábamos de
las notas de Diana.

DIANA
¿Quién cambia de tema?
(Irónica)
Cuando tú ligues, te prometo
sobresalientes en todas las asignaturas.

QUICO
¡Con lo que me cuesta tu escuela de
diseño, ya no me queda dinero para
poder ligar!

DIANA
Nos lo podemos jugar: si tú ligas,
yo sacaré sobresalientes.

FILO
Y yo creeré en los milagros.
(Cambia de tema)
¡Venga! ¿Ya lo habéis solucionado?
(Se sienta en el
sofá junto a Diana)

QUICO
Pero, ¿a qué viene tanta prisa?

FILO
Es que son las nueve y ahora
empieza el concurso de los novios
(A Diana)
¿No crees que ya ha empezado?

DIANA
No, lo espero desde hace un rato.

QUICO
(A punto de estallar)
Pero, ¡escuchad! Diana lo suspende
todo y lo único que os preocupa es
este estúpido concurso.

FILO
¿Estúpido concurso? Pues mira, a
ti te iría muy bien para ganar la
apuesta. El otro día salió un
concursante que no había ligado en
toda su vida, y consiguió novia.

Quico sale del comedor molesto, pero mira de reojo la tele.

Hemos presentado un ejemplo de guión literario basado principalmente en el diálogo elaborado a partir de un tratamiento. Existen diferentes formas de presentar guiones literarios. Una de las más conocidas es la utilización de dos columnas verticales: a la izquierda, descripción de la acción o imágenes visuales y, a la derecha, la imagen sonora (diálogos, sonidos, música y efectos sonoros).

Pero es más frecuente, como hemos visto en el guión anterior, la presentación a una sola columna marcando la diferencia de la acción respecto de los diálogos por algún sistema de tabulación. Este método permite una lectura más rápida.

Exponemos, seguidamente, un fragmento de un guión literario basado más en la descripción visual de la acción que en el diálogo.

El espíritu de la colmena (1972)

Argumento y guión: Ángel Fernández-Santos y Víctor Erice
Dirección: Víctor Erice

SECUENCIA 16. ESCENA 1. FACHADA DE LA CASA DEL APICULTOR. Ext. día.

Frente a la verja de entrada a la casa del apicultor, José, el encargado de la finca, tiene preparado para partir un tílburi tirado por una yegua cana. En la parte posterior del tílburi hay un barril de licor, un par de sacos, panales, cajones de colmena. El apicultor sale de la casa llevando en la mano una cartera de cuero. Va hurgando en los bolsillos de la chaqueta, tratando de encontrar algo que cree haber olvidado y no logra recordar. A veces se para. Un balcón se abre en el piso superior. Teresa, su mujer, aparece en bata, con un sombrero negro en la mano.

Teresa.— Fernando...

El apicultor se vuelve. Levanta la cabeza y da unos pasos. Teresa deja caer el sombrero. El apicultor trata de cogerlo al aire, pero no lo consigue. Lo tiene que levantar del suelo. Hace un gesto de gracias a su mujer, y se lo encasqueta. Sube al tílburi y toma asiento. José arrea a la caballería.

José.— Arre, torda...

El coche se pierde carretera adelante.
Encadenado.

Una vez se dispone del guión literario acabado, el guión se convierte en una herramienta de trabajo para quienes, desde la dirección, la producción, la interpretación o la técnica han de efectuar el filme o programa. Es a partir del mismo cuando se tomarán las decisiones relativas a producción, se conseguirá la financiación precisa para su ejecución, se producirá la transposición del lenguaje propio del guión literario a soluciones concretas audiovisuales, se buscarán las localizaciones o se construirán los decorados más adecuados, se buscarán intérpretes, se diseñarán vestuarios, etc.

Del trabajo de planificación que el director realice en la adaptación a soluciones audiovisuales del guión literario, saldrá el *guión técnico* que especificará los tipos de planos necesarios para cada escena o secuencia así como los tiempos aproximados de duración de los mismos lo que aportará información sobre el ritmo y la duración total del filme o programa.

Si se trata de realizar un documental es insustituible también la presencia de un guionista. No importa que se trate de un reportaje o de un filme científico o de un filme de montaje efectuado a partir de material prefilmado o de material de archivo. Siempre existirá un hilo argumental, aunque el argumento no sea explícito, y ello aconsejará el trabajo del guionista y la disposición de un guión para no caer en los mismos errores y desórdenes en que se incurriría en un filme de argumento efectuado sin un sólido guión.

15.11. El guionista

Un guión para un filme o programa de ficción o documental requiere, para su escritura, de una exhaustiva investigación sobre el material que se ha de utilizar. Es preciso documentarse racional, estética y científicamente para seleccionar, posteriormente, lo esencial. El guionista tiene que hablar con especialistas que conozcan profundamente la temática que se piensa desarrollar y que puedan hacer aportaciones valiosas.

En la labor de investigación surge frecuentemente la posibilidad de contactar directamente con los propios testigos en el mismo lugar donde se produjo un determinado suceso. Incluso se puede hablar con los protagonistas, lo que permite tomar notas sobre su personalidad, su gestualidad y su vocabulario.

Un riguroso método de trabajo hace que el guionista no sea sólo un escritor sino un estudioso que descansa en el valor científico de los datos reales.

El guionista debe ser un atento observador de la vida ordinaria. Normalmente, los detalles más insignificantes pueden tener un inestimable valor. El guionista, entre las vulgaridades cotidianas tiene que extraer el hecho significativo, lo que es original, sin dejar de lado el tópico, que también ocupa un lugar en el arte audiovisual.

15.12. El guión técnico

El guión literario es, en la contemplación del trabajo audiovisual como una actividad empresarial destinada a la producción de filmes y programas, un punto de partida. Un inicio cargado de potencialidad si dispone de una buena estructura dramática y un tema atractivo. Pero se trata tan sólo del principio y en el largo proceso de concreción en obra audiovisual existen múltiples oportunidades de dilapidar su previsible potencial.

En efecto, el guión literario suele ir a parar a una estructura de producción, entidad promotora, productora o productor que, una vez valora la viabilidad de ese proyecto, tiene que proveer los medios materiales y humanos para su realización efectiva.

La cantidad y calidad de estos medios viene determinada en forma principal por las disponibilidades de financiación. La capacidad de producción de la entidad promotora marca la evolución del guión literario original dado que un mismo proyecto puede verse afectado en términos absolutos por la escasez o abundancia de medios así como por la mayor o menor profesionalidad del equipo técnico o por la genialidad interpretativa y el propio caché de los actores.

En cualquier caso, independientemente del tamaño y alcance del proyecto, todos los guiones literarios han de ser transformados y adaptados a términos que permitan su comprensión por los equipos técnicos y artísticos que intervienen en su realización y, sobre todo, por un director de producción que, con su equipo, deberá organizar en el tiempo la participación de todos los medios precisos para llevar a buen término el proyecto.

La transformación del guión literario a guión técnico es una tarea propia del director/realizador. El lenguaje descriptivo del guión literario requiere una traducción a soluciones audiovisuales muy concretas que se recogerán en el guión técnico.

Este cambio de código sólo puede efectuarlo aquella persona que domina el lenguaje audiovisual y las reglas expresivas, que conoce las disponibilidades profesionales humanas y técnicas, que sabe cuáles son exactamente las posibilidades y el margen de maniobra para adoptar unas u otras resoluciones y, sobre todo, que tiene claro las limitaciones de tipo presupuestario que afectan a su producción. Es, en definitiva, un trabajo a realizar por un profesional que domina el medio en toda su complejidad. El director/realizador es el protagonista de esta transformación, apoyado por sus ayudantes, y con la continua colaboración del director de producción, que vela por el mantenimiento de plazos, costes y calidad del producto.

Un buen guión es la base de partida del proyecto del proceso de producción. Debe ser una base sólida, adecuado al público al que se dirige, con la duración requerida para el espacio al que se destina, expresado en la forma que mandan los estándares de presentación, y que aporte todos los datos precisos para su interpretación, su producción y su realización.

Hay distintos sistemas de construcción del guión técnico y cada entidad productora adopta diferentes variantes. Lo que importa no es el formato sino que refleje todas las indicaciones a considerar en el momento de su planificación, de su ejecución y de su montaje.

Partiendo de una segmentación de la obra en secuencias y escenas hay una serie de anotaciones referidas a iluminación, *atrezzo*, decorados, maquillaje, vestuario, etc., de los cuales debe hablarse al inicio de cada secuencia o de la escena. Sirven para construir el ambiente que facilite la consecución de la expresividad buscada.

A partir de estas indicaciones generales, cada plano del guión ha de estar perfectamente identificado, con una numeración correlativa respecto a los planos anteriores y posteriores. Se determinarán, también, las condiciones de rodaje: interiores y exteriores, si es de día o de noche. Seguidamente deberá aparecer con claridad la posición de la cámara y el objetivo que se utilizará así como la perspectiva de la toma, es decir, todos los detalles que conforman el encuadre, especificando el tipo de plano.

Se hará, asimismo, una descripción sintética de la acción que tendrá lugar en el plano, tanto si se trata de un actor o actores, como si los protagonistas de la acción son otros sujetos u objetos. Se especificará el movimiento interno del personaje en el cuadro y el movimiento de la cámara, marcando claramente los desplazamientos.

Respecto a la banda sonora se describirán, normalmente en otra columna, sus componentes: palabra, ruidos, efectos sonoros ambientales y música.

CUADRO 9. *Ejemplo de guión técnico.*

Nº Plano	Vídeo	Audio	Tiempo Plano	Tiempo Total
42	P.G. EXTERIOR DÍA Un coche deportivo rojo avanza solitario por una carretera sobre un paisaje pelado. El coche viene hacia cámara y la rebasa.	Motivo musical indicador del programa fundiéndose con ruido creciente del motor del coche.	10"	6'10"
43	P.G. EXTERIOR DÍA CONTRAPLANO DEL 42 El coche se aleja de cámara. Se descubren, en el horizonte, los edificios de una ciudad	Ruido del motor que funde con motivo musical indicador del programa que finalmente se impone.	8"	6'18"
44	G.P.G. EXTERIOR DÍA La ciudad está desierta. El sol cae a plomo sobre sus calles sin apreciarse rastro de vida.	Motivo musical indicador del programa	6"	6'24"
45	P.M. EXTERIOR DÍA Los dos ocupantes del coche con expresiones que indican preocupación. El conductor aferrado al volante. El acompañante fuma, con energía, un cigarrillo.	Ruido del motor del coche.	6"	6'30"

Es frecuente que en las producciones publicitarias, dibujos animados y en algunos filmes de ficción, se recurra a la construcción de un *story board* que consiste en añadir, a las especificaciones del guión técnico, una viñeta dibujada en la que se representa el contenido visual de cada plano.

Este tipo altamente desarrollado de guión técnico es particularmente útil en las acciones complicadas. En él, además de una viñeta indicativa del encuadre, se señalan los encuadres, ángulos de cámara, posiciones de las miradas, posición de los personajes en la escena, disposición de los proyectores de iluminación, grúas, *travellings*, etc.

Cuadro 10. *Ejemplo de* story board.

PLANO	IMAGEN	AUDIO
1		**PROMETIDO –** Hildy, ven conmigo ahora mismo. **ELLA –** Déjame ahora, no ves que esto es lo mejor que me ha ocurrido nunca. **PROMETIDO –** Pensaba que lo mejor era yo. ¿Qué soy? ¿un mueble? **EDITOR –** (En *off*) – Sí. **PROMETIDO –** No me quieres. **ELLA –** Sólo por eso ya dices que no te quiero. **PROMETIDO –** Creí que deseabas vivir como una persona decente.
2		**EDITOR –** Sebastián, como te llames, intento concentrarme. (Al teléfono) – ¿Me has enviado ya a los muchachos?
3		**ELLA –** Gracias por tu comprensión. **PROMETIDO** (*Off*) **–** Sólo quiero saber una cosa... **ELLA –** ¿Cómo se llama la mujer del alcalde?
4		**EDITOR –** Fanny (Al teléfono) – ...¿Qué dices Duffy?
5		**PROMETIDO –** Hildy, tú no me has querido nunca. Me voy en el tren de las diez. **ELLA –** (*Off*) – Si me aceptases tal como soy..., soy una rata de periódico.

El guión definitivo es imprescindible para planificar y poner en marcha el proceso de producción porque en él se encuentran todos los datos necesarios para la producción.

Este guión, sobre el que se va a basar el plan de trabajo, debe estar aprobado por la entidad promotora o por el productor-promotor tras la realización de cambios y modificaciones en la estructura, recortes y/o supresión de escenas, inclusión o exclusión de personajes, cambio de localizaciones, de *atrezzo* y de ambientación, etc. Todo ello con la finalidad de adecuarlo a las previsiones resultantes de la evaluación del proyecto.

> La exactitud y la concreción son las cualidades inexcusables que debe poseer un guión técnico porque afectan de forma dramática, si no se cumplen, al plan de producción y al presupuesto del filme o programa.

El guión ha de pasar por muchas correcciones y revisiones y tiene valores muy diferentes para los distintos equipos humanos y técnicos que intervienen en la producción audiovisual. Para el actor, por ejemplo, los diálogos y la interpretación se convertirán en su preocupación prioritaria, al iluminador le importará, en cambio, la consecución de la atmósfera adecuada. Entre el equipo de realización y el equipo de producción también existirán diferentes prioridades ante un mismo guión.

El guión técnico es, ante todo, una herramienta para la puesta en marcha efectiva del proyecto. Una muestra de su valor es la diferencia que los equipos de dirección/realización asignan al término secuencia respecto a los equipos de producción.

La *secuencia narrativa* es conceptualmente importante para el guionista y para el espectador, pero apenas tiene interés como unidad para el director de producción o el ayudante de realización, que deben precisar los medios necesarios para su realización y el tiempo para su rodaje o grabación. Por este motivo, en la terminología de los productores, secuencia es toda unidad autónoma de registro que no suponga traslado de equipos ni cambio de iluminación, vestuario, *atrezzo*, ambientación, etc.

La *secuencia de producción* puede ser una pequeña parte de una escena narrativa, que constituya un momento autónomo el cual pueda ser objeto de un registro disociado del resto de la escena.

En la práctica profesional es bastante habitual referirse al guión que utiliza el director como *guión de rodaje* donde se consignan todas las revisiones en la acción, en los diálogos y con las secuencias principales divididas en subsecuencias que coinciden, generalmente, con las diferentes posiciones de cámara. Se trata de un guión específicamente preparado para proceder a su registro.

En este caso, el trabajo del equipo de dirección centra su interés en el seguimiento de la unidad narrativa para garantizar la continuidad de la acción en todas las secuencias del guión.

El equipo de producción, por el contrario, analiza el guión procediendo a su desglose o determinación de todas las necesidades humanas o materiales por secuencias de producción o unidades autónomas de registro. Los técnicos estudian, desde sus distintas especialidades las necesidades de encuadre, provisión de elementos de captación de sonido y de imagen, concreción de la iluminación, desplazamiento de grúas o carros, etc. Sin un guión técnico convenientemente desarrollado y definitivo la concreción del proyecto en obra audiovisual se convertiría en una arriesgada y previsiblemente fatal aventura.

BIBLIOGRAFIA BÁSICA SOBRE EL TEMA

Almendros, Néstor, *Días de una cámara*, Barcelona, Seix Barral, 1982.

Adorno, T. W. y Eisler, H., *El cine y la música*, Madrid, Fundamentos, 1981.

Aumont, Jacques, y otros, *Estética del cine: espacio fílmico, montaje, narración, lenguaje*, Barcelona, Paidós, 1985.

Batlló, Espelt y Lorente-Costa, *Conèixer el cinema*, Barcelona, Departament d'Ensenyament de la Generalitat de Catalunya,1985.

Barroso García, Jaime, *Introducción a la realización televisiva*, Madrid, Instituto Oficial de Radio y Televisión, 1988.

Bellot Rosado, Coral, *El guión: presentación de proyectos*, U. D. 152, Madrid, Instituto Oficial de Radio Televisión Española, 1996.

Beltrán Moner, R., *La ambientación musical: selección, montaje y sonorización*, Madrid, Instituto Oficial de Radio y Televisión, 1981.

Bordwell, D. y Thompson, K., *El arte cinematográfico*, Barcelona, Paidós, 1995.

Borrás, J. y Colomer, A., *El lenguaje básico del film*, Barcelona, Nido, 1977.

Burch, Noël, *Praxis del cine*, Madrid, Fundamentos, 1970.

Carmona, Ramón, *Cómo se comenta un texto fílmico*, Madrid, Cátedra, 1991.

Carrière, J. C. y Bonitzer, P., *Práctica del guión cinematográfico*, Barcelona, Paidós, 1992.

Casetti, F. y Di Chio, F., *Cómo analizar un film*, Barcelona, Paidós, 1991.

Chion, Michel, *Cómo se escribe un guión*, Madrid, Cátedra, 1989.

Chion, Michel, *La audiovisión. Introducción a un análisis conjunto de la imagen y el sonido*, Barcelona, Paidós, 1993.

Comparato, Doc, *El guión. Arte y técnica de escribir para cine y televisión*, Madrid, Instituto Oficial de Radio y Televisión, 1989.

Di Maggio, Madeleine, *Escribir para televisión*, Barcelona, Paidós, 1992.

Feldman, Simon, *Realización cinematográfica*, Barcelona, Gedisa, 1979.

—, *El director de cine*, Barcelona, Gedisa, 1979.

—, *Guión argumental, guión documental*, Barcelona, Gedisa, 1990.

Fernández Díez, F., *Arte y técnica del guión*, Barcelona, UPC, 1996.

Fernández Díez, F. y Martínez Abadía, J., *La dirección de producción para cine y televisión*, Barcelona, Paidós, 1994.

Ferrés i Prat, Joan, *Per a una didàctica del vídeo*, Barcelona, Generalitat de Catalunya, 1990.

Gutiérrez Espada, L., *Narrativa fílmica. Teoría y técnica del guión cinematográfico*, Madrid, Pirámide, 1978.

Martin, Marcel, *La estética de la expresión cinematográfica*, Madrid, Rialp, 1962.

Martínez Abadía, José, *Introducción a la tecnología audiovisual. Televisión, vídeo, radio*, Barcelona, Paidós, 1997.

Millerson, G., *Técnicas de realización y producción en televisión*, Madrid, Instituto Oficial de Radio y Televisión, 1991.

Neronsky, L. B., *Sonorización de películas*, Barcelona, Marcombo, 1975.

Raimundo Souto, H. Mario, *Técnica del cine documental y publicitario*, Barcelona, Omega, 1976.

Reisz, Karel, *Técnica del montaje cinematográfico*, Madrid, Taurus, 1980.

Romaguera, Joaquim y otros, *El cine en la escuela. Elementos para una didáctica*, Barcelona, Gustavo Gili, 1988.

Romaguera, J., *El lenguaje cinematográfico*, Madrid, Editorial de la Torre, 1991.

Rowlands, Avril, *El guión en el rodaje y la producción*, Madrid, Instituto Oficial de Radio y Televisión, 1985.

Sala, Ramon, *Un vídeo a l'escola*, Barcelona, Departament d'Ensenyament de la Generalitat de Catalunya, 1988.

Schmidt, M., *Cine y vídeo educativo*, Madrid, Programa de Nuevas Tecnologías del Ministerio de Educación y Ciencia, 1987.

Seger, Linda, *Cómo convertir un buen guión en un guión excelente*, Madrid, Rialp, 1991.

—, *El arte de la adaptación*, Madrid, Rialp, 1993.

Soler, Llorenç, *La televisión. Una metodología para su aprendizaje*, Barcelona, Gustavo Gili, 1988.

Vale, Eugene, *Técnicas del guión para cine y televisión*, Barcelona, Gedisa, 1985.

VV.AA., *La imagen. Curso de iniciación a la lectura de la imagen y al conocimiento de los MAV*, 2 vols., Madrid, Universidad Nacional de Educación a Distancia, 1987.

PARA AMPLIAR

Además de la bibliografía básica sobre el tema que indicamos en el apartado anterior recomendamos al lector la realización de algunas actividades de autoformación como las que siguen:

1. Análisis crítico de filmes y programas de vídeo y televisión rellenando fichas que respondan, por ejemplo, a las siguientes preguntas:

Si se trata de un filme

1. FICHA TÉCNICA Y ARTÍSTICA
   Director:
   Productor:
   Guión:
   Fotografía:
   Música:
   Montaje:
   Intérpretes:
   Duración:
2. SINOPSIS
3. TIEMPO (cuándo transcurre la historia)
4. ESPACIO (dónde transcurre la historia)
5. ANÁLISIS ARGUMENTAL
   A) Introducción o prólogo
   B) Desarrollo del conflicto o de la historia
   C) Clímax de la historia
   D) Desenlace o epílogo
6. ANÁLISIS FORMAL
   A) Ambientación, escenografía e iluminación
   B) Planificación y ritmo del montaje
   C) Personaje protagonista
   D) Personajes secundarios
   E) Especialistas y figurantes
   F) Dificultades de producción (escenarios, decorados y localizaciones; recursos técnicos; movimientos de personajes y figurantes; ambientación histórica, etc.)

7. OBSERVACIONES SOBRE LA BANDA SONORA
8. OPINIÓN PERSONAL SOBRE EL FILME

Si se trata de un programa de televisión

1. TEMA
2. IDENTIFICACIÓN DE LOS OBJETIVOS COMUNICATIVOS
3. PÚBLICO AL QUE SE DIRIGE
4. HORARIO DE EMISIÓN
5. DURACIÓN
6. PRODUCTO ÚNICO O SERIADO
7. ANÁLISIS FORMAL
   A) Tipología de las caretas de presentación
   B) Diseño escenográfico
   C) Presencia del/de los presentador/es (indumentaria, caracterización, aspecto)
   D) Calidad fotográfica, calidad de la imagen (luminosidad, tipo de iluminación, elección de las tonalidades, calidez, frialdad, contraste cromático)
   E) Relación de las distintas partes de cada programa y especificación formal de las mismas
   F) Músicas de sintonía
   G) Relación existente entre trabajo en estudio y/o en localizaciones interiores y exteriores
   H) Otros aspectos formales
2. A partir de la lectura de un diario sugerir posibles argumentos de obras de ficción o de programas de televisión inspirados en noticias que el mismo contiene.
3. Lectura de guiones originales o de guiones editados que respetan el formato original. Si es posible, compararlos con su materialización en filmes o programas concretos.
4. Realizar ejercicios de adaptación de escenas o secuencias de guiones literarios a guión técnico.
5. A partir de fragmentos de filmes o programas efectuar el guión técnico que ha servido para su realización.
6. Imaginar y escribir diálogos cinematográficos que se correspondan con escenas de situaciones conocidas: una pelea, un encuentro casual, una situación cómica, una transacción comercial, etc.
7. Analizar un plano secuencia complejo, extraído de un filme y dibujar la combinación de movimientos de cámara y variaciones de óptica, precisos para su ejecución.
8. Efectuar un diseño escenográfico completo para ambientar una secuencia completa de una historia inventada.
9. Aplicar, con una cámara de vídeo o mediante viñetas, las reglas de realización práctica de los capítulos 9, 10 y 11 de este manual.

10. Dibujar, en viñetas, una historia muy corta.
11. Asistencia a rodajes, grabación de programas de televisión y laboratorios de doblaje y sonorización.
12. Lectura atenta de revistas cinematográficas donde se analizan filmes y se recogen teorías de aplicación al lenguaje y a la narrativa audiovisual.
13. Ir al cine, ver la televisión y hacerlo, siempre, con espíritu crítico, con la máxima curiosidad, observando y aprendiendo las técnicas expresivas e incorporando la experiencia al bagaje personal.

ÍNDICE ANALÍTICO Y DE NOMBRES